監修　一般社団法人 **マンションリフォーム推進協議会** **REPCO**

マンション改修読本

あなたのマンションを100年先へ

マンションの100年先を目指して

一般社団法人マンションリフォーム推進協議会

代表理事・会長　大栗　育夫

　当協議会は、平成4年（1992年）に設立され、令和4年（2022年）には、満30年を迎えることになります。当協議会の設立目的は、良質かつ適切なマンションリフォームの促進及び関連業界の健全な発展を図り、もって国民の生活水準の向上と良質な住宅ストックの形成に寄与することにあります。

　この目的のため、マンションリフォームに関する技術的な諸問題、業界体制の諸問題及び法制度上の諸問題等について、研究と協議によりその解決策を総合的に推進しております。

　現在の会員数は約110社でございます。その業種は、リフォーム会社、ハウスメーカー、ゼネコン、デベロッパー、設計事務所、マンション管理会社、住宅流通会社、住宅設備機器メーカー等、マンションリフォームにかかわる業種全体に及んでおり、マンションの共用部分と専有部分の両方を包含する特色のあるマンションリフォームの団体です。

　全国の分譲マンションストック数は増え続け、令和元年（2019年）末には既に665万戸を超えていますが、住宅を取り巻く環境や住宅が直面する課題も大きく変化してきております。

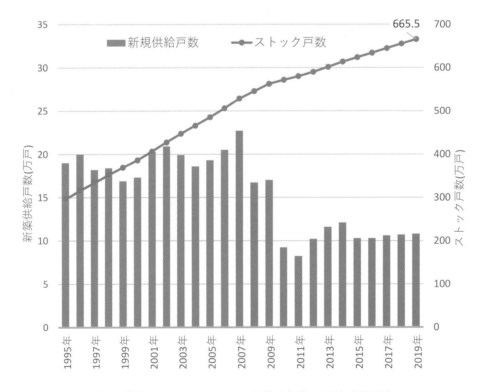

図　分譲マンションストック数（出典：国土交通省）

また、高齢化と人口減少が進み、耐震性の確保を始めとして、安全・安心、環境・省エネ性能向上等、様々な課題への解決が求められ続けられています。

　現在では、国民の1割以上が居住しているマンションの内、築40年を超えるものが約15％の91万戸、これが20年後には約4.2倍の約384万戸まで加速度的に増加すると予測されています。

　マンションの高経年化に伴う建物・設備の老朽化とそれに続くマンション再生問題がマスコミに取り上げられ、マンション居住者の高齢化に伴う管理組合の担い手不足、あるいは修繕積立金の不足なども新たな問題としてクローズアップされるようになってきました。

　さらに、近年の気候温暖化に伴う自然災害の頻発・激甚化による建物被害が頻発しており、激甚化する災害予防を目的とした対策と備えの重要性が強く意識されるようになりました。

　当協議会としては、このような激甚化する災害への対策を含め、マンションの超長寿命化、マンションの適切な維持管理・再生等の重要課題に対する技術的、政策的な啓蒙活動と支援を行って参ります。

　最後となりますが、令和元年（2019年）4月に、マンションリフォームがもっと身近になり、興味・関心をもってもらえるように当協議会のキャッチフレーズを公募し、最優秀作として「あなたのマンションを100年先へ」を選定いたしました。

　従来、寿命60年と言われていたマンションは、近年の構造性能向上等により、100年以上に渡り、性能を維持することが可能となってきました。設備と内装を適正に更新することで、100年先まで優良な住宅ストックとして住み継がれるようになると思います。

　このようにリフォーム事業に携わる皆様とともに、健全なる業界の発展とマンション居住者様や管理組合様の安全・安心・快適な暮らしの実現を目指して、協議会活動をこれからも積極的に行なってまいります。

REPCOの歩みと主な活動

ダイジェスト

（一社）マンションリフォーム推進協議会　事務局長　　大崎　健一

　当協議会は、令和3（2021）年2月には一般社団法人に移行して満10年を迎え、また、令和4（2022）年4月には、設立から満30周年を迎えます。これから本格的な住宅ストックの時代に入るなか、これまでの協議会のあゆみを振り返り、また、現在の主な活動についてダイジェスト版として、ご紹介します。

1. 協議会設立の背景

　協議会が設立された背景には、マンションのストックが増え、また居住者に定住化の傾向が強まったこと、さらには住生活の充実が求められようになったことにより、マンションリフォームの需要が拡大し、将来はさらに伸びる状況になって来た事があげられます。

　この動向にスムーズに対応するために、戸建て住宅と異なるマンションに固有の課題への取組み、リフォーム業界の体制の整備と人材育成を図ること、の2つの施策の必要性が関係者に痛感され、これらの推進を図るため、平成4（1992）年4月、国土交通省住宅局と公益財団法人住宅リフォーム・紛争処理支援センターのご支援をいただき、マンションリフォーム推進協議会（英文名称:The Remodeling Promotion Committee for Condominium。　略　称：REPCO レプコ）が設立されました。

2. 平成4（1992）年4月　設立総会開催

　マンションリフォーム推進協議会（以下、REPCO）は、平成4（1992）年4月27日に東京都で設立総会を開き、正会員数308社にて発足しました。初代会長には、㈱長谷工コーポレーション・社長（当時）の合田耕平氏が就任。事務所は東京都港区赤坂の（財）日本住宅リフォームセンター内に設置しました。

　そもそものREPCO発足のきっかけは、建設省（現・国土交通省）が財団法人日本住宅リフォームセンター（現・公益財団法人住宅リフォーム・紛争処理支援センター）に委託して実施した「マンションリフォームの促進体制の整備に関する調査研究（平成元年〜3年度）」でした。

　この調査研究において2つのポイントが指摘されました。

1）　マンションリフォーム業界の体制整備
2）　マンションリフォーム分野の人材育成
　　　1）の業界の体制整備を目的としてREPCOが発足し、2）の人材育成を目的に、新資格制度「マンションリフォームマネジャー（以下、MRM）」が創設され、この年に日本住宅リフォームセンターにより第1回の試験が実施されました。REPCOは受験者を対象とした設計・製図に関する講習会を東京・大阪で開催しました。

写真1　協議会・設立総会の様子

　設立時に多くの会員が参加した背景には、リフォーム優良事業者登録制度を創設する構想があり、REPCOが登録機関となって新制度を立ち上げる検討が進められたことが背景にありました（その後、構想は断念するものの、住宅リフォーム情報サービス「リフォネット」へ発展しました）。

3. 設立後のトピックス

○平成4 (1992) 年度

マンションリフォームに関する最初の調査研究成果「専有部分の適切なリフォームに配慮したマンション管理組合規約作成に関する調査研究報告書」を9月に発行。会員向け情報誌「REPCO PRESS」を7月から発行しました。

○平成5 (1993) 年度

マンションリフォーム市場の現状と将来展望を定量的に把握するための業界初めての試みがREPCOでスタート。平成6年3月に、初の需要予測となる「マンションリフォーム市場将来需要推計調査報告書（専有部分）」を公表しました。

また、マンションリフォーム工事の標準的な手順をまとめた「マンションリフォームの手引き」を9月に刊行。会員向けに技術セミナーも開催され、会員各社の技術向上を支援する活動を精力的に展開し始めました。

○平成6 (1994) 年度

消費者向けの啓発活動に乗り出し、「第1回リフォームアイディア・コンクール」と「ミセスのためのマンションリフォームセミナー」を3月に開催。また、前年に続き「マンションリフォーム市場将来需要推計調査報告書（共用部分）」を3月に公表。その後も定期的に調査報告書を公表しました。

また、7月に東京都千代田区二番町の二番町ビルディングに事務所を移転しました。

○平成7 (1995) 年度

関西地区の活動強化のため、会員73社が集まり、3月に近畿支部を設立しました。

会員間の情報共有強化のため、リフォーム関連製品説明会を3回開催。また、リフォーム分野では未整備であった「マンションリフォーム見積書・契約書等推奨書式」を作成、会員に広く活用を促しました。

○平成8 (1996) 年度

REPCO発足初年度からのリフォーム商品・技術動向調査活動に基づいて、マンションリフォームの一般的な施工方法などを解説した「マンションリフォーム施工マニュアル」を発行。またマニュアルを使って施工技術セミナーを開催しました。

この時期、マンションリフォームを実施する上で必要な基盤をほぼ整備しました。

また、7月に東京都千代田区麹町の半蔵門村山ビルに事務所を移転しました。

○平成9 (1997) 年度

この年より、「共用部分」のリフォームへの取組を本格化し、現場見学会の継続、「マンションリフォームセミナー（改正標準管理規約等）」に加えて、留意点をまとめた「マンション共用部分リフォーム推進ガイドライン」を3月に発行。また、MRMやリフォーム営業担当者育成のため、初の「初級建築講座」を開設しました。

○平成10 (1998) 年度

「築10年以上経過マンションの長期修繕計画の作り方」及び「専有部分における長期修繕計画の考え方」と共に、専有部分・共用部分のリフォーム実施内容調査報告書を発刊。

住宅関連団体の中でも先行してREPCOのホームページを開設し、会員企業と一般消費者に向けた情

報提供を開始しました。また、専有部分・共用部分のREPCOパンフレットを発行しました。

〇平成11（1999）年度

消費者向け活動強化のため、「マンションリフォームをお考えの方のための無料相談窓口」を開設。また、MRM有資格者のスキルアップを図るため、REPCOで「MRM会員（個人）」制度を新たにスタート。また、「マンションリフォーム関連の判例・紛争事例と法制度の解説書」を発行しました。

尚、5月に、嵩 聰久氏（当時、長谷エコーポレーション・社長）がREPCO会長に就任しました。

〇平成12（2000）年度

平成7年に作成した見積書・契約書「推奨書式」を見直し、「標準書式」に改訂。これらを標準化し、消費者に分かりやすい見積書等を提供できる環境を整備しました。また、平成8年の「マンションリフォーム施工マニュアル」を5年ぶりに改訂しました。

尚、この年度に住宅リフォーム関連団体の連合組織となる住宅リフォーム推進協議会が発足し、REPCOも会員として、当初から参加しています。

〇平成13（2001）年度

平成5〜6年度、平成9年度と過去2回行った「マンションリフォーム市場将来需要推計」（3回目）を4年ぶりに推計し直しました。所有者別「自住マンション」、「公営賃貸」、「公団公社賃貸」、「民営賃貸」、「給与賃貸」、「居住世帯のないマンション」の6分類で、「専有部分」、「共用部分」に区分けし、リフォーム件数、金額のそれぞれの将来需要推計を行いました。

〇平成14（2002）年度　設立10周年

当年度、設立10周年を迎え、その記念事業として「REPCO 10周年記念誌」を発刊。他リフォーム関連団体に先駆けて、独自に倫理綱領を制定し、REPCO会員にはこれに基づく活動を行っていくことを広く社会に宣言しました（現REPCOホームページにも掲載）。

また、専有部分リフォーム事例集を初めて作成。ホームページもリニューアルを行いました。

図1　専有部分事例集（2002年度版）

〇平成15（2003）年度

「マンションリフォーム工事におけるシックハウス対策セミナー」、「消費者セミナー」、「リフォームカスタマーサービス」、「簡単なパースの描き方」等、一般事業者・消費者向け情報発信を活発に行いました。

〇平成16（2004）年度

「マンションリフォーム専有部分施工マニュアル（改訂版）」を発行。販売総数は1,300冊と好評を得て、東京・大阪・名古屋にて合計5回の技術講座を開催しました。また、REPCOホームページを一般消費者向けに一新しました。

〇平成17（2005）年度

石綿障害予防規則制定に伴い、REPCO内に「アスベスト対策WG」と「同 作業部会」を設置しました。

8月にタイムリーな情報発信のため、機関誌「REPCO PRESS」をメールマガジンに切り替えて発行しました。

〇平成18（2006）年度

前年度の石綿調査・研究を元に、マンション専有部リフォーム解体・撤去工事に関わる「飛散量実測結果とREPCO推奨解体手順」を取り纏めました。

「マンションリフォーム市場将来需要推計」（4回目）を5年ぶりに一新し、政策目標の実現を勘案した場合、約2兆円規模と推計しました。

マンションリフォームに欠かすことのできない給排水設備に関する「設備習得講座」を新たに開設しました。

○平成19（2007）年度

第19回住生活月間において、永年のREPCOの活動が評価され、国土交通大臣賞（団体の部）を受賞いたしました。

人材育成を優先課題として、「技術講座」、「給排水設備セミナー」、「営業講座」、「パース・照明・カラーテクニックなどのインテリアセミナー」等18回と、例年より多く開催しました。

消費者向けポータルサイトを目指し、REPCOホームページの全面的なリニューアルを行いました。

○平成20（2008）年度

人材育成に関する講習会・セミナーを更に強化し、東京・大阪で21回開催。また、体制整備の一環として、「分譲マンション居住者におけるリフォームニーズ調査報告書」の発行、「マンションにおける防犯対策の提案」の取り纏めを行いました。

近畿支部では、他団体との連携強化のため、「近畿マンション管理ネットワーク」他に参加しました。

○平成21（2009）年度

「マンションリフォーム専有部分施工マニュアル」を5年ぶりに改訂しました。

○平成22（2010）年度　一般社団法人に移行

REPCOの活動の充実強化を図るべく、平成23年2月、総会を開催し、全員一致により、「任意団体」から「一般社団法人」に移行しました。これにより、団体の法律上の位置づけと責任の所在が明確化され、社会的地位や信用力の向上、国・他団体との連携による対外的活動が強化されました。

尚、5月に岩尾 崇氏（当時、長谷工コーポレーション・会長）がREPCO会長に就任しました。 また、10月に事務所を現在の東京都千代田区麹町の宮ビルに移転しました。

○平成23（2011）年度

「マンションリフォーム現地調査マニュアル」をまとめ、新たな技術講座を開設。また、定期調査である「マンションリフォーム市場将来需要推計」（5回目）をまとめ、公表・出版しました。

○平成24（2012）年度

リフォーム技術の普及・啓発の場として、会員企業による専有部分リフォームの事例を持ち寄り、第1回マンションリフォーム事例発表会を開催しました。「住まいのリフォームコンクール」関係者も加わり、135名の参加と好評を得ました。

写真2　第1回マンションリフォーム
事例発表会の会場の様子

○平成25（2013）年度

R&R建築再生展に初参加。会員企業と展示ブースを出展するとともに、管理組合役員向けに「誰でもわかるマンション改修セミナー」を開催。3日間で計12回のミニセミナー開催とともに、個別相談会（6組）も併せて開催しました。

この年、MRM試験受験者および対策講座の受講者が増えたため、福岡会場を追加し、全国3カ所での開催に増えました。

尚、5月に現会長である大栗育夫氏（当時、長谷工コーポレーション・社長）がREPCO会長に就任しました。

写真3　建築再生展2013 REPCOセミナーの様子

○平成26（2014）年度

国土交通省住宅局住宅生産課が推進している「長期優良住宅化リフォーム推進事業」について、説明会＆意見交換を実施。また、「住宅リフォーム事業者団体登録制度」の会員へのアンケート調査を行いました。

なお、MRM試験受験者および対策講座の受講者の増加を目的に、札幌会場を追加し、全国4カ所開催に増えました。

○平成27（2015）年度

専有部分の施工技術講座等に加えて、新たに全面リフォームなどを対象とした「プランニング講座」や、超高層マンション大規模修繕工事に焦点を充てた施工技術講座を実施し、受講者数を引き上げました。

○平成28（2016）年度

平成8年から発行をつづけた「マンションリフォーム専有部分施工マニュアル」を見やすく・分かり易く改訂し、発行。また、定期調査である「マンションリフォーム市場将来需要推計」（6回目）をまとめ、公表・出版しました。

MRM試験対策講座は、名古屋会場を追加し、全国5カ所での開催に増えました。

○平成29（2017）年度

一般消費者向け情報提供の強化を目的として、5年ぶりにホームページの大改訂を行い、スマートホンに対応、トップデザインを一新しました。

○平成30（2018）年度

マンション供給時期を10年ごとに分け、仕様と

リフォーム上の課題を整理し、リフォーム工事上の注意点や管理組合のルールを纏めた「マンションリフォームガイド（1980年代編）」を作成、会員・行政・関係団体と情報共有化を図りました。

○平成31・令和元（2019）年度

REPCOで初めてのキャッチフレーズを一般公募し、応募された749作品から、「あなたのマンションを100年先へ」をREPCOキャッチフレーズに選定しました。選定にあたり、マンションの建物価値が100年継続することをREPCOの今後の活動方針に定め、名刺や出版書籍、ホームページ・バナー等に活用。また、デザインを統一しました。

図2　キャッチフレーズ
「あなたのマンションを100年先へ」とバナー

4. 現在の主な活動

REPCOでは、法人会員をもって構成する総会のもと、理事会にて各事業の執行を議決しています。運営委員会では、各委員会の事業計画、事業予算の検討了承、計画の執行等、協議会の運営全般を総括しています。

運営委員会の下に4つの専門委員会と近畿支部が設けられ、さらに講座やイベント等に応じて、少人数のワーキングを設けて、機動的な活動を行っています。専門委員会と近畿支部は、定期的に開催され、以下に概説する調査研究・出版、各種講習会を実施しています。

写真4　第9回定時総会（令和元年5月）

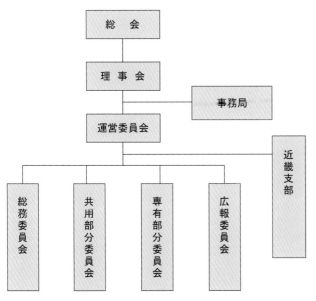

図3　REPCOの組織体制図（令和2年4月時点）

○マンション管理組合向け啓発活動・建築再生展「誰でもわかるマンション改修セミナー」

R&R建築再生展には、平成25（2013）年より参加。参加会員企業ブースを設けるとともに、管理組合役員向けに「誰でもわかるマンション改修セミナー」を毎年開催し、高い評価を受けています。

写真5　R&R建築再生展2019
「誰でもわかるマンション改修セミナー」

・管理組合役員向けセミナー

写真6　誰でもわかるマンション改修セミナー

管理組合役員向けセミナーにとして、毎年、東京と大阪において「誰でもわかるマンション改修セミナー」を開催。同時に「個別相談会」を実施して、各組合の個別事案への対応を行っています。

写真7　個別相談会

○一般消費者向け啓発活動

一般消費者向けに会員企業による専有部リフォーム実例集やリフォーム基礎知識「マンションリフォーム全ダンドリ」等ホームページ等にて情報提供をしています。

○リフォーム人材の育成・マンションリフォームマネジャー試験対策講座

マンションリフォームマネジャー（MRM）資格は、（公財）住宅リフォーム・紛争処理支援センターが認定する資格で、マンションの専有部分のリフォームにおいて、居住者の要望を実現するために、専門知識をもって付加価値の高いリフォームを企画・提案するための技術知識と業務推進能力を認定する資格です。

REPCOは、平成4年のMRM資格制度発足後から、学科コースと設計製図コースに分けて試験会場と同じ全国5ケ所で試験対策講座を開催し、長年MRM受験者の支援を行っています。

写真8　マンションリフォームマネジャー試験対策講座

その他、会員企業はもとより広くリフォーム業界の技術力、営業力、プレゼンテーション力のアップのため、諸講座を開催しています。

・専有部分基礎技術＆現地調査講座
・マンションリフォーム施工技術講座
・プランニング講座

〇調査及び研究活動、出版物

調査・研究の成果を広めるため、刊行物として書籍やパンフレットの出版を行っています。特に、5年毎の定期的に調査を行う「マンションリフォーム市場将来需要推計」は、シンクタンク等でも利用されています。

・マンションリフォームを成功するために（専有部）
・あなたのマンションを元気にする共用部リフォーム
・マンション専有部分施工マニュアル
・マンションリフォーム市場将来需要推計
・マンションリフォーム事例集
・専有部分リフォームに係る規約・細則調査

〇会員間の交流活動

マンションリフォーム事業にかかわる幅広い事業者の交流を、各種委員会活動をはじめ、「会員交流講演会」、「施設・現場見学会」、「マンションリフォーム事例発表会」等のイベントを通じて交流を進めています。また、会員向けにメルマガ「REPCO PRESS」の発信を通じてタイムリーな情報提供を行っています。

〇広報普及活動

マンションリフォーム業界と会員各社の支援、また、REPCOの知名度向上のため、ホームページを定期的に改訂しています。また、国土交通省をはじめとした関連団体への調査・研究の報告、学会発表、リフォームフェア等に参加しています。

5．おわりに

REPCOは、平成4年の設立以来、阪神・淡路大震災、リーマンショック、東日本大震災、コロナ禍等々、激動の波に翻弄されながらも、活動を継続して参りました。

これもひとえに、会員企業のマンションリフォームに掛ける希望と熱意、また国土交通省や（公財）住宅リフォーム・紛争処理支援センター等、マンションリフォームを支える皆様の支援のお陰であり、厚く御礼申し上げます。

マンションリフォーム業界は、まだまだ発展途上にあります。これからも長く、一般消費者及びマンション管理組合の皆様に賛同されるよう、会員と共に有益な情報発信と技術の向上をめざして活動の幅を広げたいと存じますので、REPCOへのご支援・ご協力の程今後ともよろしくお願いいたします。

（参考文献）
・REPCO１０周年記念誌（平成14（2002）年5月発行）
・REPCO総会議案書（平成4（1992）年5月～令和2年（2020）年5月）

「人生100年」時代を迎えるにあたり
終の棲家としてマンションをどう維持してゆくか

（一社）マンションリフォーム推進協議会　共用部分委員会委員長／一級建築士　　原　章博

1．はじめに

先頃「明治日本の産業革命遺産」として世界文化遺産への登録された長崎県の端島（通称軍艦島）。"産業施設"が主な登録要件ではあるが、数々の居住施設も"集合住宅"という観点で非常に大きな意味を持っている。1910年代後半から建設が始まった鉄筋コンクリート造の中層住宅群（7～9階建ては当時としては例を見ない高層であった）は片持ちのベランダを備えるなど、その後の一般的な集合住宅の原型といえる。（写真1）

軍艦島に端を発したRC造集合住宅はその後SR C造等と構造的な進化はあったものの基本的には当初の形態を維持し、高度成長を背景とした大都市への人口集中を機に日本住宅公団（現住都市再生機構）に代表される賃貸住宅の大量供給、その後の分譲マンション市場形成によってその棟数を増やしていった。

それまで木造戸建て住宅（棟割長屋も含め）が中心であった一般市民の住形態が一変し1棟に数十軒が居住する中層住宅へと変化し、共用階段やエレベーターを日常的に使用するなど生活そのものも大きく変貌を遂げた。各住戸に電気やガスなどが引かれ、各戸に浴室も整備されるなど住宅の変化が正に生活そのものの変化に繋がっていった。

写真1

当時としては画期的であり入居希望者が殺到した公団住宅ではあったが、入居者の意識の奥には「いつかは戸建て」の思いが強く、賃貸住宅はもちろん分譲住宅においても同様であった。この様に居住者の意識は将来の戸建て生活に目が向いていたので、共同住宅における多少の不便には我慢したり工夫で凌ぐなど各自で対応し、共同住宅の質を追求する意識はあまり高いとは言えない状況であったと推測される。しかし**図1**でわかるとおり現在では共同住宅・マンション居住者の永住意識は大きく変化しており、正に現在居住している住まいを「終の棲家」と考える居住者が増加している。

2.「人生100年」を見据えた共同住宅 ・マンションの維持・修繕と改修

先に紹介した「軍艦島」の建物群をみると建設からすでに100年が経過し、1974年以来ほとんど手が入れられていない状態にあり、加えて通常より過酷な環境下にありながら現在でもその形を保っている。この様な状況から推測するとRC造の建物は適切な維持管理が行われていれば構造的には100年以上の使用に耐えうると考えられる。

しかし、これはあくまでも構造体の劣化についてであり、社会的な変化も含めた機能の低下には対応しきれていない。近年では高齢化に伴うバリアフリー、地球環境に配慮した省エネルギー、女性の社会参画で日中不在率が増加したことによるセキュリティー強化、ネット注文と宅配の定着に対応した宅配BOX等、建設時には想定されていなかった様々なニーズが生まれてきている。

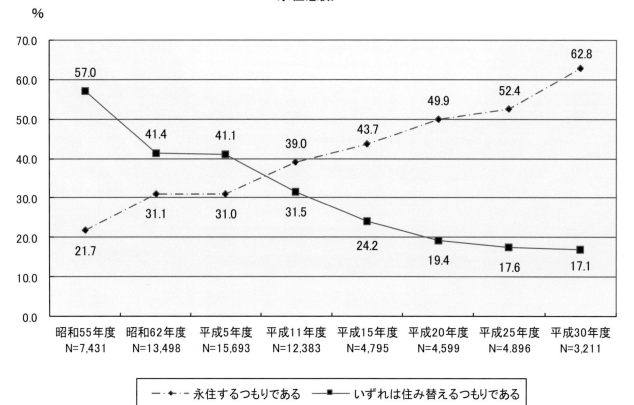

永住意識

図1

図2は建物が竣工後に辿る経年、劣化、修繕、改修の状況を模式的に表したものであるが、この図を見ても適時、適切な調査診断を行い、その結果に基づく「修繕」の必要性が理解できる。それと同時に前述したような社会的要求の変化に対応した機能向上や高経年マンションにおけるエントランス等のリノベーションなど付加価値向上のための「改修」も重要な取り組みである。特に近年では既存マンションの取引数が新築を上回っており、質の高い既存住ストックへのニーズは一層高まっている。少子高齢化により、住ストックの数の確保は優先課題から外れ、代わって永住も見据えた質や機能の向上が今後の課題となってきた。また近年では自然災害によるインフラ途絶が頻繁に発生しており、災害対応力にも関心が集まっている。更に昨今では在宅勤務やテレワークの広がりも予想され、これに伴って住戸内に執務を意識した居室やスペースのニーズも高まると予想される。

本書では設備更新も含めた「修繕」の要点のほか、エントランスのリノベーションやＬＣＰなど資産としての建物の価値を向上させる「改修」についても詳述されており、必ずや皆様のお役立に立つものと確信しております。

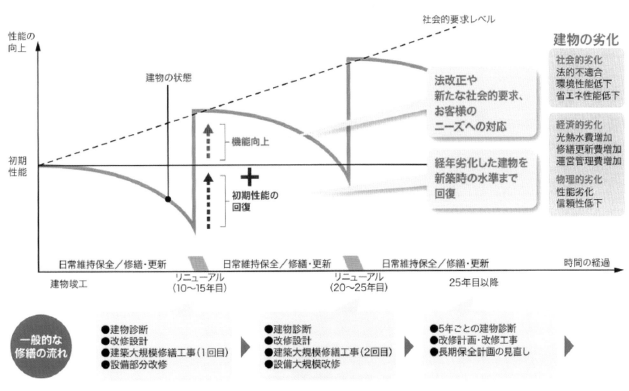

図2

幸せな100年マンション

東京都市大学名誉教授　坊垣　和明

1. はじめに

「しあわせな建築」という言葉を聞かれた方も多いと思う。これは、「BELCA賞」の受賞作品の総称のように使われていると理解している。また、「幸せな名建築たち（日本建築学会編；丸善出版）」という本も出ている。幸せな建築のイメージは人それぞれ、多様だと思うが、私は、住んでいる人、使う人などから愛されて大事にされている建物ではないかと考える。

前者のBELCA賞は、公益社団法人ロングライフビル推進協会が毎年公募しているもので、「長期にわたって適切な維持保全を実施したり、優れた改修を実施した既存の建築物のうち、特に優秀なものを選び、その関係者を表彰することにより、わが国におけるビルのロングライフ化に寄与する」ことを目的とする表彰制度である。維持保全や改修によって長く使われているのが「しあわせな建築」というわけである。

後者は、建築雑誌の連載をまとめた本であるが、著名な建築家が設計した優れた建築というだけでは名建築とはいえず、長く受け継がれ、住み続け、使い続けられてはじめてその名にふさわしい存在になる、なれるということが読み取れる。

いずれにしても、長く使う、使えるということが幸せな建築の最も重要な要件といえるであろう。100年マンションに求められる要件も同様ではないか。というわけで、タイトルを「幸せな100年マンション」とし、もう少しその要件を深堀してみたいと思う。

2. BELCA賞受賞建物

ままずBELCA賞で表彰された共同住宅（マンション）を簡単に紹介する。今年で29回目、過去に5件が表彰されている。受賞歴の古い順に以下に示す。BELCA賞にはロングライフ部門とベストリフォーム部門があるが、以下の建物はすべてロングライフ部門の受賞である。記載事項は、①名称、②所在地、③竣工年、④所有者、⑤設計、⑥施工、⑦管理、⑧講評の一部、⑨写真、である。なお、出典はBELCAのHPである。ただし、一部の写真は筆者。

第 1 回（平成3年）受賞

❶東急ドエル桜台コートビレジ

②神奈川県横浜市青葉区　　③1970年
④桜台コートビレジ管理組合
⑤内井昭蔵建築設計事務所
⑥東急建設㈱　　　　　⑦㈱東急コミュニティ
⑧建設当時の写真を見ると周りは殆ど雑木林と原っぱであったが、現在建て込んだ町並みのなかにこの建物の形態の影響が見られ、地域開発に対する形態的役割を果している。
　…中略…
生産資本力のない住宅を良く維持することは極めて難しい。その意味でもこの建築は、住む人の建物に対する愛情と組織運営の見識と、ディベロッパーの誠実さによって維持されている。

⑨

①コープオリンピア

②東京都渋谷区神宮前　③1965

④コープオリンピア管理組合

⑤清水建設㈱一級建築士事務所

⑥清水建設㈱　　　　⑦ビーエム・オリンピア㈱

⑧分譲集合住宅を長期にわたって適切に維持管理するためには、そこに住む住民の熱意と愛情が第一に必要な事であり、同時にそれを補佐する専門家のサポートも不可欠である。

　…、当建物は管理組合理事会直属の管理組識により管理担当者が24時間体制で保守管理を行ない、また、短・長期の維持保全計画を作成し住民の賛意を得て適切に実施している。

　…、住民がいつの時代にあっても当マンションに愛着を持ち、将来を見据えて維持管理されている。

⑨

①キングホームズ代官山

②東京都目黒区上目黒　③1975年（昭和50年）

④根津 公一　　　　⑤大成建設㈱

⑥大成建設㈱　　　　⑦㈲三事保全社

⑧高級賃貸マンションである。敷地は『目黒元富士』と呼ばれる富士山信仰の場として、また由緒ある緑の森として親しまれている場所である。森に包まれた敷地をできるだけ保全したいとのオーナーの強い意志をベースに、合意形成が得られやすい賃貸マンションという用途であったこと、共同住宅としては面積も広く階高も3.2mと比較的高く設備配管縦シャフトも完備しており長寿命建築としての要素が元々備えられていたこと等に助けられて、全面建替案でなく大規模改修が選択され、森が保全されたことは幸運であった。

⑨

①大倉山ハイム3号棟〜8号棟住宅

②神奈川県横浜市港北区大豆戸町

③1979年（昭和54年）

④大倉山ハイム3号棟〜8号棟住宅管理組合

⑤㈱日建ハウジングシステム

⑥鹿島建設㈱、㈱カシワバラ・コーポレーション、YKK AP㈱

⑦住商建物㈱

⑧維持保全については、竣工時に30年後までの長期修繕計画を作成し、管理組合と管理会社との間に信頼関係を構築する中で5年毎に計画を見直し、既に竣工後3回の大規模修繕に取組む等、しっかりとした管理体制が有効に機能し、現在も建物の基本性能と高い資産価値を維持している。

⑨

① ヒルサイドテラス1期〜5期

② 東京都渋谷区猿楽町

③ 1969年（1期：A・B棟）、1973年（2期：C棟）、1977年（3期：D・E棟）、1985年（4期：アネックスA・B棟）、1987年（5期：ヒルサイドプラザ）

④ 朝倉不動産㈱

⑤ ㈱槇総合計画事務所（1・2・3・5期）、㈱スタジオ建築計画（4期）

⑥ ㈱竹中工務店

⑦ 朝倉不動産㈱

⑧「事業展開において空間を消費するのではなく活かすため」というオーナーの長期的ヴィジョンに基づき、商業的な展開だけでなく、文化的な空間や活動によって「文化を発信する場」が広く展開されてきた。その精神はヒルサイドテラスに続く他の商業空間にも引き継がれて、その心地よい街並みは更に発展を遂げ、賑わいを増している。

⑨

3．受賞建物に共通する特徴・要件

以上で紹介した5件は、いずれもハイグレードなマンションであって、その評価をそのまま一般のマンションに適用するのは難しいかもしれない。しかし、長く維持し使い続けるためにはグレードの如何を問わず共通する要件があると考えられる。そこで、これもまたBELCA賞に関連する情報として公開されているものであるが、初期の50件弱の受賞作品を分析し、それらに共通する事項がまとめられているので、それを紹介し、幸せなマンションの要件を検討してみたい。

公開されている分析結果によれば、二つの部門のそれぞれについて共通項目が抽出され、解説されている。

3.1　ロングライフ部門

（1）建築主に「優れた建築を造りたい」との意識

（2）社会的・建築的に話題となる設計・施工

（3）建築主やユーザーの誇りとなる

（4）適切な維持管理体制や保全計画に基づく優れた保守の実践

（5）長寿命化に対する多様な配慮

（6）社会性への高い意識

（7）金をかければ良いというものではない

この7項目のうち（1）〜（3）は、優れた建築であるが故の共通項であろう。

優れた建築を作りたいという思いが、まずは設計者の選定に現れ、高い技術で設計・施工された建築は、オーナーやユーザーはもちろん、時として周囲の人たちをも巻き込んでその建物への愛情や愛着が醸成される、すなわち誇りとなる。

百年マンションにもこのような成り立ちと存在感を期待したいところであるが、コーポラティブ方式のように計画から関与できる場合を除いて、このような係わりは難しいであろう。しかし、優れた建築の多くがそこに係る多くの人の強い愛情や愛着に支えられているという点は、普通のごくありふれたマンションであっても学びたいところである。

（4）〜（6）は、百年マンションにとっても参考になる点が多いので、少し詳しく見てみよう。

（4）保守の実践

次の項目が示されている。

● 原設計の意図を保つ保守と修復

設計の意図を正しく理解し、それを生かすための維持管理や修復を行う

● 原設計者や施工者と三者一体の管理体制

設計者・施工者・所有者（管理者）が一体となって緻密な運営・管理を行う

●明確な維持管理組織と保全計画

　維持管理組織を設け、長期保全計画・定期的調査計画を策定し実施する

●維持保全や管理の基準・仕様書を持つ

　管理規程を定め、適切な維持保全の基準・仕様書を作成する

●定期的調査と診断

　定期的な調査・診断を行い、その報告・記録を保管する

　これらのすべてが100年マンションには不可欠な要件であろう。

（5）長寿命への配慮

●長寿命を考慮した材料選定

●保全の容易性への配慮

●変化対応性への配慮

●将来への配慮と高度の安全確保

　これらは、設計段階で配慮するべきことが中心であるが、材料選定や維持保全のし易さについては、大規模修繕に際して改善に取り組むことも可能である。

（6）社会性について

●社会ストックとしての資産価値の維持向上

●安全性、都市環境・周辺環境への貢献

　前者はまさに100年マンションが目指すところであり、後者は社会的な存在としてのマンションの意義を表すものであろう。高い安全性を確保・維持し、最近頻発する自然災害や都市災害等に対応して居住者を守り、周辺住民や帰宅困難者を受け入れる、マンションにはそんな役割も期待されるであろう。

（7）お金をかける

　戦後の混乱・貧困期に何とかぎりぎりで建てられた建物が、何十年にわたる補修・改修で価値ある優れた建築に仕上げられていった例が紹介されている。マンションでも、大規模修繕等で当初の機能・性能を上回る建物に改善し資産価値を上げることは可能であるし、100年マンションでは時代のニーズに応じて、機能の追加や性能向上が必須になるのではないだろうか。

３.２　リフォーム部門

　ここの部門の分析ではやや異なった観点で整理されている。まず、受賞物件を次の3つに分類している。

　（1）明治大正期の煉瓦造・石造の再利用

　（2）建設当初からの話題建築をリニューアル

　（3）用途変更による活用

（1）明治大正期の組積造

　これらは、構造・構法自体が貴重な遺産であり、その独特の雰囲気や景観への貢献は、今や再現が困難な存在である。であるがゆえに、建物への愛情・愛着は強く、建設当時への再生や用途転用によって保存が進められた。

（2）話題建物のリニューアル

　総じて「原設計を大切に」する意向が強く、外観も内装も当初の雰囲気に戻すリニューアルが多く見られる。併せて、時代のニーズに対応した機能性・居住性能の向上や、安全性・省エネ性・メンテナンス性の向上が図られている。この後者の観点は100年マンションにも共通する極めて重要なポイントである。社会が求める機能は、100年の間に大きく変わるであろう。それに合わせた改変・改修は必須である。それを怠れば、資産価値は低下し廃墟と化するのを早めるだけである。

（3）用途変更で活用

　除却・廃棄を避け、用途を大きく変更して全く新しい建物にリフォームした点が評価されている。

　続いては、リフォームに関連するポイントが4点整理されている。

　（4）リフォームした理由

　（5）リフォームの要点

　（6）リフォーム工事

　（7）耐震改修

（4）リフォームした理由

　建て替えではなくリフォームにした理由では、上記（1）～（3）ともかかわる部分が多いが、

●古い技術や様式を伝える

　新しく造ることが困難な技術や形の伝承

● **歴史的景観としての外観保存**

　歴史的街並みを構成する要素としての保存

● **現代建築にない自然素材の再評価**

　上記（1）のグループに該当するが、人間味のある素材の評価

● **原設計への愛着**

　上記（2）と共通するとともに、改修で十分に機能を満たせるとの判断

● **保存要請や記念事業**

　歴史的価値が認められ市民や専門家の要請にこたえる、あるいは行政や企業の記念事業としての保存

　これらは、地域にとっての価値が認められての保存・リニューアルの動機・理由であって、やや100年マンションの観点とは異なる。

（5）リフォームの要点

　では、受賞建物における具体的なリフォームのポイントはどんなところにあるのだろうか。これについても、4つの視点でまとめられている。

● **綿密な事前調査**

　リフォームに先立つ十分な調査が多くに共通する視点

● **「建設当初の形を残す」と「大改修」の2つの方向**

　当初の形を残す・原設計を生かす場合と、骨組みなどは残すが大幅な改修の場合

● **時代のニーズに対応した各種機能の向上**

　居住環境性能、安全性、省エネ性、メンテナンス性などの向上

● **周辺環境の維持**

　歴史的景観や周辺環境への配慮

　上記（2）（4）で示された項目であり、機能性の向上はすでに示した通りであるが、これに加えて事前調査も100年マンションにとって必須の要件である。

（6）リフォーム工事関連

● **建物を使用しながらの改修**

　通常業務や居住しながらの改修

● **新工法や新技術開発**

　新工法の採用、場合によっては改修のための新技術開発

　居ながら改修のための様々な工夫が行われている。例えば、騒音振動の少ない工法、現場作業の削減、そのために湿式工法を避ける、部材や職人の事前手配と効率的な配置、新工法の採用や新技術の開発など、これらは大規模修繕にも共通する対応である。

（7）耐震改修

　阪神淡路大震災時に鉄骨煉瓦造ビルが事前の耐震改修で無傷であった事例を挙げ、その効果を強調、改修による性能向上のモデルとしている。

4．幸せなマンションの要件

　BELCA賞受賞建物に共通する特徴を示したが、この中から100年マンションに求められる要件を整理するとともに、さらに追加するべきと思われる項目を示したい。

4.1　建築的な配慮として

①長寿命化に対する多様な配慮

　「耐久性の向上」耐久・耐蝕・耐候性の高い材料の使用

　「保全容易性」設計段階での配慮が重要だが、大規模修繕で維持管理対応の改修

　「変化対応性」高齢化など将来を見通した修繕・改修

②時代のニーズに対応した各種機能の向上

　「居住性向上」外壁・窓の断熱化、空調換気設備・通信設備改善など

　「安全性向上」不燃化、防火設備増強、安全対策など

　「省エネルギー化」外壁・窓の断熱化、空調設備改善、高効率ボイラー導入など

　「メンテナンス性向上」機器の集約、設備シャフト統一、管理の集約化など

③社会性に配慮した建築

　「社会ストック」ストック社会における長期利用建築としての資産価値の維持向上

　「周辺環境」地域に対する景観的な内外環境の整備と維持、並びに災害時の帰宅困難者受け入れ、避難所としての機能確保

4.2　維持管理に関して

④適切な維持管理体制

「三者一体の管理」所有者（居住者）、設計施工者、管理者が一体となった管理体制と管理の実践

⑤優れた保守の実践

「長期修繕計画」維持保全のための基準・仕様書の作成、それに基づく長期修繕計画の作成と実践

「定期調査と診断」定期的な調査・診断とその記録の保存・分析

「事前調査」大規模修繕等に対応する綿密な事前調査の実施

「大規模修繕工事等」居住者のストレスを軽減し、工費を削減する工法や手順

4.3　居住者の意識として

⑥建物への愛情・愛着

「誇りとなる建物」長く住み、慣れ親しんだ建物への愛情や愛着が誇りとなる

「21世紀のわが国の建築のあり方」を探りたいとの意図で行われたBELCAの分析から、100年マンションに適用できると思われる項目を整理してみた。あまり目新しい内容ではないかもしれないが、社会性への配慮や居住者の愛情・愛着などは、ややもすると見落とされがちではないかと思う。有名建築家の優れた建築のみが誇りとなるわけではない。愛着をもって住みこなされているマンションにも、大いなる誇りが見いだされるであろう。

以上の他にも、最近の自然的・社会的な状況を考慮すると、次のような観点が100年マンションに求められるのではないかと思う。

4.4　防災対応

阪神淡路大震災、東日本大震災、北海道胆振東部地震など、平成以降でも大きな地震被害を経験している。また、2018年の台風21号、2019年の台風15号、19号、21号など、高潮や浸水、強風などによる重篤な被害の記憶も新しい。

従来からの耐震性向上や水害・防風対策に加えて、2019年の台風19号では浸水被害が特徴的であった。単なる堤防決壊や越水による水害だけではなく、バックウォーターによる浸水や内水問題が大きな想定外被害をもたらした。武蔵小杉では、多摩川の水位が高くなったことで下水が逆流し、マンションが浸水（内水氾濫）、電気室の水没で日常生活が立ち切られて話題となった。東京都市大学でも、世田谷キャンパスの浸水で一部建物の地下が水没、電力系統の損壊等で甚大な害を被ることとなった。

この浸水問題は、重要設備を水没しない位置に設けることで対応でき、最近はそのような対応（2階以上の上階に設けるなど）が進んでいる。また、近年、バリアフリー対応で1階床面と地面の段差がない建物が増えているが、これがわずかな水位の上昇で浸水を招く原因になる場合もある。東京都市大学でも、わずか10〜20cmの水深であったが段差のない建物はすべて浸水被害を受け、図書館では地下書庫の貴重な蔵書が多数水没した。今後、新築される建物では基礎を上げるなどの対応が必要であろう。厳しい高さ制限がある中で、できるだけ階高をとりたいというニーズとは相反するが。

北海道胆振東部地震では、ブラックアウトによる全道での停電が話題となった。太陽電池と蓄電池のある家だけに明かりがともり、蓄電池の活用や電力からガス併用へのシフトが進んでいるという。

もちろん、震災対応としての家具転倒防止や災害備蓄も、普段から住戸単位、マンション単位で対応するべきことである。マンションには、近隣住民の一時避難施設としての役割も期待される。そのための設備や備蓄の備えも考慮する必要がある。

私もマンション住まいであるが、東日本大震災の時にはつくば市も被災地となり、3日間停電、断水した。幸い、マンション周辺のみ停電せず給水ポンプが作動したので、地下貯水槽の20トンの水で100戸余りが3日間しのいだ。水が出ない病院から、水を分けてほしいとの要請もあったそうだ。最近は水道直結増圧方式が増えているというが、私の経験では貯水槽を設けるべきである。蛇口を取り付けておくとなお良い。井戸があればもっと良いのは言うまでもないだろう。

また、高い断熱性能は、災害時のエネルギー途絶時における室内環境維持にも有効である。

4.5　コミュニティの醸成

　最後は、良好なコミュニティの醸成と維持である。100年マンションにとって、これが最も重要なポイントではないかと思う。

　物理的（建築・設備的）に、また維持管理面でも100年持つマンションができたとして、そこに住む人たちが愛情や愛着を持って住みこなし、住むことに誇りをもてるようなマンションでないと「幸せなマンション」とはいえないのではないか。そのために必要なことは、隣近所はもちろん、マンション全体での良好なコミュニティの形成だと考える。「隣は何をする人ぞ」といった没交渉がもてはやされた時期もあったが、今は若い人たちも交流を望んでいると信じたいし、そんなアンケート結果もある。

　私のマンションでは定期的に参加自由で無料の飲み会（各自持ち寄り）が開催され、年に数回、餅つき、そば打ち、そうめん流し、芋煮会などの催しを実施している。このおかげで、引っ越してきた人も比較的早く顔なじみができたと喜んでいただいている。昔の隣組的な濃い関係はもはや時代に合わないにしても、いつでも頼れる人がいる、それとなく気にかけてもらえているといった関係があることが、幸せの条件ではないかと思うのだが、どうだろう。

4.6　コロナ禍から学ぶ新しい暮らし・住まい

　2020年3月以降、先に示したマンションの催しはすべてが中止となっている。（2020年10月1日現在）もちろん、会社も学校も同じである。学校が再開し子供たちの日常も元に戻りつつあるが、新型コロナウィルスは、否応なしに社会や暮らしを変えている。それに合わせて、住まいも変わろうとしている。

　住宅メーカーでも、ウィルスや細菌・花粉を持ち込まないようにバッファゾーンを設けたり、テレワークのためのスペースや設えを提案するなどの対応がみられる。スペースが限られるマンションでも、求められる機能は同じである。社会の変化に対応することも幸せの要件と考え、コロナ対応を検討してみた。

■テレワークのためのスペース

　在宅ワーク（テレワーク）で処理できる仕事が意外と多いことがわかって、コロナ禍が収束しても一定程度は継続されるであろう。それに伴って、住まいそのものを郊外に替えるといった選択肢も広がりつつあるようだ。自宅での仕事のためのスペースと設備も必要である。それが用意できない人のために、テレワーク対応のスペースを郊外で提供するといった動きもある。マンションでも、共用スペースにそのための設え（空間と換気・遮音・通信設備など）があれば歓迎されるであろう。家族との距離が近づき、共に過ごす時間が増えることも幸せの要件である。

■換気・暖冷房や食事

　在宅時間が増えることで、暖冷房や食事へのニーズも高まる。暖冷房へは快適性と省エネ、食事については調理機能と食空間の充実であろうか。もちろん、これらは本来設けるべき性能・機能であるが、新しい環境に合わせたスペックの追加や向上が期待される。

　コロナ対応で「エアコンで冷房しながら窓開け換気する」ことが求められたが、暖房時も同様である。基本的に、陽性でないことがわかっている家族のみでいる時には、あえて窓開け換気の必要はないと思うが、来客時等にはお互いの安心のために必須であろう。2003年以降に新築されたマンションには24時間換気が設置されており、これで最低限の換気は行える。不足する場合は数倍の換気能力がある台所換気扇を使うのも良い。

　窓開け換気は暖冷房効率を大幅に損なう。そんなときに有効なのが放射（輻射）型暖冷房である。床暖房もその一つであるが、冷温水を利用したものやエアコン直結の放射（輻射）パネルがある。放射（輻射）は空気に関係なく届くので、多少室温が下がったり上がっても一定の効果を持続できる。また、省エネ効果が高い放射パネルも出現しているので活用したいところである。

■換気口への配慮

　換気については、給排気口の位置も重要である。排気口のすぐそばに給気口があると、ショートサーキットが生じて排出した汚染空気を吸入してしまう。マンションは外壁面が限られるので、その位置関係を慎重に吟味する必要がある。ベランダ側から吸気し廊下側に排気するのも有効な手法であるが、開放廊下である場合、通行人への影響が避けられな

い。逆方向の場合も、廊下の汚染質を吸い込んでしまう懸念がある。屋上への集中排気も一つの手段であるが、高層住棟では難しい。

マンションでは、給排気口の位置について完全な対応は難しいかもしれない。そんな場合、給気口等にウィルス・細菌・花粉等を除去できるフィルターを用いる方法もある。これも万全とはいいがたいが一定の効果が期待できる製品もある。

■光熱費

在宅者数と在宅時間が増えれば、必要なエネルギーも増加する。オフィスの縮小や時間短縮で、職場のエネルギー消費は減る可能性があるが、その分が家庭に転嫁される懸念がある。その実態はまだ不明であるが、より一層の快適性と省エネ性の向上が求められる。

建物や設備の高度化に加えて、暮らし方・住まい方での対応も見逃せない。ここでその詳細を紹介するスペースはないが、エアコンの使い方についての一例を示しておきたい。

マンションでも、ＬＤＫと個室にエアコンが設置されているであろう。就寝時には個室（寝室）のエアコンが使用されるが、音と風が気になることも少なくない。そんな場合、ＬＤＫのエアコンを使うとよい。扉を少し開けておけば、室温への効果は多少低下するが、冷房時には確実に湿度が下がるので、音と風がないこととも相まって快眠できるはずである。わが家でもこのような使い方で、就寝時に個室のエアコンを使うことはほとんどない。

最近のエアコンは省エネが進んでいるので、エアコンの電気代は意外と少ない。わが家では、エアコンに省エネ効果が高い部品としての放射（輻射）パネル（**写真１**）がついているので、さらに 30 〜 40％の省エネとなり、LDK エアコンの電力量は、1 時間に、冷房時で 180Wh、暖房時 270Wh 程度である。24時間使っても電気代は 150 円前後で負担感は大きくない。通常のエアコンのみの場合は、この 1.5 倍程度になるが、それにしても、一晩 8 時間のエアコン冷房費は 50 円程度である。もったいないからと考えてエアコンを使わずに熱中症になるお年寄りもいるが、50 円を節約してエアコンを使わないのはもっともったいないことだと思う。

写真１　エアコンと放射パネル設置状況

冷蔵庫も省エネが進んでいる機器である。わが家で冷蔵庫を買い替えた時、電力量は 60％も減った。エアコンと冷蔵庫を買い替えることで、格段に電気代は減り半分近くになっている。長く使うことを否定するものではないが、機器の進歩は省エネや省CO_2のための買い替えを優先度の高い選択肢の一つとしている。

5．おわりに

愛情と愛着を持って長く使う、使えるということが「しあわせな建築」の最も重要な要件といえるのではないか。では、「幸せな 100 年マンション」とはどんなものだろう。多くの条件は共通し、長く持つように使えるように作り、適切に維持管理していくことが求められる。これがいわば骨と皮、これらに加えて、幸せの要件としてコミュニティを加えてみた。最後は人、人と人とのつながりや良好な共存の仕組みが不可欠で、骨と皮にこの肉がついて初めて生き生きとした存在となれる。

100 年マンションのための具体の技術や手法については、この後に詳しく述べられているので是非参考にされたい。しかし、幸せの要件であるコミュニティの醸成についてはまだまだ道半ば、試行錯誤が続いていくことであろう。

ドローンとデジタル技術を使った新しい建物調査

国立研究開発法人建築研究所　主任研究員　宮内　博之

1. はじめに

　社会的に重要な課題として建物の長寿命化や既存建築ストックを有効活用など、国から民間に至るまで様々な取り組みがされている。特に、工事は新築から改修へと大きくシフトし、内容が複雑化・多様化している。一方で、人手不足、コスト削減等への対応が迫られ、需要と供給のバランスが年々乖離している状況にあり、これら技術的な対策が望まれている。その解決策の一つとして、無人化・省力化としてのドローン技術、AI や ICT（情報通信技術）などのデジタル技術が期待されている。最近の with コロナやアフターコロナと言われる時代において、これまで一部で使用されてきた先進技術が日常的に利用される（しなければならない）環境となり、これまでの人による経験・技術・技能に頼る領域に、ドローンやデジタル技術が付加されていく傾向が強まると考えられる。

　一方、本書籍のキーワードの一つである「マンションを 100 年先へ」という題目に対して、先進技術は開発スピードが桁違いに速いため、数百年先の遠い未来の水準となり、現世では想像すら難しい状況になっていると考えられる。例えば、AI などの技術が、自ら人間より賢い知能を生み出す事が可能になる時点とされているシンギュラリティ（技術的特異点）が 2045 年と言われており、その先は人間の存在そのものを変えてしまうほどの環境の変化をもたらし、我々の生活環境も予測できない世界になる。2045 年までの期間には、AI で言えば、現在の技術水準である画像認識、次にロボット（ドローンなど）による無人技術、そして人の言語を理解して判断する人工知能と言われる技術が段階的に開発されるとされている。これは現時点で先進技術であっても数年後にはその技術は陳腐化することを意味しており、現在はその過度期にある。

　これより、本稿で紹介する技術は今後数年から 10 年ほど先の技術として考えられる水準にターゲットを絞り、特に建物点検調査の動向およびそれに関わるドローンやデジタル技術について紹介することとした。

2. ドローンによる建物調査の水準について

　表 1 にドローンを利用して建物調査を実施する場合の調査技術と適用性の水準を示す。本表は点検調査の水準を 1 次調査（目視点検等）、2 次調査（非破壊・

表 1　ドローンによる建物調査技術と適用可能水準

点検調査水準	既存建築技術		ドローンを活用した調査技術	現時点の適用可能水準
1次調査	目視点検等(目視、触診等)	⇒	非接触:俯瞰的調査(可視画像、動画)	○
2次調査	非破壊・詳細調査 （変状、亀裂等の測定）	⇒	非接触:詳細調査 （高解像度・赤外線カメラ等による測定）	○
	打音検査 （足場、高所作業車等）	⇒	近接・接触調査 （打音、接触式測定器による測定）	△
3次調査	破壊試験等直接診断 （圧縮強度、引張試験等）	⇒	微破壊・破壊試験調査 （削孔調査等）	×

打音検査等）、3次調査（破壊試験等）に分類し、各調査においてドローンを活用した場合の調査技術に当てはめている。1次調査については俯瞰的な調査となり、例えば、空撮による建物全体の状況などmから数cmレベルの変状などの観察が該当する。2次調査については1次調査より精度が高い詳細調査を対象とし、非接触方式と接触方式に分けられる。非接触方式については、可視カメラであればひび割れ幅などが確認できること、あるいは赤外線カメラであればタイルのはく離が検出できることなどが該当する。また接触式ではドローンを壁面に接触させながら打音検査をするなどが考えられる。3次調査については建物の対象面に接触あるいは固定して、建物の躯体の健全性などを評価するために、RC造であれば躯体内部の中性化深さなどを確認するなどが想定される。現時点におけるドローンを適用した建物調査への適用性については、1次調査あるいは2次調査での非接触方式による調査などが実用的なレベルと考えられる。

3. 土木分野でのドローンによる点検調査技術（参考例）

建築分野においてドローンを対象とした点検調査の技術水準についてはまだ検討が始まった段階である。このため点検調査の領域で参考となる土木分野におけるドローンに係る定期点検業務を支援するための新技術について紹介する。2019年に国土交通省道路局は構造物などの定期点検業務を支援するための「新技術利用のガイドライン」[1]および「点検支援技術性能カタログ」[2]を作成した。

本ガイドラインは、業務委託等により定期点検を実施する際に点検支援技術を活用する場合において、発注者及び受注者双方が使用する技術について確認するプロセスや、受注者から協議する「点検支援技術使用計画」を発注者が承諾する際の確認すべき留意点等を参考として示している。具体的には、道路管理者の判断により業務委託の特記仕様書に参考図書として位置付けることで、活用されることを想定している。受注者が現場条件や構造、設置状況等を十分に把握したうえで、「点検支援技術の性能カタログ」等により使用を予定している技術の特性及び仕様を勘案し、選定理由と活用範囲、活用目的を「点検支援技術使用計画」として明示し、点検業務発注者へ協議するという流れを例示している。本ガイドラインに基づく受発注者双方のプロセスの例として、図1に示す。このガイドラインの利用を促し新技術の導入を拡大することで、点検業務の生産性向上につなげるとしている。

本性能カタログ（案）に掲載する点検支援技術は橋梁等及びトンネルを対象とし、表2に整理する損傷等の状態の把握を目的としている。本性能カタログ（案）は、これまでに国でNETIS（新技術活用システム）テーマ設定型等により技術公募し、国管理施設等の定期点検業務で仕様確認が行われた技術を対象に、国が定めた標準項目に対する性能値を開発者に

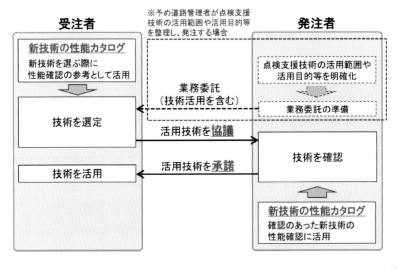

図1　新技術利用のガイドラインにおける　点検支援新技術活用の流れ[1]

表2　性能カタログ（案）：橋梁を対象とした損傷等の状態把握[2]

変状の種類		近接	その他
コンクリート	ひび割れ	7	―
	床版のひび割れ	7	―
	その他	4（浮き）	1（浮き）
鋼	腐食	―	―
	亀裂	―	―
	破断	―	―
	その他	―	―

求め、開発者から提出されたものをカタログ形式でとりまとめたものである。なお、性能カタログに記載のない技術でも、受注者が技術の標準項目の性能値や対象構造物の点検への適切性を証明し、道路管理者が認めれば活用できる。2019 年 2 月の時点で国土交通省が道路構造物などの定期点検業務への新技術導入促進に向け作成した「点検支援技術性能カタログ」の掲載技術は、橋梁など画像計測技術 7 件、橋梁など非破壊検査技術 5 件、トンネル覆工画像計測技術 4 件の計 16 件である。

このように土木分野における点検・調査技術を参考にすると、①新技術を利用するための運用のための統一的なガイドラインの提示と②新技術が既存調査技術と同等の性能値を持つことを証明できることが重要と考えられる。

4．ドローンによる建物調査をする前の準備（飛行申請）

ドローンにより建物調査を行う場合は、国土交通省所管の航空法に従い、飛行許可申請が必要となることが多い。また、航空法以外の小型無人機等飛行禁止法、道路交通法、民法、地方自治体の条例等も関係する。

航空法での飛行ルールの対象となる機体は、「飛行機、回転翼航空機、滑空機、飛行船であって構造上人が乗ることができないもののうち、遠隔操作又は自動操縦により飛行させることができるもの（200g 未満の重量（機体本体の重量とバッテリーの重量の合計）のものを除く）」とされている。

飛行許可申請が必要となる要件は、「①飛行空域と場所」と「②飛行方法」に分類されている。

①飛行空域と場所については、空港等の周辺の空域、150m 以上の高さの空域、人口集中地区の上空が対象となり、建物調査では主に人口集中地区が該当するかどうかを事前に確認しておくことが必要となる。

②飛行方法については、次の条件で無人航空機を飛行させる場合には、国土交通大臣の許可を受ける必要がある。

・アルコール又は薬物等の影響下で飛行させないこと

・飛行前確認を行うこと
・航空機又は他の無人航空機との衝突を予防するよう飛行させること
・他人に迷惑を及ぼすような方法で飛行させないこと
・日中（日出から日没まで）に飛行させること
・目視（直接肉眼による）範囲内で無人航空機とその周囲を常時監視して飛行させること
・人（第三者）又は物件（第三者の建物、自動車など）との間に 30m 以上の距離を保って飛行させること
・祭礼、縁日など多数の人が集まる催しの上空で飛行させないこと
・爆発物など危険物を輸送しないこと
・無人航空機から物を投下しないこと

この中で特に建物調査で注意が必要となるのは、人（第三者）又は物件（第三者の建物、自動車など）との間に 30m 以上の距離を保って飛行させることである。人（第三者）の定義について、ドローンを飛行させる関係者（例えば、撮影者、監視員、建物の所有者）の場合は 30m 未満の飛行でも飛行許可申請が不要であるが、関係者以外の第三者は 30m 以上離れる必要がある。物件（第三者の建物、自動車など）については、建物の周りの車両、工作物など該当し、人口集中地区であれば、ほぼ 30m 未満にこれら物件が入ることになる。これより、ドローンによる建物調査では飛行申請が必要不可欠となると考えたほうがよい。

5．ドローンによる建物調査に関わる安全運用・管理

ドローンを利用して建物調査する場合、安全面への対応が求められ、ドローンの衝突による被害が大きな問題となる。これより著者が参画している（一社）日本建築ドローン協会（JADA）では建築物の点検等に係るドローンの活用について、安全運用に関する取り組みを強化している。この中で、「建築物へのドローン活用のための安全マニュアル」[3]を作成し、図 2 に示すように技術編と実用編に分けて、ドローンの活用に関わる基礎知識、ドローン技術と安全運用、建築物の施工管理・点検調査におけるドローンの安全活用を解説している。このマニュアルの中

で、ドローンに関わる業務を進行する上で役割分担及び責任の所在を明確にするために、ドローンを活用して建築物の施工管理および点検調査等に関わる業務を担当する管理者を「建築ドローン飛行管理責任者」と定義している。この責任者は、建築現場内におけるドローンによる業務の責任を負う。業務内容、安全対策の一切を把握し、飛行時は常時立ち会い、業務において危険と判断した際に、ドローンを飛行させる者の業務の中止の権限を持つとしている（図3）。また現場における建物の調査業務においては、図4に示すように建築ドローン飛行管理責任者がドローン操縦者に対して調査に関わる安全管理だけでなく、建物の変状の撮影指示を行い、調査結果のとりまとめを行う。この一連の流れについては、表3に示すドローン飛行計画書を作成することで形式化することとしている。

6．ドローンによる建物調査に関わるガイドライン

6．1　国土交通省建築基準整備促進事業T3 [4)]

　ドローンを対象とした建物点検調査の国の事業として、2017、2018年度に実施された国土交通省建築基準整備促進事業T3「非接触方式による外壁調査の診断手法および調査基準に関する検討」が初めての取り組みとなる。

　本事業は、定期調査（建築基準法第12条）における建築物の外壁調査に対して、外壁調査の実績のある赤外線装置法を中心に非接触方式による外壁調査の診断精度等に関する整理・検証を行った上で、ドローンの活用を含めた効果的かつ確実な診断手法、及び調査を行う際の適用限界等の技術的な検討を行い、非接触方式による外壁調査方法の技術資料を取

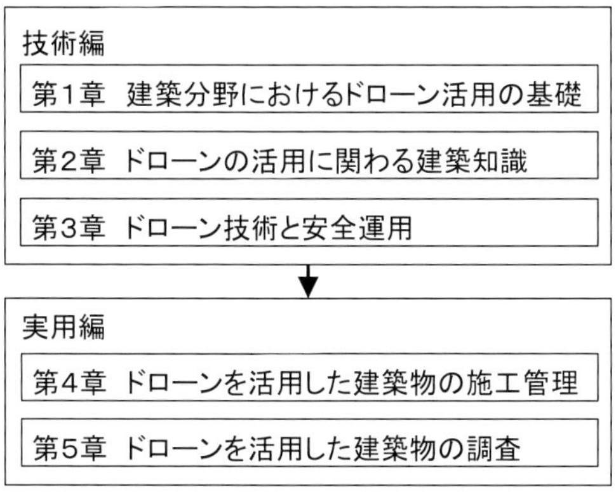

技術編
第1章　建築分野におけるドローン活用の基礎
第2章　ドローンの活用に関わる建築知識
第3章　ドローン技術と安全運用

↓

実用編
第4章　ドローンを活用した建築物の施工管理
第5章　ドローンを活用した建築物の調査

図2　JADA建築物へのドローン活用のための
安全マニュアルの構成

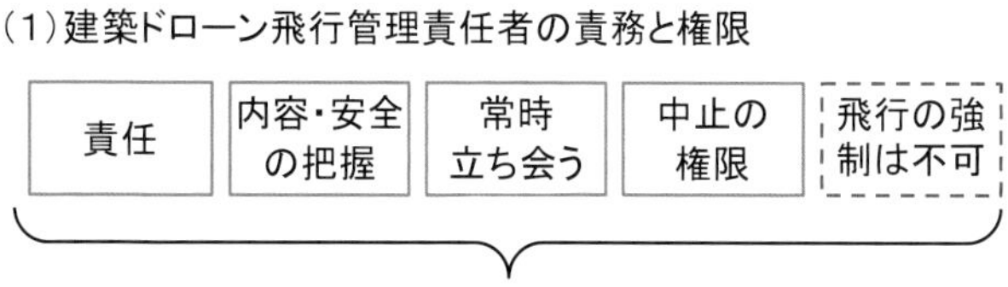

（1）建築ドローン飛行管理責任者の責務と権限

責任	内容・安全の把握	常時立ち会う	中止の権限	飛行の強制は不可

（2）建築ドローン飛行管理責任者の職務

調整	飛行計画書	機体管理
・ドローン事業者との調整 ・近隣と調整 ・警察等　調整	・計画書の確認 ・パイロットの適性 ・機体選定の妥当性	・点検表の確認 ・飛行時間の確認 ・廃棄・使用禁止の指示

図3　JADA建築ドローン飛行管理責任者の
責務・権限及び職務内容

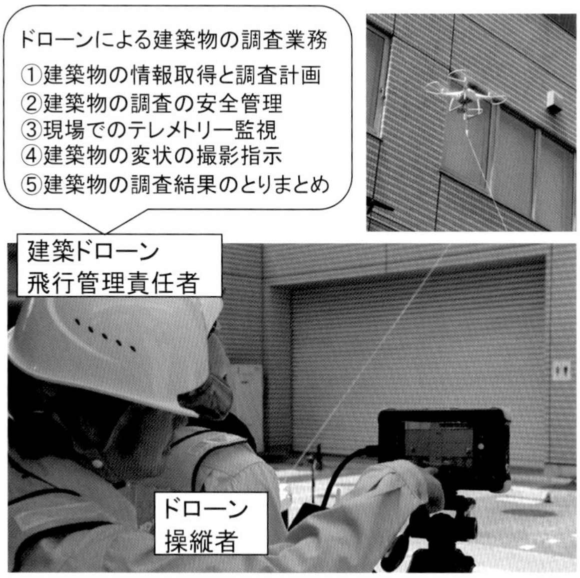

表3　ドローン飛行計画書作成項目
（JADA様式を参考）

大項目	項　目
概要	調査目的
	調査対象建築物
	調査内容と調査範囲
	国土交通省許可番号
	JADA建築ドローン安全教育講習修了証番号
	加入保険
調査方法	調査手段と撮影方法
	調査環境条件
	作業区域の配置図
	飛行ルート図
仕様・性能等	調査手段と撮影方法
	調査環境条件
	作業区域の配置図
	飛行ルート図
安全管理	安全対策
	緊急時連絡体制

ドローンによる建築物の調査業務
①建築物の情報取得と調査計画
②建築物の調査の安全管理
③現場でのテレメトリー監視
④建築物の変状の撮影指示
⑤建築物の調査結果のとりまとめ

建築ドローン
飛行管理責任者

ドローン
操縦者

図4　建物の調査における
JADA建築ドローン飛行管理責任者の役割

りまとめたものである。

　本事業の中では、アンケート調査およびヒアリング調査および実建物を利用したドローンによる外壁点検調査の実験を行った。これら結果を踏まえて、本事業では**表4**に示す「定期報告制度における赤外線装置法による外壁調査　実施要領（案）」および「ドローンを活用した建築物調査　実施要領（案）」を成果として作成された。

6.2　日本建築ドローン協会業務標準仕様書（案）[5]

　ドローンを用いた建物点検調査を対象とした標準仕様書として、**表5**に示す日本建築ドローン協会「建築ドローン標準業務仕様書（案）【点検・調査編】」が制定された。本仕様書（案）は、実際にドローンを建築物の点検や調査に利用する際の標準的な方法を定めたものであり、建物に関わるドローンを利用した点検・調査業務の発注に用いることを念頭に、発注者がドローンを使用する受注者に対して指示する事項を定めている。

表4　国土交通省基準整備促進事業T3で検討した実施要領（案）

定期報告制度における赤外線装置法による
外壁調査 実施要領（案）

```
1. 総則
 1.1 目的
 1.2 適用範囲
 1.3 用語の定義
2. 実施者
3. 赤外線装置法による外壁調査
 3.1 赤外線装置法による外壁調査の概要
 3.2 事前調査
 3.3 調査計画の作成
 3.4 赤外線装置法の適用条件の確認
 3.5 打診法との併用による確認
 3.6 調査の実施
 3.7 熱画像による浮き・はく離の判定
 3.8 報告書の作成
```

ドローンを活用した建築物調査　実施要領（案）

```
1. 総則
 1.1 目的
 1.2 適用範囲
 1.3 用語の定義
2. ドローンによる建築物調査の実施体制
3. ドローンによる建築物調査の手順
4. ドローンの飛行における安全確保
5. 建築物調査におけるドローンの適用限界の把握
6. 建築物調査におけるドローンの調査精度と適用範囲
   の確認
7. ドローンによる建築物調査の方法
8. ドローンによる建築物調査の報告
```

7. 建物調査におけるドローン技術

　本章では建築研究所で実施している建物調査に関わるドローンとデジタル技術について紹介する。

7.1　ラインガイド方式ドローンによる安全な調査技術[6]

　西武建設等との共同研究「ドローンを活用した中高層建築物の点検・維持管理技術に関する研究」の一環として、ラインガイド方式によるドローンの安全飛行の開発を実施している。研究の背景として、GPSの使用が困難な場所や、重要なインフラ等ではドローンの飛行に伴う墜落事故等が懸念されるため、業務への採用が困難となることが考えられる。この一つの解決策として、ドローンをラインでガイドし、始点、終点間をドローンが移動できるように物理的に制御する調査方法（以下、ラインガイド方式）を提案している（**図5左**）。建築研究所の建物を利用し、飛行精度と画像精度の検証を行った結果を**図5右**に示す。正面画像を比較すると通常方式は建物正面左側に歪みが認められた。側面画像を比較すると、通常方式は蛇行しているが、ラインガイド方式はほ

表5　（一社）日本建築ドローン協会　建築ドローン標準仕様書（案）【点検・調査編】

```
第1章 総則
 1.1 目的
 1.2 適用範囲
 1.3 用語
 1.4 関係法規等の遵守
 1.5 ドローン点検・調査の実施組織
 1.6 ドローン点検・調査における安全対策
第2章 ドローンを利用した建築物の点検・調査
 2.1 総則
 2.2 ドローンを利用した建築物の基本調査
 2.3 ドローンを利用した建築物の詳細調査
 2.4 ドローンを利用した建築物の現状確認
 2.5 点検・調査機器（撮影機器とドローンの機種）の選定
 2.6 事前調査
 2.7 ドローンを利用した建築物の点検・調査実施計画書
 2.8 ドローンを利用した建築物の点検・調査の実施
 2.9 ドローンを利用した建築物の点検・調査結果の報告
 2.10 記録と保管
 2.11 個人情報（プライバシー権）の保護
第3章 ドローン等機器類
 3.1 ドローンの機能の条件
 3.2 ドローンを利用した建築物の点検・調査に使用する
     各種測定装置に対する条件
 3.3 機器類の管理
 3.4 データの管理
```

ぼ直線状の飛行となった。これより、ラインガイド方式は、壁との離隔を一定に保ち、壁面への衝突や操縦不能に陥る危険性が軽減されることが示された。

7.2 MR技術を利用したによる安全な調査技術

　ドローンの安全飛行を確保する方法として、前項のラインガイド方式のように機械的な安全対策がある一方で、アプリケーションソフトで対応する方法もある。本研究ではウェラブルデバイスであるHoloLensを利用して、MR（仮想現実）による仮想空間の飛行ルートを設定して安全なドローンの飛行が可能となる技術について提案した。本技術の構成状況を図6左に示す。ドローンが受信したGPS情報およびカメラ情報を、Wi-Fiルータを介しPC上で情報集積および制御し、HoloLensと送受信する。本技術はHoloLens越しにドローンが収集した仮想空間情報を投映し、端末を介して操縦をするものである。HoloLens装着者から見える映像（スクリーンショット）を図6右に示す。細いメッシュ状の枠線は、対象建築物から5m離れた位置に配した0.5m四方のグリッドである。黄色の太線は設定した飛行経路を示

し、中央のドローンの下部にある○印はGPSの位置情報を軌跡として表現している。これより、予め設定した飛行経路に沿って飛行することで動作を検証することが可能である。

7.3 ドローンOS（ArduPilot）による自動制御技術

　技術は高度化するほど、業務に対応した拡張性の高い機能が求められ、ドローンにおいては制御するためのプログラムの管理が重要となる。そこで建築研究所ではオープンソースの制御プログラム（ArduPilot）をベースとしたプラットフォームの構築を目指し、回転翼機、垂直離着陸型高速飛行ドローン（VTOL）、無人車両（UGV）による様々な自動・遠隔制御技術の開発を行っている。

　VTOLの例を以下に示す。開発したVTOLは図7左に示すように離着陸時には垂直に移動し、巡回時には飛行機型に変形して高速飛行可能である。機体前面に飛行用カメラ、下方向には地上撮影用カメラ（高度400m時の地上分解能8.7cm/pix）を取り付けた。実験の結果、VTOLを高度10mまで離陸させ高度392mまで旋回上昇させた後、図7中央に示す

ラインガイド方式ドローンによる点検状況

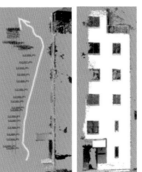

飛行精度　　画像精度
ラインなし（通常飛行）

飛行精度　　画像精度
　　　　　　ラインあり

図5　ラインドガイド方式の有無による建物外壁の飛行精度と画像精度

図6　外壁点検におけるMRを適用したドローンの飛行精度の確認状況

設定飛行ルートに従い、自動飛行モードで最高速度113km/hまで到達させることができた。なお他の回転翼機では最高速度は54m/hを示し約2倍の速度を達成した。また高度392mからVTOLにより図7右の建物屋上に設置した目印を確認することができた。

次にUGVの例を示す。本UGVは図8左に示すArduPilot制御による4輪駆動車であり、本機に遠隔操作に用いるFPV用4Kカメラを搭載し、GPSで自動走行可能である。本技術は屋内廊下で自動走行し、搭載カメラを通して撮影することで遠隔走行が可能である。また図8右に示すように、GPSが捕捉可能な環境では事前に設定した走行ルートに従いUGVを自動で走行させることも可能である。

7.4　スマホ搭載AIアプリによる自動制御技術

技術は限られた分野だけでなく、異なる分野と融合することにより新しい技術が生まれる可能性がある。建築研究所ではドローンをスマートフォンの技術と連携することで、新しい技術革新を図る方法について提案している。例えば、機械学習プログラムTensorFlowによるスマートフォンAIアプリを開発し、ArduPilot搭載ドローン（UGV）を制御するAI×ドローンの融合技術の開発を行った。図9左に示すように人体・各部位の認識率と画像内の人体検出率のパラメータとして、AIにより人を認識し、Wi-Fi経由でドローンを停止可能かどうかの実証実験を行った。実験の結果、AIが高い精度で人を認識した後、ドローンを停止させることができた（図9右）。

VTOLの離陸状況

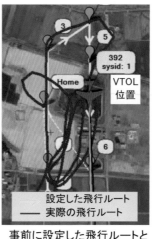

事前に設定した飛行ルートとVTOLの飛行履歴

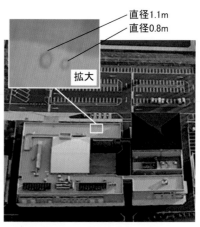

高度392m、時速113km/hで撮影した時の建物屋上の目印の視認性

図7　ArduPilot制御によるVTOLの高高度飛行実験の結果

ArduPilot搭載UGV　　ArduPilot搭載UGVを用いたGPS制御による自動走行実験状況

図8　ArduPilot搭載UGVを用いた遠隔操作・自動操縦の状況

7.5 マイクロドローンによる屋内点検調査技術

ドローンによる建物調査は屋外だけでなく、建物内の天井裏・床下等の狭所暗所空間での調査でも期待されている。屋内では航空法の適用除外となり、内部空間の中だけで飛行が完結するため被害を最小限に抑えられるなどから活用が増えている。建築研究所では、重量200g未満のマイクロドローンを用いて狭所暗所空間の実証実験により、調査精度の確認と課題を抽出した。自動操縦型と手動操縦型のマイクロドローンを用いて実験を行った結果、飛行経路が特定されている点検は自動操縦型の方が優位性を持ち、事前に飛行経路が不明で特定の場所を特定する場合は手動操縦型が適用しやすいことが分かった。また縦横の幅が1m未満の狭い空間において、漏水や錆汁などの場所を特定することが可能であり、マイクロドローンを用いて限られた時間内で簡易的な点検調査が可能であることが示された（図10）。

8. まとめ

国が主導する小型無人機に係る環境整備に向けた官民協議会によると、2022年度から都市部などの有人地帯でのドローンの活用を目指すとしている。具体的には都市の物流、警備、災害・消化活動、インフラ点検等を対象にしている。またドローンに関連する技術として、経済産業省では空飛ぶ車の実現に向けて、空の移動革命に向けた官民協議会を設置し、2018年にロードマップをとりまとめた[7]。空飛ぶ車の利活用の目標として、2019年から試験飛行や実証実験等を行い、2023年を目標に事業をスタートさせ、2030年代から実用化をさらに拡大させていくこととしている。この利活用の例として、図11に示すような「都市での人の移動」などが考えられ、建築と深い関わりを持つことになる。

そして建築分野では建物調査におけるドローンの活用が加速化している。例えば、2019年10月に開

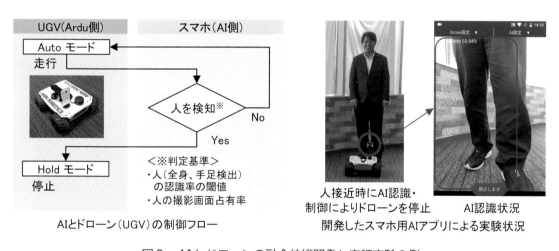

図9 AIとドローンの融合技術開発と実証実験の例

図10 マイクロドローンを用いた狭所暗所空間における点検状況

催された日本政府の未来投資会議にて、デジタル技術の社会実装を踏まえた中長期的な観点から必要となる規制を議論する対象分野として、建築分野が選定された。この中で、「建築基準法に基づく建築物の外壁の調査について、赤外線装置を搭載したドローンによる調査を将来位置づけることができないか検討する。」と明示された。このように、ドローンの導入が建築分野の垣根を超えた技術革新や制度改革により進められており、ドローン技術の普及と社会実装は様々な専門分野の方々が協力することで達成されると期待している。

<参考文献>
1) 国土交通省、新技術利用のガイドライン（案）、https://www.mlit.go.jp/road/sisaku/yobohozen/tenken/yobo5_1.pdf、平成31年2月
2) 国土交通省、点検支援技術性能カタログ（案）、https://www.mlit.go.jp/road/sisaku/yobohozen/tenken/yobo5_2.pdf、平成31年2月
3) （一社）日本建築ドローン協会、建築物へのドローン活用のための安全マニュアル（第1版）、2018.9.1
4) 国土交通省、平成30年度建築基準整備促進事業T3「非接触方式による外壁調査の診断手法及び調査基準に関する検討」、https://www.mlit.go.jp/common/001288930.pdf、2019
5) （一社）日本建築ドローン協会、建築ドローン標準業務仕様書（案）【点検・調査編】、https://jada2017.org/news/activity/801、2019.9.27
6) 井戸田和也ほか、ラインガイド方式による無人航空機を活用した構造物点検の検証実験結果の報告、2019年度土木学会全国大会第74回年次学術講演会、2019年9月
7) 経済産業省ウェブサイト、"空飛ぶクルマ"の実現に向けたロードマップ「都市での人の移動」、https://www.meti.go.jp/press/2018/12/20181220007/20181220007.html、2018年12月

図11 "空飛ぶクルマ"の実現「都市での人の移動」
（出典：経済産業省ウェブサイト[7]）

分譲マンションの大規模修繕工事

（一社）マンションリフォーム推進協議会／一級建築士　　浦岡　健志

1. 管理組合が行う、共用部分の維持管理

　マンションに限らず、建物は竣工後、時間の経過とともに劣化が進行し、次第に様々な不具合が発生してきます。しかるべき性能を維持するためには様々なメンテナンスが必要です。建物には、個人住宅、分譲マンション、賃貸マンション、事務所ビル、庁舎や公共建物など、様々な種類がありますが、これら建物の種類に応じて、メンテナンスの考え方や方法は異なっています。

　鉄筋コンクリート造の普通の建物であれば、劣化のメカニズムや、具体的な劣化の現象は、建物の種類によってそれほど大きな違いはありませんが、メンテナンスの考え方には、多少の違いがあります。そして、分譲マンションのメンテナンスに関して言えば、他の種類の建物とは異なる、特徴的な考え方によって成り立っています。

　分譲マンションでは、大規模修繕工事の対象は管理組合が所有・管理する共用部分であり、理事会によって数年越しで準備・実施しなければなりません。また、居住者の皆さんが住んでいる中で、工事をしなければならないため、お互いに協力が必要です。大きな修繕工事を行う時には、多額の修繕積立金を一気に使うことになるため、合意形成（総会決議）に至る前に、工事の必要性や合理性について、十分な説明を尽くす必要もあります。

　管理組合の理事、あるいは修繕委員として活動されている皆様をはじめとして、大規模修繕工事にこれからかかわる皆様にとって、大規模修繕工事の内容や、基本的な考え方をご理解いただけるよう、また、合意形成に向けてのご説明に少しでも役に立つよう、本稿で整理してみました。

2. 分譲マンション各部の劣化と修繕

　これ以降、大規模修繕工事、と書く場合には、分譲マンションの大規模修繕工事を指すこととします。

　大規模修繕工事は、通常12年から15年程度を周期として定期的に行われています。具体的にどこを工事するのか、と言うと、劣化の修繕を行うのに足場が必要な場所、つまり地上や床から手の届かない外壁等の補修がメインになります。外壁のほか、屋上や外部の廊下・階段、バルコニーなども、普通は大規模修繕工事の対象となります。

　外部廊下の天井や床などは、足場がなくても工事できそうですが、足場があるときに一緒にやってしまう方が、安全上も効率上もメリットが大きいのです。各住戸のバルコニーの内部も同様です。特にバルコニーは、外に足場があれば、作業をする人が玄関を通らなくても、足場から出入りできます。玄関を通らないで工事ができるのは、居住者の負担軽減や、工事の効率の点でメリットが多くなります（**写真2**）。

写真1
工事のために足場をかけ始めたマンション。
建物全体に足場をかけ、足場が必要な工事は時期をそろえて行うのがマンション大規模修繕工事の基本。

写真2
足場からバルコニーを見る。
足場があれば、室内を通らずにバルコニーに行ける。

写真3
屋上、外壁、階段や廊下、バルコニーなどが大規模修繕工事の
主な対象となる。

屋上は、平らな部分は、足場がなくても工事でき
ますが、外周の高くなっている部分（パラペット）の
修繕を行う際に、転落防止のための安全柵が必要で、
外部に足場があれば兼用できるため、大規模修繕工
事で、全体的に足場をかけた際に同時に行うメリッ
トがあります。

このように、大規模修繕工事では、外壁、廊下、バ
ルコニー、屋上などが主な工事対象となります。こ
れらの部分は、言葉を換えれば、風雨や紫外線にさ
らされる共用部分、と考えると理解いただきやすい
と思います。風雨や紫外線にさらされる場所は、さ
まざまな要因で劣化し、定期的な修繕が必要となり
ます。また、修繕に足場があると都合がよいことが
特徴です。

廊下や階段が、屋外ではなく建物の内部になって
いるもののほか、集会室の内装なども、共用部分で
管理組合が管理しなければなりませんが、かならず
しも大規模修繕工事と時期をあわせて修繕工事をす
るわけではありません。その理由は、これらの部分
は修繕に足場が不要な場合が多く、また、屋内なの
で劣化の進行も緩やかだからです。

さて、ここからは、実際のマンションで、どこでど
のように劣化が進み、なぜ、何を直さなければなら
なくなるのか、見て行きましょう。頁数に限りがあ
るので、基本的な例、典型的な例に絞って解説させ
て頂きます。

2.1　劣化したコンクリートの補修

分譲マンションは多くの場合、鉄筋コンクリート
造、または鉄骨鉄筋コンクリート造という構造形式
で造られています。鉄とコンクリートの、それぞれ
の特徴が有利に発揮されるように、また、不利な部
分を補うように、組み合わせた構造形式で、一般の
皆様にもなじみのある言葉だと思います。一方で、
鉄とコンクリートという、異なる材料を組み合わせ
て用いることに起因する、特徴的な劣化のプロセス
があるのです。

コンクリートは硬くなったあとも内部に水が存在
し、その水は時間の経過とともに少しずつ空気中に
放出されて行きます。その過程で、コンクリートは
体積が、ごくわずかですが縮小します。これを乾燥
収縮といいます。乾燥収縮は、コンクリート単体で
見た場合にはただ縮むだけですが、鉄筋コンクリー
トなどの場合には、乾燥収縮ひび割れという現象が
起こります。鉄は時間の経過とともに収縮するわけ
ではないため、鉄とコンクリートが一体になってい
る場合には、縮んだコンクリートにはひび割れが起
こるのです。

ひび割れは、必ずしも直ちに建物の性能に問題が
あることにはなりません。ただ、放置すると、そこか
ら雨水が侵入して、ひび割れが広がったり、内部の
鉄筋が錆びたり、放置を続ければいずれ漏水の原因
にもなります。

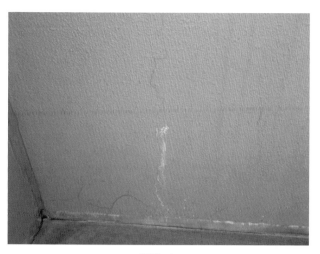

写真4
外壁に発生したひび割れ。白い汁は「エフロレッセンス」と呼ばれ、コンクリート内に浸入した水分が可溶成分とともに空気中の二酸化炭素と反応して石灰状になったもの。

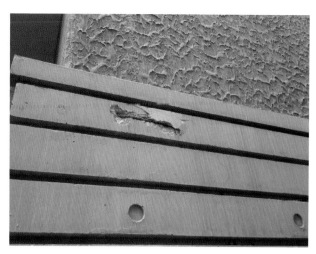

写真5
鉄筋露出。鉄筋が錆びて容積が増え、外側のコンクリートを押し壊して露出した状態。部位の劣化としてはやや進んだ状態であるが、発生量が少なければ建物全体としての緊急性は高くない。

ひび割れから鉄筋の錆汁や、エフロレッセンスと呼ばれる白い染みが見えるようになると、劣化がやや進んだ段階と判断します。ただ、乾燥収縮ひび割れが起こることは最初からわかっているので、あらかじめ補修の仕方を想定しておき、ある程度ひび割れが増えてきたら適正に対処すればよいのです。写真6はひび割れ補修の例です。

なお、乾燥収縮のほかに、地震などでもひび割れは発生します。その他、（写真5）のような鉄筋露出など、コンクリートの劣化部を補修することは、大規模修繕工事の最も重要な目的の一つです。

2.2 屋上防水

屋上、外壁、バルコニー、廊下など、風雨や紫外線にさらされる場所は、さまざまな要因で劣化し、定期的な修繕が必要です。

床や屋上の水平な部分など、鉄筋コンクリートでできた版を「スラブ」、と言います。鉄筋コンクリートのスラブは防水性能があまり期待できません。乾燥収縮や地震による小さなひび割れが、少しずつつながって、雨水の通り道をつくってしまうことがあるためです。

雨漏りを防ぐために、屋上のスラブの上には、防水材が施工されています。最近のマンションでは、スラブの上に断熱材、その上に樹脂でできたシート状の防水層という順番で施工されることが一般的です（図1）。建物の防水性能が維持されているかどうか

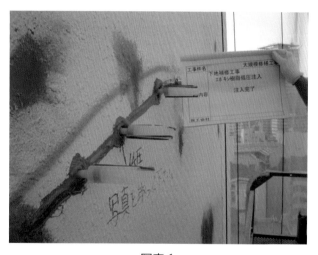

写真6
ひび割れを補修する処置の一つ。
エポキシ樹脂を注入している。

は、防水層の状態に大きく左右されます。また、漏水を防ぐ以前の話として、断熱防水層にはコンクリートを保護するという大切な働きがあります。鉄筋コンクリートには、乾燥収縮や地震、その他の要因で必ずひび割れが発生し、温度変化もそれに影響を与えます。断熱層は温度変化からコンクリートを護り、防水層は断熱層に雨水が浸入して劣化することを防いでいます。

防水層に膨れなどの現象が少しずつ発生することがあります。それをもとに戻すために、大規模修繕工事で劣化部の補修、または全体的な改修を計画しますが、その内容については、それぞれのマンションごとに調査診断を実施して判断します。

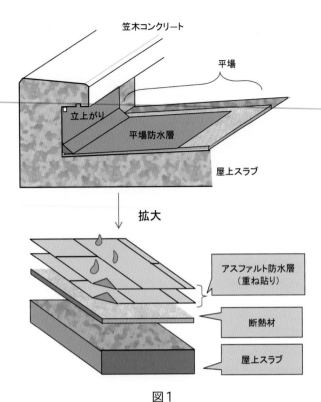

笠木コンクリート

平場

立上がり

平場防水層

屋上スラブ

拡大

アスファルト防水層
（重ね貼り）

断熱材

屋上スラブ

図1
屋上防水の一つ。アスファルト露出断熱防水工法の概要。
（わかりやすくするために、細かい部材は省略しています）

写真7
アスファルト防水層に発生した膨れ。
新築後12年経過時のマンション。

2.3　タイルについて

　外壁タイルの典型的な劣化は「浮き」です。コンクリート面に貼り付けられたタイルが、年月の経過とともに接着力が低下し、コンクリートとの間に空隙が生じた状態が「浮き」です。剥落の手前の状態ですが、「浮き」がすぐに剥落になるわけではありません。

　タイルの浮きの発生の程度は、通常、タイル仕上げ面積に対する浮き部分の面積の割合（％）で把握します。浮きの発生は、日の当たり方、方位、受けた地震の大きさや回数など、さまざまな要因に左右され、また、新築時の施工の状態の影響も大きく受けます。このため、タイルの施工後の経過年数と、浮きの発生（％）に明確な相関関係を見出すことは難しく、建物によって、ばらつきがあります。

　また、タイルの施工の仕方として、現場で貼り付ける場合と、プレキャストコンクリートとして工場で一体的に制作する場合とがあります。後者はバルコニーや廊下の手すり壁など、部品として分けて制作し、現場で組み立てることができる部位に多く用いられます。コンクリートと一体化しているため、浮きはほとんど発生しません。廊下やバルコニーの手すり壁以外にも、メインの柱や梁、外壁などにこの工法が用いられることもあり、建物の中でそのような部位が多いほど、全体としてのタイルの浮きは少なくなります。ただ、0ではなく、また、プレキャストコンクリート一体成型として扱われた部品であっても、内部の鉄筋の錆や、鉄筋露出に伴って、浮きや割れが生じることがあります（**写真10**）。

　さて、タイルの浮きがすぐに剥落になるわけではない、と前述しましたが、放置すればいずれは剥落する可能性があります。そして、取り返しのつかない人身事故になる可能性もあります。タイルの浮きはこういったことが起こる手前の、予兆的なサインです。外壁タイルは、手の届かない高いところにも広範に施工されていることが多く、したがって剥落したら大事故につながる部分なので、浮きの段階でこれを把握し、補修をする、つまり予防的な処置をすることが特に有意義なわけです。

　タイルの浮き状況を調べるには、まずは調査員が歩いて行ける場所で打診調査をするほか、赤外線撮影調査や、必要に応じてゴンドラ調査などを併用することもあります。通常は、建物のすべてのタイル面を調べることができるわけではないので、打診調査できた範囲の中で浮きの割合（％）を算定し、それをもとに全体の状況を予測します。実際に補修しなければならない箇所の特定は、工事着工後に施工会社が足場を使って、全箇所の打診調査を実施するときに判断します。

写真8

タイル面のはらみ。浮きが進行して、剥落する手前の状態。この状態になると、強風や、ちょっとした衝撃で剥落することがある。

写真9

浮いているタイルの目地にカッターを入れてはがした状態。浮いている場所は、目地にカッターを入れると簡単にはがれる。

写真10

プレキャストコンクリートに一体的に打ち込まれたタイルの不具合。浮き音がするタイルをはがすと、内部鉄筋が錆びて、コンクリートごと押し出されていた。

2.4 コンクリート部の塗装

コンクリート面に塗る塗装は、コンクリートを中性化から護り、また、下地コンクリートに新たに発生するひび割れに対抗しながら、塗膜が存続（はがれたり、切れたりせずに長持ち）しなければなりません。最近の塗料はひび割れ追随性が向上し、塗装後、小さなひび割れがコンクリート面に発生しても、その上にある塗膜にはひび割れが反映しにくくなっています。

つまり、弾力性が向上したわけですが、塗膜に厚みのない、平滑な塗装の場合にはひび割れに追随できない場合があります。

写真11は、膨れの例です。梁の上の水平な部分に溜まった水が、塗膜の劣化したところからコンクリート内部へ浸透し、側面に出てこようとしたところです。膨れの内部は水蒸気の他、水そのものの場合もあります。新築後、10年ほど経過し、そろそろ大規模修繕工事に向けて準備をはじめよう、という頃の建物です。

一方、開放廊下やバルコニー天井の塗膜の剥離が大面積に及ぶケースがあります（写真12）。調査診断時に浮いていなくても、大規模修繕工事で高圧洗浄を行った際に広範囲に剥離してしまうケースなどもあり、要注意です。上階からの雨水浸入などにより、塗膜と躯体の間にたまった水蒸気の圧力で、塗膜が押されたり、また、塗膜の接着力の不足、下地処理の不良などの要因で起こります。

コンクリート面に用いられる塗装は第一世代（アクリル系）、第二世代（ウレタン系）、第三世代（シリコン系）、第四世代（フッ素系、光触媒系）などと分類されます。修繕では第三世代が推奨されることが多くメーカーのカタログでは、シリコン系塗装の期待耐用年数に14〜16年との記載もあります。また、第四世代のフッ素樹脂塗装は、超高層マンションなどでは、新築時からも採用されています。

コンクリート部の塗装は、大々的に剥がれてしまったりする前で、既存塗膜の上に大部分は塗り重ねができるうちに全体的に再塗装することが基本です。タイミングの判断としては、光沢低下、変退色、チョーキングなどの劣化が見られるようになった段

階、というのが目安となります。その段階で、塗膜付着力試験を実施し、既存の塗膜がまだ接着力を有していて、上から塗装をしても耐えられる状態であることを確認しておきます。

　先に述べた期待耐用年数は、おおむね、再塗装が必要になるまでの時期と考えてよく、大規模修繕工事の周期を決める一要素となります。

2.5　鉄部の塗装

　鉄部は塗装しないと、ご存じの通り錆がすすみ、穴があいたり、もろくなって折れたりしてしまいます。マンションには鉄の部分が結構あり、定期的に塗装をする必要があります。錆が発生する前に、塗膜が劣化し始めたころに再塗装するのが理想ですが、なかなか理想通りにはいきません。通常は、錆びてしまった部分は「ケレン」といって、錆を除去する作業

を実施し、下地を整えてから塗装をします。また、錆が進んで腐食している場合には溶断、補強等が必要となります。錆が発生する前の、塗膜が劣化し始めた状況とは、光沢低下、変退色、チョーキングが見られる段階を言います。

　屋上など、雨のかかる場所の鉄部は、なるべく頻度を上げて塗装をするのが良いのですが、少なくとも大規模修繕工事の時には鉄部塗装は必須としたうえで、中間期に1～2回、鉄部塗装が実施できるとよいでしょう。

2.6　シーリングについて

　建物の外壁で、フロアとフロアの境目ぐらいの位置に目地が設けられ、水平に樹脂状の材料が、充填されているのを（写真14）ご覧になったことがあるでしょうか。これがシーリングです。他に、サッシ

写真11　塗膜の膨れ

写真13　鉄部の腐食（屋上）

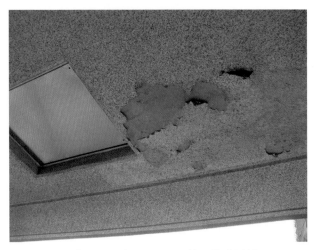

写真12　バルコニー天井の塗膜剥離

写真14
外壁の目地。水平のラインはコンクリートの打ち継ぎ目地。

やドア枠と壁との隙間の部分や、プレキャストコンクリートの版と版の間、耐震スリットなどにもシーリングが施されています。建物の外部には水が入りやすそうな部分があり、あらかじめそういった場所を想定し、樹脂状の材料を充填して止水するのがシーリングです。シーリングの劣化現象としては、硬化、変退色、ひびわれ、剥離、破断などがあります。紫外線のほか風雨や建物の動き、温度変化などの影響で劣化します。

実際に建物調査診断や大規模修繕工事を実施した多くのマンションでは、施工後10年程度は大きな不具合が起こる、というわけではありません。ただ、10年を過ぎる頃からリスクが少しずつ増えるのは確かなので、建物調査診断を実施する計画などを具体的に進めるとよいでしょう。

シーリングが施される場所は実に多岐にわたり、場所ごとに要求される性能が若干異なります。そして、それぞれに適したシーリング材の種類があります。いずれの場合においても、以下のことが当てはまり、大規模修繕工事のポイントとなります。

シーリングには、単に隙間を埋める目的と、コンクリート内に水が浸入するのを防ぐ目的（止水）があります。後者の目的（止水）のシーリングは、性能低下が漏水懸念に直結することから、大規模修繕工事で全体的な更新を行うのが通常です。

例として、建物の階と階の間の、水平の線状の目地の部分に充填されているシーリング材について、簡単にご説明しておきます。建物建設時に、建物の形をした型枠にコンクリートを流し込んで（打設して）、本体を造ってゆく際、1フロアずつ区切って行います。下の階にコンクリートを打設して、一定の時間が経って硬化した後に、上の階のコンクリートを打設します。これをコンクリートの打ち継ぎと言い、その継ぎ目のところに設ける目地を打ち継ぎ目地と言います（写真14）。

打ち継ぎ目地の上と下のコンクリートは一体ではありませんから、雨水が浸入しやすい箇所です。このため、シーリング材が充填されているのです。雨水の入り口になりやすいことがわかっているものは他にもあります。詳細は省略しますが、耐震スリットの部分や、伸縮目地と言われる部分などが典型的な例です。これらの箇所でのシシーリング材の性能

の低下は漏水リスクを高めます。漏水までいかなくても、打ち継ぎ目地部分などでは、雨水浸入によって鉄筋が錆び、錆汁の発生や鉄筋露出などを引き起こすこともあります。

最近のマンションは、建設時に現場で造る部分をできるだけ少なくし、工場で製作した部材を現場で組み立てる工法を多用する傾向があります。品質の安定化、工期の短縮、コストの削減などに役立っています。特に超高層マンションでは、この傾向が強くなります。これらのケースでは、現場で組み立てる部品の接合部がシーリングで止水されるため、建物の中でシーリングが施された箇所が非常に多くなります。つまり、シーリング部分の性能が維持されていることが、建物の維持保全にとって重要になります。

写真15　目地シーリングに発生したひび割れ

写真16
軽量気泡コンクリートパネルを建てこんで外壁を構成している例。建物の軽量化・新築工事の効率化に優れ、超高層マンション等をはじめとして採用例が多い。
パネルとパネルの間、および構造体とパネルの間にシーリング施工されている。

シーリングは建物全域にわたり、補修や取り換えには足場が必要なことから、大規模修繕工事では必須項目となります。

3．大規模修繕工事の準備

3.1　長期修繕計画

多くのマンションでは、修繕積立金の徴収や取り崩しの裏付け資料として、長期修繕計画を作成しています。国土交通省平成30年度マンション総合調査によれば、計画期間25年以上の長期修繕計画に基づいて修繕積立金の額を設定しているマンションの割合は53.6％（前回調査より＋7.6％）でした。

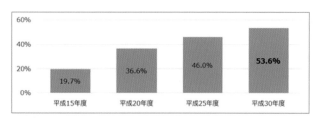

図2

計画期間25年以上の長期修繕計画に基づいて修繕積立金の額を設定しているマンションの割合
出典：国土交通省平成30年度マンション総合調査

大規模修繕工事の実施予定年度や、概略の工事内容、費用はこの長期修繕計画に示されています。実施予定年度が近づいてきたら、そろそろ大規模修繕工事の準備に取り掛からなければ、と理事会が気付きます。また、そのころには、毎年の定期点検の記録なども添えて、管理会社から、大規模修繕工事実施に向けて提案やガイダンスもあると思われます。

大規模修繕工事の進め方は、概ね4つのフェイズに整理されています。建物調査診断～改修設計～施工会社選定～工事実施　の4フェイズです。長期修繕計画では、大規模修繕工事実施予定年の前年度あたりに建物調査診断業務を想定していることが多く、これも具体的に準備が動き始めるきっかけの一つとなります。

3.2　大規模修繕工事の進め方

大規模修繕工事を進めるポピュラーなやり方として、設計監理方式、責任施工方式、の二通りがあります。設計監理方式は、建物調査診断、改修設計、施工

会社選定の段階で設計事務所が管理組合をサポートし、技術的な検討やアドバイスを行います。施工会社が決まり、工事がスタートすると、設計事務所は工事監理という立場で引き続き管理組合をサポートします。工事監理は、設計の通りに工事が実施されているかどうかの確認、また、設計通りにはいかない場合もありますので、その際に、設計の趣旨を踏まえて適切な工事が行われるよう、導くことも必要です。

建物調査診断の目的は大きく二つあります。一つは大規模修繕工事を実施すべき時期を判断すること、もう一つは、工事内容を決める（改修設計を進める）上で必要な情報を得ることです。

劣化して修繕が必要な箇所をすべて拾い出すには、足場をかけて、建物全体を詳細に確認しなければなりませんが、この段階ではそこまでやりません。全体ではなく、建物の一部をサンプル的に調査し、そこから全体を予測します。サンプル調査、あるいは抽出調査、と言われ、廊下や屋上など、調査員が歩いて回れる場所を一通り目視・打診等で確認します。高所の外壁は双眼鏡で確認できる範囲で目視を行います。バルコニーは、全体戸数の5％～20％程度を抽出して調査します。

建物調査診断で確認された劣化の状態をもとに、改修設計業務を行います。ひび割れの補修の仕方、浮いているタイルは貼りなおすか、樹脂を注入して再接着するか、などを、劣化状態や費用対効果を検討し、計画を煮詰めてゆく作業です。建物調査診断で、抽出的に確認した内容から全体を予測した設計なので、調査の時に見ることができなかった部分で、予測との差が生じることがあります。タイルの浮きや、コンクリートの補修などは、差が生じやすい項目です。

改修設計業務の成果物として、設計図書が作成されます。設計図書ができたら、それをもとに施工会社が見積をします。見積内容と金額について、施工会社と管理組合が合意したら、その内容で工事請負契約を締結し、工事実施に入ります。

マンション管理組合の場合、工事請負契約を締結する前に、総会でそのことが承認されなければなりません。そのためには、工事請負契約の予定の金額や、その工事会社を請負契約先に選ぶ根拠を明確に説明する必要があります。複数の工事会社に、公平

に見積を依頼し、適切に比較されたこと、それぞれの見積金額が適正なことなどが求められます。

工事が始まると、最初に施工会社が足場をかけて、建物の調査をします。設計をする前の建物調査診断は、抽出的な調査だったので、建物の全体的な調査をこの段階で改めて行い、補修必要な箇所を特定します。足場をかけて全体を確認したところ、設計時に予想したよりも、工事対象箇所が多くなることも、少なくなることもあります。これによって、工事費の精算が発生し、大規模修繕工事の大きな特徴です。「実数精算」と呼ばれ、設計図書で、あらかじめ実数精算の対象項目を指定しておきます。実数精算で、

工事費が増えてしまった場合に、都度総会を開くのは大変なので、通常は、工事請負契約の金額のほかにあらかじめ予備費を見込んでおき、それを含めて総会承認を得ておきます。

設計監理方式は、これらの流れにおいて、設計事務所が専門家として管理組合の立場からサポートします。責任施工方式とは、建物の劣化診断から設計、工事をすべて一つの施工会社において行うやり方です。管理組合にとっては、発注先が一つに集約されるため、対応が楽になります。十分に信頼できる施工会社を管理組合で選定できている、という点が、責任施工方式を採用する場合には重要です。

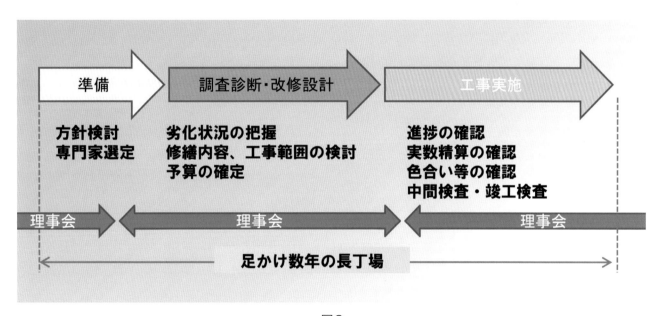

図3
大規模修繕準備段階から工事実施まで、複数期の理事会をまたぐ長丁場となる。

大規模修繕工事の進め方

～ 管理組合の積極的な工事への関わりが
マンションを長持ちさせる ～

（一社）マンションリフォーム推進協議会　技術委員／一級建築士　　丸山　和人

1．はじめに

　大規模修繕工事をはじめとした建物の改修工事には、新築工事にはない難しさがあります。大規模修繕工事を成功させ、建物を長持ちさせるためには、コンサルタントや工事会社などの外部の専門家に任せっぱなしにせず、管理組合が大規模修繕工事に"技術的な面"も含めて主体的に関わることが大切です。その関わりの上でキーワードとなるのは「情報」と「コミュニケーション」です。ここで言う情報には、

・管理組合が提供する情報
・工事会社等が調べ、管理組合が確認していく情報

　などが挙げられます。一部に専門的な事柄も含みますが、本稿ではこれらの情報や専門家とのやり取りについて具体的に述べていきます。

2．大規模修繕工事の目的

　情報やコミュニケーションがなぜ重要かを理解するために、まず大規模修繕工事の目的から考えていきます。
　大規模修繕工事の役割には、居住性・機能性の向上も含まれますが、大きな部分は経年劣化や不具合・問題点の解消で占められます。具体的には、

・耐久性（躯体や建築部材の劣化抑制など）
・安全性（剥離・落下の防止など）
・防水性（躯体内部や室内への水の浸入防止など）
・意匠性（汚れ落としや色・ツヤ等の美観の回復など）

　などを回復、あるいは高めることにより、資産価値の維持・向上を図ることです。大規模修繕工事とは、言うならばそのための投資であり、10～15年に一度の大イベントです。

　そうした大規模修繕工事が期待に反するものになってしまうと、トラブルやクレームの原因になりかねません。例えば、次のようなことが起こった場合です。

・工事をしても漏水などの問題点が解消しない。
・見積りに落ちがあり、必要な工事項目が入っていない。
・設計変更によるコスト増大で、予算をオーバーした。
・美観を回復するどころか、汚れが再発したり、悪化した。
・仕様が十分に説明されておらず、組合の理解と違っていた。
・次の大規模修繕工事が十分に考慮されておらず後悔した。

　こうしたことでは、投資に対する有効性に疑問を生じざるを得ません。原因となり得る事項としては、

・コンサルタントや工事会社の工事前・工事中の調査不足（管理組合からの情報収集を含む）
・方針、選択肢、リスク、効果の限度などの説明不足

　が挙げられます。特に後者は、実際に多く起こっているのではないかと思われますが、品質の問題と言うよりもコミュニケーション不足により内容が管理組合に十分に伝わっていないということです。
　細かく調査し、ていねいに説明していくことは、専門家側に求められる態度ではありますが、管理組合側も待っているだけではなく、必要なことは専門家に要求して引き出すことや、管理組合手持ちの情報をきちんと提示していくことは大事なことです。
　情報とコミュニケーションの重要さについて、概要を理解していただいたところで、次は情報の具体的な内容を見ていきます。

3．普段から整備しておくべき基本的な情報

　大規模修繕工事に必要となる情報は多く、日頃からの準備がなければ短期間で用意することは困難です。次の図書、記録は、維持保全の基本となる情報ですから、整備・保管をお願いします。

　以下、順に説明していきます。

　○竣工図　　○工事履歴　　○各種の報告書

　「竣工図」は、設計変更された箇所などが修正され、竣工時点の建物が正確に表された図面です。ここで重要なのは、平面図や立面図などの意匠図（または一般図）だけでなく、すべての図面が揃っていることです。たとえば、外壁の修繕をする場合、足場などの仮設工事を計画するために「構造図」が必要になることが多くあります。また、外壁に「構造スリット（下図参照）」が設けられている場合は、その位置を確認する際にも構造図が参照されます。構造スリットは、大地震時に主要構造部に損傷を与えないよう、柱・梁・床などと壁との間に入れられる緩衝を目的とした目地です。動きを生じる部位であるため、もしもスリットをまたいでタイルが張られていた場合は割れやすくなるので、適切に処理しなければなりません。構造図がなければ、その位置を知ることは困難です。

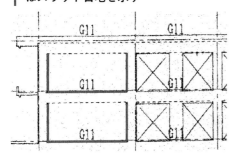

写真1　構造スリットをまたいだタイルのひび割れ

　竣工図は、維持保全をおこなう上で、最も重要な情報の一つです。その保管場所、不揃いや傷みがないかを確認し、必要に応じて修理や複写、電子データ化により消失を防ぐ対策を講じて下さい。

　「工事履歴」は、過去におこなわれた共用部分の補修や改修の記録です。工事の範囲や仕様が読み取れるよう見積書や完了報告書などと共に保管しておくようにします。

写真2

　「各種の報告書」とは、特定建築物定期調査をはじめとした法定の調査・検査、管理会社などからの点検報告書や建物調査報告書などです。

4．建物の問題点・課題の洗い出し

　大規模修繕工事の専門家であるコンサルタントや工事会社であっても、建物を何回か見ただけでは、全容は把握できません。場合によっては、足場を架けて近くで見ても気が付かないということもあり得ます。建物の実情をなるべく正確に伝えるには、管理組合自身が建物の持つ問題点や課題を洗い出して、これを提供することにより情報を補完することが有効です。洗い出す情報の具体例としては、

・現在継続中の不具合、過去の不具合
・クレーム
・気になっている点
・管理会社からの指摘、報告事項
・定期点検による指摘事項、行政からの指導

　などが挙げられます。
　ここで「管理会社からの指摘、報告事項」とは、たとえば事故報告や管理会社の自主点検に基づく指摘

や提案などです。また、「定期点検による指摘事項」は、特定建築物定期調査で「要是正」として挙げられた防災面での問題点が代表的です。

　報告書第一面の下部に「調査による指摘の概要」という欄があります。ここで「要是正の指摘あり」にチェックが入っている場合は、管理会社や調査会社からよく説明を受けておくようにして下さい。

図2　特定建築物定期調査報告書（東京都の例）

　理事や修繕委員、管理会社が把握していない問題点については、どのようにしたらよいでしょうか？この時、極めて有効なのは「アンケート調査」により、広く居住者から挙げてもらうことです。個人個人の気づきを管理組合や外部の専門家の共通認識にするきっかけにもなります。

　事前の調査で判明しなかった問題点は、後々、追加工事の原因となる恐れがありますから、(3)、(4)で挙げた事項は、大規模修繕工事を計画する上で非常に重要な情報と言えます。

5. 管理組合からの情報提供の重要性

　管理組合からの情報提供がなければ、問題点の発見や解決が困難となるケースを「漏水」を例にとって述べます。

　通常、補修の対象となるひび割れの幅は0.2mm以上ですが、漏水が始まるのは幅0.06mmからと言われています。（若干、異なる見解もあります。）

　つまり、目で見ただけでは漏水しているかどうかの判断はできず、単純に幅だけで補修対象か否かを決めてしまうと、漏水補修がおこなわれないまま足場を外してしまう恐れがあります。管理組合からの情報が不可欠であり、過去の漏水歴、アンケート調

写真3　漏水原因であることがわかった幅の細いひび割れ

査、当該住戸の居住者からのヒアリングの結果などを活用して、漏水の場所や状況を調べてもらうようにします。

　この例に限らず、漏水の解決は簡単ではありません。単に大規模修繕工事をおこなえば、漏水が自動的に解決するわけではなく、場所と原因の究明が必要だからです。漏水がある場合は、①場所、②漏水が始まった時期、③漏水するタイミング、④水の量などをできるだけ工事会社に伝え、漏水の解消を図って下さい。

6. 技術面でのチェックをするための基礎知識

　修繕の設計内容や施工状況について、管理組合としてのチェックをおこない、要求や意見をコンサルタントや工事会社に伝えることは、よりよい仕事に繋がるものです。ここでは、管理組合がチェックをおこなう上で必要となる基礎的な知識について、外装工事の主要な項目に絞って述べます。

6.1　外壁タイル張り

　外壁のタイル張りの補修において、最も重要な事項は、飛来落下の防止です。その主な原因となるタイルの浮きや剥離が発生するメカニズムについて説明します。

　コンクリート躯体は、乾燥するに従い収縮していく一方、表面のタイル張りは日射などによる温度変化により膨張と収縮を繰り返します。こうした異なる動きが作用すると、コンクリート、モルタル、タイルの境界面をずらそうとする力が働きます。接着力が勝っているうちは持ちこたえられますが、ずらそうとする力の方が上回ると、やがて浮きや剥離を生じます。

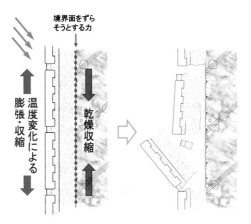

図3　タイルの浮き・剥離の発生メカニズム

補修するには、一般的に①タイルをその下のモルタル層ごとピンと接着剤で部分的に固定する方法、②タイル1枚ごとにピンと接着剤で固定する方法、③タイルを剥がして新しいタイルを張り直す方法のいずれかが採られます。

写真4　アンカーピンニング部分エポキシ樹脂注入工法
（①タイルを下のモルタル層ごと部分的に固定）

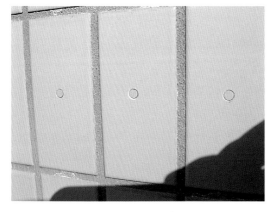

写真5　アンカーピンニングエポキシ樹脂注入タイル
固定工法（②タイル1枚ごとに固定）

これらのうち、①の方法は最も低コストで済む可能性がありますが、適用条件があることに注意が必要です。部分的に固定するためには、タイルとその

下のモルタル層が「しっかりした厚い板状」であることを確かめなければなりません。そのためには、部分的に剥がしてどこで浮いているかを調べます。確証が得られなければ試験施工をして、樹脂＝接着剤を注入してもはらんでこないかを確かめるようにします。

写真6　浮きの位置と厚みの調査

①から他の方法に設計変更となると、大きなコストアップを生じます。①→②への変更でピン1本当たりの単価がおよそ数倍に、①→③では面積当たりの単価が2倍～数倍以上になるうえ、補修用タイルを特注すると、その費用も加算されます。よって、①の方法が適用できるかを早い段階で見極めておくことが肝要です。

6.2　外壁塗装

躯体の中で鉄筋は、コンクリートの強いアルカリ性によって錆から守られた状態にあります。しかし、大気中の炭酸ガスなどの影響により、表面から徐々にアルカリ性が失われ、中性化した状態になっていきます。やがて鉄筋周囲のアルカリ性が失われ、水分に触れると鉄筋が錆びやすくなります。鉄筋が錆びると膨張して、表層のコンクリートにひび割れや押出し現象を生じさせ、さらに劣化が進行していきます。

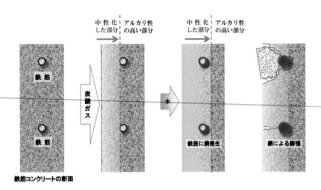

図4　コンクリート中性化と鉄筋の腐食

写真8　ウールローラー

外壁塗装の塗膜は、美観の向上だけでなく、バリアとなって鉄筋を炭酸ガスや水から守る役割も担っています。そのためには、ひび割れなどをきちんと補修した上で、十分な厚みの塗装で覆うことが基本です。外壁の耐久性確保は、劣化の補修と外壁塗装が相まって達成できるものです。

外装材は、一般的に下塗り、中塗り、上塗りの基本的に3層により構成されますが、炭酸ガスや水の浸入を防止するには、特に中塗りの厚さが重要となります。

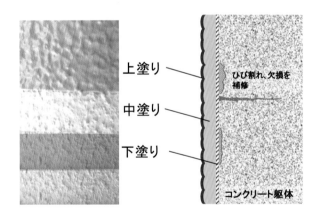

図5　外装材による躯体の保護

中塗りに厚みを持たせる場合には、一般的に多孔質ローラーという表面が網目状の塗装具が用いられます。

写真7　多孔質ローラー

一方、ウールローラーは何回も塗り重ねていて、なるべく軽く仕上げたい場合や既存の模様を生かす仕上げに用いられます。

多孔質ローラーとウールローラーでは、塗布量が2倍前後も違い、コストも大きく異なります。仕様書通りの塗装具で施工されていることを管理組合自身の目でしっかり確認して下さい。

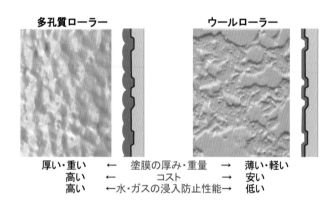

多孔質ローラー		ウールローラー	
厚い・重い	← 塗膜の厚み・重量 →	薄い・軽い	
高い	← コスト →	安い	
高い	←水・ガスの浸入防止性能→	低い	

図6　ローラーの種別による違い

6.3　鉄部塗装

鉄部の塗装工事では、錆や劣化した塗膜を除去し、塗装を塗り重ねて、バリアとして水・酸素・塩分などから鋼材を保護します。外壁塗装にも通じる考え方ですが、大きく異なるのは、鉄部の塗装の場合、ずっと薄い膜厚であることです。仕様にもよりますが、100〜200μm、つまり0.1mm〜0.2mm程度です。したがってこの膜厚が確保できず、かすれているようでは長期に錆を防ぐ機能はまったく期待できません。

膜厚の確保の点からは、劣化した塗膜を剥がした部分の処理も重要です。塗膜を剥がした境界部分は、角が立っていて、厚く塗装を付けることができません。必ず、サンドペーパーなどで引っ掛かりを感じない程度までなめらかにします。

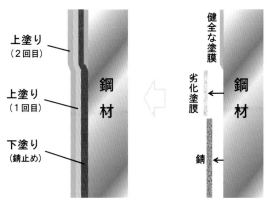

上塗り（2回目）
上塗り（1回目）
下塗り（錆止め）
鋼材

健全な塗膜
劣化塗膜 ←
鋼材
錆 ←

図7　塗料による鋼材の保護

写真9　劣化した塗装を剥がした箇所の段差

　塗装を剥がした角を滑らかに処理しないと、引っ掛かって、塗装の割れ、剥がれが生じやすくなります。サンドペーパーなどを使ってていねいに研磨されているか、管理組合もよくチェックして下さい。

写真10　塗膜が割れ、短期間で錆が再発した例

7．管理組合から説明を求めてよく確認を

　建物の改修計画には、新築と異なり、現状の調査が必要です。また、工事が始まってからも工法の決定や、補修部位の特定のために、測定や試験を要する場面が多数あります。

　管理組合としても、前述の基礎知識を踏まえて、きちんと調査や作業がおこなわれているかを確認し、試験結果から何が導かれるのか、仕様選定の理由や次回の改修についても検討されているかなどの説明を求めて、情報を共有していくことが大事です。

7．1　足場上からの全面調査
ポイント：大きな方針を決定するための調査はなるべく早期に実施する。

　工事予算は、通常、無足場での部分調査に基づいて作成されています。足場架け後の全面調査により劣化数量が確定した後に「実数精算」が行われますが、この時、大きな追加金額が発生する場合もあります。工事会社よりなるべく早期に「劣化数量の報告」と「増減見積書」を提出してもらい、そのまま補修を進めるのか、危険性が少ない部位や足場なしで補修できる部位などの補修を取り止めて相殺し、予算に収めるのかについて十分に協議して下さい。

写真11　足場架け後の全面調査の状況

7．2　外壁タイル補修工事
ポイント：破壊試験や試験施工をおこない、必要な情報を収集する。

　浮きの生じている深さを十分に調べず、無理にアンカーピンニング部分エポキシ樹脂注入工法を適用すると、樹脂が周辺から漏れ出たり、樹脂の圧力によりタイル張りがはらみ出し、かえって浮きが広

がる「共浮き」現象を発生させてしまうことがあります。

　工事会社がタイルを部分的に剥がしての調査や、試験施工などによって、仕様書でうたわれている浮きの補修工法を検証したことを確認して下さい。

写真12　注入箇所周辺からの樹脂の漏出

7.3　漏水解消の確認

ポイント：足場のある間に必ず止水効果を検証する。

　漏水に対しては、アンケート、ヒアリング、記録を活用して状況を把握するようにします。止水工事後は、工事会社が散水試験などにより漏水が解消したことを検証したか、必ず確認して下さい。

写真13　止水工事後の散水試験による確認

8．まとめ

　前項までで述べた事項のうち、情報とコミュニケーションを中心に要点をまとめます。

a. 図書・資料の整備

　普段から図面、工事履歴、各種報告書の保管と整備をおこなっておく。

b. 建物の問題点の把握と伝達

　不具合や指摘をまとめておく。アンケート、ヒアリングからも収集する。

c. 工事中も入念な調査と早期の報告が必要

　浮き位置、樹脂注入可否、劣化数量、漏水原因などの調査、検証など多くの調査・検査を要する。

d. 管理組合自身も主体的に関与

　管理組合手持ちの情報を提供する。工事会社などがおこなった各種調査・試験はその結果の説明を受ける。仕様選定理由や次回の修繕について説明を受ける。仕様通りの工事が行われているか管理組合自身もチェックする。

9．おわりに

　マンションを含めてほとんどの建物は、一品生産で作られています。それぞれに特徴があり、修繕しにくい部分や課題などを多かれ少なかれ抱えています。

　さらに、改修工事となれば、建物ごとに発生している劣化現象や問題点は一律ではなく、決まりきった解決法があるわけではありません。

　このような理由により、大規模修繕工事の細部は、どうしても調査により建物固有の情報を収集し、「オーダーメイド」で作り込まなければなりません。

　本稿を通して、情報とその収集のための調査の重要さを説明して参りました。管理組合は情報の提供者として、また外部の専門家が調べた情報の受け手として役割を果たしていくことが重要です。

　このように管理組合が主体的に工事に参画することが、大規模修繕工事を成功させ、結果的にマンションを長持ちさせることに資すると考えられます。

超高層マンション大規模修繕工事の特徴と課題

（一社）マンションリフォーム推進協議会　共用部分委員会委員長／一級建築士　原　章博

1. はじめに

　1968年、日本初の超高層ビルとなる霞が関ビルが竣工した。その後1971年には京王プラザホテルも竣工し、日本における超高層ビルの黎明期がスタートした。これらの超高層ビルはオフィス、ホテルなど商業系の用途として建設され、その構造も鉄骨の柔構造で、外壁にはカーテンウォールが採用されており免震、制震装置が導入されるまで長らくこの形式が続いた。

写真1　竣工直後の霞が関ビル

写真2　新宿副都心の京王プラザホテル他

　霞が関ビルに遅れること8年、日本初の超高層マンションといわれている「与野ハウス」が1976年に竣工した。それまでの商業系超高層ビルで採用されていた柔構造はその特性から居住用建物には適さないため、住宅としての超高層建築への取り組みが進まなかった。地上21階建て、高さ66mの「与野ハウス」が住宅として初めて超高層建物（一般に高さ60mを超えるものを指す）の仲間入りを果たしたが、構造的には鉄骨鉄筋コンクリート（SRC）造で、従来構造の踏襲である。

写真3　与野ハウス

　その後、国内経済の環境が改善しバブルへと向かうにつれ、超高層マンションの建設も徐々にその数を増してゆく。特に1985年に建設省（当時）が「21世紀の都市型集合住宅の提案プロジェクト」において「コンクリート充填鋼管工法（CFT造）」を認知したことにより1990年前後からこの構造形式を採用した40階を超えるマンションが建設されるようになった。（図1 ①）代表的な例が東京中央区佃で開発されたリバーシティ21である。（写真4）

写真4　リバーシティ21

至って高強度コンクリートと高張力鋼鉄筋の採用により RC 造超高層マンションの実用化に漕ぎつけた。清水建設株式会社では 1988 年に東京都江東区に地上 29 階建ての RC 造超高層マンションを建設した。（写真 5）

写真5　スカイシティ南砂

1992 年のバブル崩壊後暫く大型の開発が低迷し、超高層マンションの建設も停滞するが、1997 年に建築基準法の一部が改正され、容積率の算出方法や日影規制の緩和をきっかけに 2000 年頃から超高層マンションの建設が一気に加速した。（図1 ②）

しかし超高層化の切り札としてこぞって採用された CFT 造ではあるがその特性として建物の揺れなどによる居住性の課題もあり、ゼネコン各社ではより剛性の高い鉄筋コンクリート造（RC 造）による超高層建物への挑戦が試みられ、1980 年代後半に

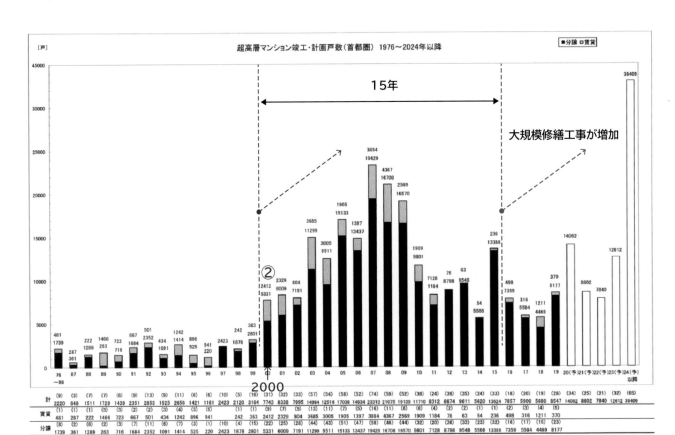

図1　超高層マンション竣工・計画戸数（首都圏）
不動産経済研究所より

2. 中低層と超高層の違いが
マンション大規模修繕工事に及ぼす影響

2.1 新築時における構造、施工方法の違いと大規模修繕

　従来の中低層マンションはもっぱらRC造、または SRC造で設計されており、使用するコンクリート強度も45N/㎟程度の普通コンクリートが用いられていた。また、柱、梁、スラブ等の構造体もコンクリート圧送用ポンプ車を用いて連続一体に打設されていた。一方超高層マンションではコンクリート強度も80N/㎟を超え、近年では150N/㎟を超える高強度コンクリートが使用されている。また、構造部材も柱、梁、スラブ等の部材毎に異なった強度のコンクリートで設計されている。

　さらに、高さが100mを超えるものがほとんどでコンクリートも圧送用ポンプ車ではなく、タワークレーンによってコンクリートホッパー等を吊り上げ部位毎に打設してきた。

　施工に要する日数では従来工法が1～2階/月程度で進捗してゆくのに対し、同様の進捗で50階を超える超高層を施工すると構造体の施工だけでも2年近くの工期が必要となってしまう。そこで工程の更なる促進を目的として構造部材を事前に製作するPC工法の採用となった。

写真6　PC部材セット状況

　柱、梁、スラブ等をPC化することで部材ごとに異なった強度で製作することができるばかりでなく現地での作業を大幅に減らすことで工事の進捗を大きく改善できるようになった。

　さらにPC工法は地上100m超の高層階において跳ね出しの構造を構築できる等、在来工法ではほとんど不可能と思われる副次的効果ももたらした。例

えばエルザタワー55の37階にはオーバーハングしたスラブを配置しており居室からの景観や建物のデザイン性向上等建物に要求される様々な要素の向上にも貢献している。（写真7 〇印が37階にあるオーバーハング部分）

　ただ、この様にデザインの自由度が向上したことは大規模修繕工事に大きな課題を残すこととなる。これについては後に詳述する。

写真7　エルザタワー55

　以上のように主要構造部材のPC化は様々なメリットをもあるが、PC工法特有の要素も存在する。その代表的な例が、PC化された各部材間の取り合い処理である。特に柱と梁の取り合い部は鉄筋およびコンクリートが後施工となるが、この部分の施工方法は各プロジェクトの状況によって様々な方式が採用されている。特にPC部材1ピースの重量はタワークレーンの揚重能力から逆算して検討される場合もあり、その形状等は様々な条件を背景に決定されている。

　ここでいくつかの事例を紹介する。
①パネルゾーン（柱・梁の交差部）と梁を一体化し、スパン（柱間）中央で接合するタイプ（ここでは構造体を最外面に配置するアウトフレーム構造となっている）
　写真8の〇印がPC部材同士の接合部である。写真9で分かるとおり梁の外部側はコンクリートの型枠を

兼用したハーフPCとなっている。

②梁端部とパネルゾーンを後施工とするタイプ

写真10の○印が柱と梁の接合部である。写真で分かるとおり梁端部とパネルゾーンの鉄筋が露出しているのが確認できる。

実は大規模修繕計画時には新築段階でのこの様な施工法の理解が非常に重要である。この様な新築時の状況を踏まえて大規模修繕工事前の外装仕上げの状態を確認してみる。

写真11、12は前項①が大規模修繕時の外装既存状況である。

写真11、12で解るとおりPC部材接合部の後施工コンクリート打ち継ぎが確認できる。（○印）

写真13は前項②の仕上がった状況である。

写真8

写真9

写真10

写真11　バルコニー内観

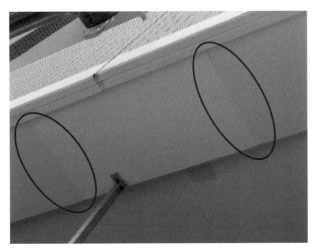

写真12　梁底面見上げ

写真13

同様に PC 部材接合部の後施工コンクリート打ち継ぎが確認できる。（○印）

ここに示した例のとおり、大規模修繕時の事前調査で確認されるひび割れ状の部分が実際には新築施工時の後施工コンクリートの打ち継ぎ部であり、当初の施工直後には現れていないものが経年とともに顕在化してきたものと判断できないと大規模修繕工事においてともすると有害なひび割れと誤認し、誤った施工を施しかねない。

2.2 新築時における仮設の違いと大規模修繕

前項で述べたとおり中低層の建物と超高層の建物では建設の工法が大きく異なるが、それに伴って外部に設置する仮設足場も異なっている。中低層マンションでは在来の枠組足場を用いて躯体工事、外装仕上げ工事を行うのに対し、超高層マンションでは構造体が PC 化されたことにより基本的に無足場で施工される。また、構造体ばかりでなく外装の仕上げにおいてもタイルの PC 打ち込みや PC 部材への工場塗装など現地での仕上げ施工を抑制することが可能となる。それでも残る現地での仕上げ、例えばサッシの取り付けや外壁シーリングなどは 3 フロア程度の仕上げを目的としたユニット足場を作成し、躯体最上部から吊り下げることで必要な範囲を仕上げてゆく。この外装仕上げ用ユニット吊り足場は工事の進捗に伴ってタワークレーンで随時最上部に盛り替えられる。**写真 14** はこの方法によって外装仕上げが進行している状況である。（上部 4 フロアに設置された外部仕上げ用足場から下の階は外壁の仕上げが完了しているのが解る）

写真14

3. 超高層マンションの大規模修繕工事における仮設計画の重要性

超高層マンションの新築時における工法について簡単に説明してきたが、まさにこの工法こそが超高層マンションの大規模修繕工事を難しくさせている大きな要因の一つである。

中低層マンションと超高層マンションの修繕工事において最も大きな違いは仮設の計画、設置にあるといっても過言では無い。そもそも足場を用いて施工された中低層マンションでは修繕工事においても同様の足場を設置することで大規模修繕工事の施工が可能となるが、大型のクレーンを使用し無足場工法で建設された超高層マンションでは全く新規に足場の計画を行う必要がある。

超高層マンションの大規模修繕工事で一般的に用いられる仮設足場設備としてゴンドラ、移動昇降式足場が代表的でるが、状況によっては鋼製枠組足場が使用される場合もある。ただ、鋼製枠組足場は設置高さが 60m 程度までであり、組立解体のために屋上に小型の揚重機が設置できるなど特段の状況であっても 85m 程度までと筆者は考えている。（**写真 15** は屋上に小型のクレーンを設置できたため地上 81m まで安全に鋼製枠組足場を架設できた例である）

写真15

写真16　建物周囲のアーケードや池

　そもそも新築段階の設計において十数年後の大規模修繕を念頭に置いた設計がなされているケースは極めて希と言わざるを得ない。在来枠組足場を用いて建設された中高層マンションでさえ足場解体撤去後の外構工事において建物の間近まで植栽や自転車置き場等の構造物が設置され、枠組足場の設置がままならない事例も多い。超高層マンションとなると植栽、自転車置き場などは一時的に撤去、移設できるものの、アーケードや人工地盤など足場の設置が極めて難しい構造物が存在する。特に最下部の数フロアに商業施設などを持つ超高層マンション等では居住者ばかりでなく商業施設の利用者の動線確保や利便性も考慮しなければならず、その条件を満たす仮設足場を選択することになる。また、建物の平面形状、立面形状によっても足場設置の制約が発生する。

3.1 建物形状やプランニングによる仮設足場計画の違い

　建物形状やプランニングによる仮設足場計画の違いについて埼玉県川口市のエルザタワー55、エルザタワー32を例に説明する。どちらの建物も大規模修繕工事では移動昇降式足場、ゴンドラ足場、鋼製枠組足場を複合的に使用し、ハイブリッドな仮設足場計画を行った。ここではそれぞれの仮設足場のメリット・デメリット等を含む概要と実際の選定について設置条件、工程、作業性等の要素別に解説する。

1）周囲の状況や建物形状に基づく足場の選択

　前述した鋼製枠組足場の最大のメリットはどの面、どの階でも常に施工が可能であり、雨天の養生も比較的容易にできる点である。一方デメリットと

写真17　エルザタワー55（右）とエルザタワー32（左）

しては台風時などの対策が都度必要となるほか、外部に養生用のネットを設置するので各居室内の採光が阻害される等が上げられるが、全ての施工範囲に常に足場が設置されていることは工程管理上も非常に大きなメリットであり、建物高さが60m程度であればむしろ推奨したい選択である。また、鋼製枠組足場は設置・解体費用も他の機械式足場に比べて安価であり、工事費抑制の点からも有効と考えられる。

　しかし、ここで紹介するエルザタワー55・32はどちらも地上100mを超えており、大規模修繕の主要な仮設足場の設備として鋼製枠組足場を選択することは困難であった。そこで選択肢に上がるのが移動昇降式足場とゴンドラ足場である。

　以前から高層の建物では日常のメンテナンスも含めゴンドラを使用することが一般的であったが、主にヨーロッパで使用されていた移動昇降式足場が輸入され始めると、それぞれにメリット・デメリットがあり選択に苦慮することとなったが、最も大きく異

なるのはゴンドラが最上部から吊り下げる構造であるのに対し、移動昇降式足場は地上またはそれに準じた床上からレールによって機械的に上昇させる構造になっている点である。この構造の違いこそが仮設設備として選定する際の大きな根拠になっている。

写真18

写真19　オーバーハング部の仮設足場状況

写真20　移動昇降式足場設置の全景（左）と足元補強部（右）

写真18はエルザタワー55の50階の四隅に配置されたオーバーハング部分（○印）を下から見上げた写真であるが、大規模修繕工事において上部から吊り下げたゴンドラ足場ではオーバーハング下部に入り込むことができない。一方移動昇降式足場は作業架台の伸縮が容易で4m程度であれば作業床を建物側に延長することができるので、この様なオーバーハング下部での施工も可能となる（写真19）。ただし、移動昇降式足場の最大の難点はレールマスト下部に6〜11t程度の荷重が掛かるため、その荷重を支持できるかが設置の前提となる。

エルザタワー55では外周の池および8階ルーフバルコニーから設置を計画し、この条件をクリアできるかの検討を行った結果、池の床スラブに4㎡程度の荷重受け架台を設けて荷重を分散することで解

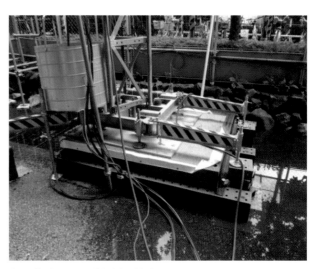

決できた。また、8階ルーフバルコニーは下部に構造体として柱が配置されていたので、その直上にレールマストを設置することとした。

一方エルザタワー32では建物西側の一部に人工地盤があり、厚さ600mm程度の庭園客土を除去し、下階に補強を施さなければならなかったため、その部分については移動昇降式足場をあきらめ、レール式ゴンドラを設置することとした。

この様に移動昇降式足場は設置条件の検討が必須であるが、その安定性、作業架台の広さ、風による作業中断等を考えると超高層マンションの大規模修繕工事には非常に適した仮設設備だと考えられる。

2）平面形状と足場の計画

一般的に超高層マンションの平面形状は外部において

はフルバルコニー、独立バルコニー、内部においてはセンターボイド、センターコア、片廊下の5形式の組み合わせになっている。これらの内、片廊下は100m超のマンションではほとんど見られないので基本的には4形式の組み合わせとなる。

図2はエルザタワー55とエルザタワー32の居室階平面図であるが、それぞれのバルコニー配置を比較してみるとエルザタワー55ではほとんどのバルコニーが居室毎に独立して配置されているのに対し、エルザタワー32では北東および北西のコーナー部（○印）を除いてバルコニーが連続している。この二つの要素も仮設計画を行う際の重要なポイントである。

特に各戸境の隔て板を工事のために一時的撤去し通り抜けることができる構造に改造（写真21）する

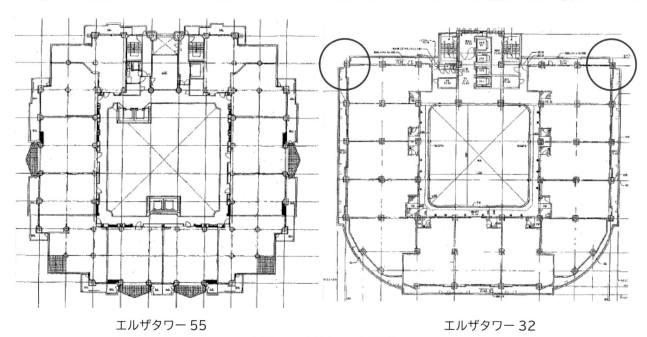

エルザタワー55　　　　　　　　　　エルザタワー32

図2　エルザタワー平面図

写真21　戸境の隔て板の撤去

ことでバルコニーを全周にわたって周回できれば各戸間の横移動が可能となるため外周足場設備から各バルコニーへのアクセスが不要となる。

実際エルザタワー 32 ではバルコニーが不連続の北東および北西のコーナー部に東西面バルコニーと北面バルコニーを渡るための鋼製枠組足場を設置し，建物内の階段およびエレベーターから外周バルコニーに出入りして全周を周回することが可能となった。（写真 22 は組み上がった北東コーナー部と組立中の北西コーナー部）

これによってバルコニー内の上げ裏、壁、床それぞれの仕上げ工事の進捗に大きく貢献することになる。ほとんど全てのバルコニーに外部の仮設設備からしかアクセスできないエルザタワー 55 に対し、内部の昇降設備からバルコニーにアクセスでき、さらに全周を周回できたエルザタワー 32 を比較すると、外周の仕上げ施工量が約 55 ～ 60% のエルザタワー 32 大規模修繕工事の工期がエルザタワー 55 の約 45 ～ 50% で竣工できたことでも理解できる。

写真 22　コーナーの渡り用足場状況

4. 超高層マンション大規模修繕工事における課題

これまで超高層マンションにおける新築時の工法やそれに伴う楊重や仮設足場設備の特徴について述べてきたが、これこそが大規模修繕時の課題の根源でもある。

更なる高層化や構造体断面拡大の抑制から、使用するコンクリートが高強度化してきた状況は先にも述べたが、まずコンクリートの高強度化に起因する課題について取り上げてみる。

大規模修繕工事では移動昇降式足場あるいはレール式ゴンドラを使用しての施工が広く行われていると述べてきたが、移動昇降式足場にあっては昇降マスト、レール式ゴンドラにあっては振れ止めレールを建物本体に固定する必要がある。この固定には一般的に後施工アンカーが使用されが、後施工コンクリートには金属拡張アンカーと接着系アンカーの 2 種類が存在する。接着系アンカーでは強度発現まで時間を要しマストやレールの固定には適さないため打設後ただちに強度を発生する金属拡張系アンカーを選定することとなる。周知のとおり後施工アンカーはコンクリートを電動ドリルで削孔し、専用の金物を打ち込む際の拡張力で固定される構造となっているが、ここで問題となるのがコンクリートへの削孔である。前述したとおり PC 部材に使用されるコンクリート強度が 150N/㎟を超えると、通常のビットでは削孔が難しい状況が発生する。小口径のダイヤモンドコアを使用してくり抜く方法もあ

写真 23　移動昇降式足場マスト固定用後施工アンカー施工状況

り、この場合は通常のドリルビットと比較して多少高強度コンクリートでも削孔可能ではあるがビットメーカー、コアメーカーそれぞれの見解によると従来一般的に使用されている製品ではビット施工で50~80N/m㎡、コア施工でも150N/m㎡程度とのことであった。

特にアウトフレーム構造では主要構造部である柱および梁が外壁面となっており、通常のバルコニー部材のコンクリートと比較してより強度の高いものが使用されているので、このような条件下でのマスト、レールの固定方法が今後大きな課題となる。状況によっては建物との固定を必要としない連結式ゴンドラ形式の仮設足場設備しか選択できない可能性も出てくる。(写真24)

以上のように一見無関係と思われる構造体強度と大規模修繕工事の足場設備とが大きく関連すること

写真24　連結式ゴンドラ設置状況

となり、工事費に大きなウェイトを占める仮設足場設備の選択肢が狭まりかねない事態も懸念される。

続いてタワークレーンを用いた建築施工に関連した課題についてであるが、ここで揚重機による部材のセット手順を簡単に説明する。まず地上にある部材を取り付けしようとする位置よりされに上部に吊り上げ、徐々に下降させながら所定の位置にセットし固定する。超高層マンションの新築工事においても同様の手順で施工が進められてゆくが、昨今の超高層マンションではその最上部にティアラあるいはクラウンなどと呼ばれる冠壁が設けられている。(写真25 ◯印)

この部分の施工も同様の手順で進められ、屋上内側から取り込み、固定して完了するよう計画がされている。この様な前提から冠壁の各部材は事前に工場等で仕上げがされており、建物外部側からは勿論、屋上内部側からの仕上げ工事も必要ない。しかし、大規模修繕工事においては冠壁外周側の施工も当然のことながら必要となるが、地上100mを超え、時には200mに迫る高所で仕上げ工事を行うための仮設足場計画が欠かせない。

写真26は移動昇降式足場を用いて地上49階の超高層マンション大規模修繕工事を行った際の屋上風景であるが◯印が移動昇降式足場のマストである。移動昇降式足場は地上からマストを積み上げてゆくので冠壁上部までの施工にも対応できるが、ゴンドラ足場では基本的に屋上パラペットからの吊り下げとなるため冠壁の仕上げについては別途検討を要する。

写真25　最上部冠壁の昼景と夜景

写真26　移動昇降式足場のマスト部

また、東北地方太平洋沖地震以来その数を増している免震構造をもった超高層マンションなどでは大規模修繕工事施工中の地震発生も検討課題である。

以上の様な各課題は大規模修繕時に初めて顕在化してくるが、設計段階から将来の大規模修繕工事を踏まえて計画することで解決できることがほとんどである。例えば後施工アンカーについては事前にアンカーを埋め込んでおく、また冠壁については最外面から多少セットバックさせる、免震構造については外周犬走の片持ちスラブに強度を持たせるなど検討の余地は充分にある。

この様に事前対応しておくことで大規模修繕工事がより簡易に進み総コストの抑制にも寄与することとなる。

5. おわりに

マンションの総戸数が650万戸に迫り、目にする機会が増えたマンションの大規模修繕工事。その様な状況もあり話題となることも多くなってきた。その内容も修繕積立金の不足、適切な指導、助言ができる公正な専門家の不足、不透明な修繕積立金の支出など多岐にわたっている。

大規模修繕工事では全体の工事費に占める仮設工事費の割合が新築工事と比較して格段に大きく、前述のとおり超高層マンションの大規模修繕工事で使用される仮設の資機材は一般の中低層マンション大規模修繕工事ではほとんど使用されることのない移動昇降式足場やゴンドラ足場が選択されるケースが目立つ。これらの機械設備は従来一般的に使用されている鋼製足場と単価構成が大きく異なり、資機材の損料で比較すると鋼製枠組足場を100とした場合、機械足場は110～130％となっている。施工数量も多く、必然的に工期も長くなる超高層マンションでは足場の設置期間に比例して損料も増大し、その結果大規模修繕工事の工事費全体に大きく影響することとなる。

昨今、各案件の仮設計画は施工者提案を求められることも増えてきており、仮設の計画や施工方法の改善が施工者選別の大きな要素となる。

また、前章で述べたような新築時の計画についてもエンドユーザーである居住者の視点から開発に携わる不動産、建設会社等に提言してゆくのが改修工事に携わる者としての使命と考える。

給水設備改修工事

（一社）マンションリフォーム推進協議会／一級管工事施工管理技士　河野　智哉

はじめに

　マンションにおける給水設備については年代、用途により様々な給水方式・配管材料によって建てられてきています。まずは建物の現状がどの様になっているかを確認し、お住まいのマンションに合った修繕計画を作成し維持管理を行い100年間お住まいになれるマンションをめざし、計画を行って頂ければと思います。

1．給水設備の概要と劣化について

1.1　給水設備機器の概要と劣化

①受水槽

　水道本管より供給された水を貯める水槽です。主に地上及び地下に設置されています。

　材質はFRP製もしくはSUS製になり築50年を超えるマンションではコンクリート（RC）製の受水槽も使用されていました。

　劣化の状況としては主にFRP水槽については紫外線による劣化もしくはパネルにより組立を行っている繋ぎめ部分に使用されている止水テープ（パッキン）からの漏水等が懸念されます。水槽の交換時期については25年〜30年程度を目安に行っています。（写真1）

②高架水槽

　屋上に水を貯める為の水槽です。各住戸への供給は高低差（重力）を利用して供給する給水方式です。高架水槽までの供給は揚水ポンプまたは増圧給水ポンプにより1階より水を持ち上げます。

　材質はFRP製もしくはSUS製が使用されています。受水槽同様劣化の状況としては主にFRP水槽については紫外線による劣化もしくはパネルにより組立を行っている繋ぎめ部分に使用されている止水テープ（パッキン）からの漏水が懸念されま

す。水槽の交換時期については受水槽と同様で25年〜30年程度を目安に行っています（写真2）。

写真1　FRP製受水槽

写真2　FRP製高架水槽

③揚水ポンプ

　受水槽から高架水槽へ給水を行う為に使用するポンプです。渦巻きポンプを使用する事が多く、築30年を超えるマンションでは赤水の発生が懸念されるポンプを使用していましたが、近年では水と接触する部分がナイロンコーティング製またはステンレス製の赤水対策品と言われるポンプが主流となっています。ポンプの中では非常に耐久性に優れている為、一般的には15年〜20年で更新を行っています。（写真3）

④加圧給水ポンプユニット

　受水槽に溜めた水に圧力を加え各住戸へ水を供給するシステムです。給水圧力が減少するとポンプが動く仕組みになっています。

　小中規模のマンションについてはユニット（一体）型の加圧給水ポンプが使用されています。

　ポンプ交換時期については10年〜15年程度を目安に更新を行っています。（写真4）

写真3　揚水ポンプ

写真4　加圧給水ポンプ

⑤増圧給水ポンプ

　水道本管からの水を水槽に貯めることなく各住戸へ水を供給する為に使用するポンプです。20年程前より採用されているポンプで、発売当初より小型化されています。

　ポンプ交換時期については10年〜15年程度を目安に更新を行っています。（写真5）

写真5　増圧給水ポンプ

1.2　給水管材の概要と劣化

　ここにマンションで良く使用されている給水管について紹介します。

①配管用炭素鋼鋼管（SGP）

　1975年頃まで給水管として使用されていた配管です。管内面は鉄管となっている為、塩素と反応し錆の発生をおこします。（写真6）

②硬質塩化ビニルライニング鋼管（SGP-VB・VD）

　配管用炭素鋼鋼管の内面に塩化ビニル管を挿入した配管です。腐食性に優れています。（写真7）

③被覆銅管（Cu）

　主に給湯配管に使用されることが多い配管ですが、給水管にも使用する事があります。銅管で出来ている為、腐食には強いが電食による腐食で漏水を起こす可能性があります。（写真8）

④水道用硬質塩化ビニル管（VP）

　主に専有部分の給水管で使用されています。ビニル管の為、耐久性・耐食性に優れており、現在でも使用されています。尚、紫外線に弱く露出部分での配管は勧められません。（写真9）

⑤耐衝撃性塩化ビニル管（HIVP）

　硬質塩化ビニル管より衝撃に強い材料です。塩化ビニル管同様耐久性・耐食性に優れています。（写真10）

⑥一般配管用ステンレス鋼管（SUS）

　ステンレスで出来た配管です。基本的にはメカニカル継手により接合を行います。耐久性・耐食性に優れ、近年の改修工事では一般的に使用される配管です。（写真11）

⑦ダクタイル鋳鉄管（CIP）

　水道本管及び埋設配管に良く使われている配管で、鋳物で出来ている為、耐久性に優れています。接続方法については様々な方法があり、近年は耐震性に優れた接続方法となっています。

⑧水道用高性能ポリエチレン管（PE）

　電気融着により接続を行う給水管です。全て樹脂で配管出来る為、耐久性・耐食性に非常に優れています。樹脂管の為、耐震性にも優れており埋設管に多く利用されています。近年では建物内の給水管にも採用される事が多くなりました。（写真12）

⑨架橋ポリエチレン管（PE）

　専有部給水管・給湯管で使用される配管です。全て樹脂出来ている為、耐震性・耐食性に優れています。改修工事ではメカニカル継手を使用する事が多く、可とう性に優れている為、耐震性にも優れています。（写真13）

写真6
配管用炭素鋼鋼管

写真7
塩化ビニルライニング鋼管

写真8
被覆銅管

写真9
硬質塩化ビニル管

写真10
耐衝撃性塩化ビニル管

写真11
一般配管用ステンレス鋼管

写真12
高性能ポリエチレン管

写真13
架橋ポリエチレン管

表1　主な配管材料の変遷

製品	1956	61	66	71	76	81	86	91	96	2001	6	11	16	配管の改修時期 上段:老朽度調査 下段:大規模改修
配管用炭素鋼鋼管 (SGP)														20～25年 / 15～20年
硬質塩化ビニルライニング鋼管 (SGP-VA・VP・VD)														25～30年 / 20～25年
ポリエチレン粉体ライニング鋼管 (SGP-PA・PB・PD)														25～30年 / 20～25年
水道用被覆銅管 (CU)														－ / －
硬質塩化ビニル管 (VP)														30年以上 / －

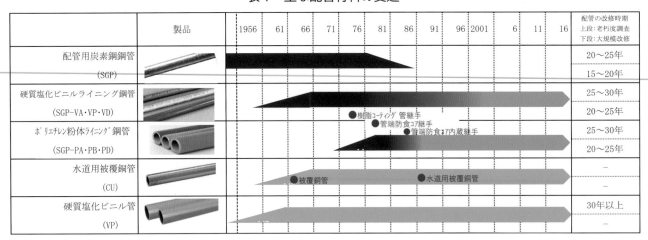

（表中注記）●樹脂コーティング 管継手　●管端防食コア継手　●管端防食コア内蔵継手　●被覆銅管　●水道用被覆銅管

1.3　給水管材の劣化状況

①配管内部の腐食

　管内面の鋼管部分と水に含まれる塩素が反応し錆が発生します。特に金属の違う部分を接続する箇所には電位差で錆が発生し腐食します。この異種金属腐食は給水管の腐食の主な原因となっています。

　異種金属部分は主に配管とバルブ、配管と蛇口を接続している部分です。

②外部環境による腐食

　腐食については管外面の鋼管部分の腐食となり主に埋設部及び屋外に設置されている配管で多く見受けられます。主たる原因については配管自体に外面腐食対策が行われていない事、環境としては多湿箇所及び塩害等で腐食が進行する事がほとんどです。（写真14）

写真14　配管外部の腐食

2. 給水設備改修工事の概要

2.1　事前調査から改修工事までの流れ

　工事を計画する上で事前調査から工事実施までの過程は非常に重要です。特に、現状の建物を把握しどの時期にどの様な工事を実施すればよいか詳細に修繕計画を立てる必要があります。また、修繕計画を基に改修工事実施まで専門家との相談を行いながら進めて行く必要があると考えます。ここでの専門家とはマンション改修専門設計事務所、マンション管理士、施工業者となります。また、専門家任せの実施計画を行うとそれぞれのマンションの特性に合った改修工事を実施出来ない場合があり、実際には生活している管理組合様の意見を基に計画を行う必要があると考えます。

2.2　事前調査（劣化調査）について

①1次調査（目視確認・データの収集）

　建物管理者・居住者からの聞き取りを行い、現状の確認を行います。また、目視により設備の異常の有無を点検判定します。同時に、配管経路・使用材料の確認を行い配管設備状況の目視確認を行います。

　データの収集としては過去の改修履歴及び故障経歴等の確認、現状の図面の確認を行います。

　既存図面との使用管材・配管ルート等現地と相違が無いかの詳細確認を行います。

②2次調査（内視鏡調査・X線調査）

　管内面の劣化状況を把握する為に、非破壊検査機器による劣化診断を行います。

主な調査方法として、内視鏡及びCCDカメラで蛇口を外し管内の撮影を行います。容易に管内面の錆の付着状況が確認できます。

管内の蛇口との接続部、継手部分を中心に調査を行い状況の確認を行います。主に管内の錆による閉塞率の観察を行います。（**写真15、16**）

 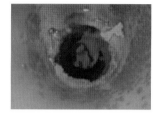

写真15　給水管カメラ　　写真16　給水管内部状況

③3次調査（管抜取調査・サンプリング調査）

給水管を実際に切断し抜取調査を行います。管内面の錆の状況及び酸洗いを行い、錆を除去する事により、ねじ部の欠損状況等、具体的な劣化の状況を把握する事が出来ます。切断箇所については量水器部分の専有部配管、共用部分の大口径の配管の調査を行います。（**写真17、18**）

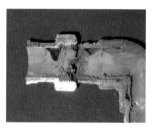 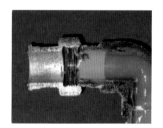

写真17　給水管サンプル　　写真18　さび落とし後

現状の給水設備全体がどの様になっているか、劣化の状況がどの場所で発生しているかの確認を行い、今後、改修工事を行う上での基礎資料となりますので非常に大切な事です。

2．3　給水方式の種類とそれぞれの特徴
①高架水槽方式

地上の受水槽に水を貯め、揚水ポンプにより高架水槽へ給水し、その後、重力により給水を行う方法です。各住戸で出る給水圧力は安定します。但し高層のマンションであれば減圧弁の設置を行い圧力の調整を行う必要があります。

マンション建設当初から多く採用されている給水方式です。

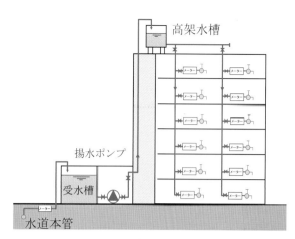

図1　高架水槽方式

②加圧給水方式

受水槽に水を溜め、加圧給水ポンプの圧送により各戸へ給水を行う方法です。使用水量によりポンプを制御し供給を行います。ポンプの制御方法については様々な方法があり、過去には圧力タンクを使用し制御を行う方法がありましたが、現在ではインバーター制御による水量調整が一般的です。

大型のマンション及び団地に多く採用されている給水方式です。

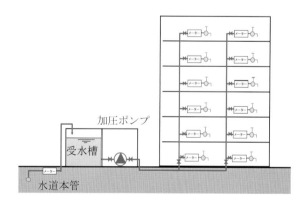

図2　加圧給水方式

③直結増圧給水方式

受水槽・高架水槽を使用せず、水道本管の給水圧力と増圧給水ポンプによる加圧（増圧）により、各住戸に水を供給する方法です。各水道自治体により規制があり採用には検討が必要となります。

現在ではこの直結増圧給水方式で工事を行う事が非常に多くなっています。

表2　給水方式のメリット・デメリット

給水方式	メリット	デメリット
①高架水槽方式	・停電時や水道本管断水時でも、高架水槽分の水は各戸で利用可能。 ・重力による給水のため給水圧力は一定。	・高架水槽、受水槽の定期の定期検査や清掃が必要なため、管理コストがかかる。 ・水槽やポンプ設置用のスペースが必要。
②加圧給水方式	・緊急停電時でも受水槽の水は利用可能。 ・大容量のポンプもある為、給水量が必要な大型。マンションや団地に向いている。	・受水槽の定期清掃やポンプのメンテナンスが必要。 ・受水槽設置用のスペースが必要。 ・停電時は各戸への給水ができない。
③直結増圧給水方式	・給水圧力はほぼ一定。 ・水質汚染の可能性が低い。 ・停電時、水道本管の圧力範囲まで各戸へ給水可能。	・敷地内に非常用水として使用できる水槽がない。 ・水道本管断水時と同時に断水してします。
④直結直圧給水方式	・水質汚染の可能性が低い。 ・水槽のスペースや機器のメンテナンス費が不要。	・水道本管の給水圧力に影響を受ける。 ・基本的には3階建てまでの建物に採用。

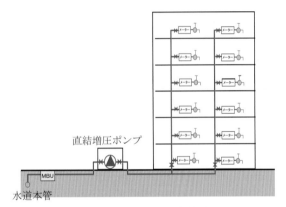

図3　直結増圧給水方式

④直結直圧給水方式

水道本管の給水圧力で、水道本管から各蛇口まで直接給水を行う方式です。戸建て住宅と同様の給水設備となります。3階建てまでの小規模のマンションで採用されている方法です。

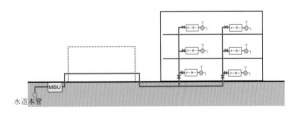

図4　直結給水方式

3．給水管改修工事について

マンションの現状を踏まえ、お住まいのマンションにとって最適な方法は何か検討を行い、良い工事につなげていく為にどの様にすればよいか、工事のポイントについてまとめてみました。

3.1　給水方式選定について

給水方式についてはそれぞれメリット・デメリットがあります。お住まいのマンションの規模、生活状況によっても最適な方法が異なります。表2にメリット・デメリットをまとめました。マンションの立地・特性により給水方式の選定を行う事が必要です。

3.2　給水管更新工事について

①配管口径について

給水方式の変更に伴い給水配管口径の再検討を行う事をお勧めします。集合住宅の設計において過去の給水配管の設計方法と現在の設計方法には違いがあり、再度設計を行う事により配管口径を小さくする事ができます。

それにより、工事費の低減や各床スラブを貫通する配管の斫り工事の削減箇所が生じ、音低減につながります。このようなメリットが多く生じます。

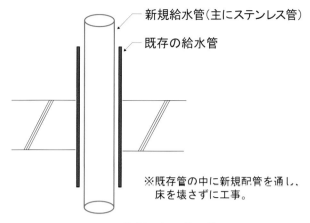

新規給水管（主にステンレス管）
既存の給水管

※既存管の中に新規配管を通し、床を壊さずに工事。

図5　配管貫通部の施工状況

②共用部給水管更新ルートについて

　給水管の更新ルートについては出来る限り壁、床に穴あけを行わない事、外観を考慮すると出来る限り既存の給水管と同じルートで更新する事をお勧めします。また、一部のマンションにおいては共用の給水管が専有部分内に設置されている事があります。共用部分に新しい配管ルートを新設する事をお勧めします。

③専有部給水管更新工事について

　現在では専有部部分の給水管についてはポリエチレン管を使用する事が多くあります。更新を行う為の内装工事を最小限とする工事計画をお勧めいたします。

3.3　埋設部給水管について

　大型の団地等では非常にコストのかかる工事です。近年では耐震型の埋設給水管が多く使用されています。また、増圧給水方式への変更工事と同時に配管交換工事を行う事も多く、工事を行う時期を検討する事が必要です。

3.4　工事範囲について

　マンションの給水管は主に共用部・専有部に区分されています。工事を行う上で、部分的な改修を繰り返してしまうと、最終的にはコスト高となり、重複して工事を行なう部位が発生する場合があります。工事の範囲については共用部または専有部程度の区分けとし、経年劣化の差が生じる箇所がある場合でも同時に工事計画を行うことをお勧めします。

4．給水設備改修におけるトラブル事例

　給水設備改修では現在使用されている機器仕様や条件と違いが出ることによりトラブルとなっているケースが多くあります。代表的な事例を下記に記載しましたので参考にして頂ければと思います。

4.1　増圧給水ポンプの設置位置について

　増圧給水ポンプにおいては非常にコンパクトであり外観も非常にシンプルになっている為、敷地内の何処にでも設置できてしまいます。それゆえにポンプの設置位置を安易に決めてしまうと音の問題、振動の問題などにより設置してからトラブルとなる事が多くあります。例としては専有部住戸と隣接する付近に設置する事により夜間にポンプの音が気になる等のトラブルとなります。また、ポンプ直近の給水管については、わずかに振動する為、配管が震え振動によるトラブルが発生する事があります。増圧給水ポンプの設置位置につては十分に検討を行う必要があります。

4.2　給水圧力の変化について

　現在、給水管の改修工事を行うと同時に給水システムの変更工事を同時に行う場合が多くあります。現在の改修工事における推奨圧力は 0.2Mpa ～ 0.25MPa が一般的となりますが、現在の使用圧力と大きく違う場合においてはトラブルとなる場合があります。事前に状況把握を行い居住者への周知が必要です。

4.3　専有部給水管の更新について

　現在、専有部給水管更新工事において小さな開口で更新工事が行えるポリエチレン管が多く使用されています。経年劣化した給水管については塩ビライニング鋼管が多く使用されています。ポリエチレン管については一般的には塩ビライニング鋼管より細い配管となる事となります。更新する事により設計水量は問題ありませんが、現状の水量より少ない水量となり使用状況が変化してしまう為、トラブルとなる場合があります。給水圧力の変動と同様に居住者への周知が必要となります。

5．給水管工事改修事例

5．1　増圧給水方式に変更したマンション
（受水槽跡地の有効活用を行った事例）

　給水方式を加圧給水方式から増圧給水方式へ変更したマンションの事例です。受水槽を撤去し空いたスペースを駐車場及び非常用倉庫など、有効活用する事ができます。（写真19、20）

写真19　受水槽撤去前　　　写真20　受水槽撤去後

5．2　共用給水管を更新する手順

　共用の給水管を設置する箇所は基本的には既存の給水管と同位置に設置する事が望まれます。その為には現状使用している給水管を長期間使用する事が出来ない為、仮設給水管の設置が必要となります。下記に一般的な給水管の更新手順の説明をいたします。

給水管更新工事手順
①工事準備
　新規配管ルートの確認、作業手順の確認等を行い作業の着手を行う。
②仮設給水管設置
　現在使用している給水管を撤去し工事期間中、仮に給水を行う為に塩化ビニル管により給水管を設置する。
　仮設給水管を設置後、既存の給水管より仮設の給水管への切替作業が発生します。この時、断水が発生します。
③既設配管撤去作業
　現在、使用している給水管の撤去作業を行います。給水管の撤去に伴い音が発生します。
④配管貫通部穴あけ作業
　既存の給水管を撤去した後、各階スラブを貫通している配管の撤去を行う為、床のコンクリート解体作業を行います。この際、大きな音が発生します。
　新規配管完了後、仮設給水管から新規配管へ切替

作業が発生します。この時、再度断水が発生します。
⑥保温その他作業
　新規配管を行った箇所の断熱（保温）作業を行い作業を完了とします。
⑦仮設給水管撤去作業
　使用を終了した仮設給水配管の撤去を行います。
⑧工事完成
　管内清掃等を行い作業完了となります。

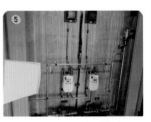

写真21　配管更新前　　　写真22　配管更新後

作業フロー

```
┌─────────────┐
│  工 事 準 備  │
└─────────────┘
       ↓
┌─────────────┐
│ 断水（9時～17時）│
└─────────────┘
       ↓
┌─────────────┐
│  配管撤去工事  │
└─────────────┘
       ↓
┌─────────────┐
│  配管更新工事  │
└─────────────┘
       ↓
┌─────────────┐
│ 断水（9時～17時）│
└─────────────┘
       ↓
┌─────────────┐
│ 保温その他雑作業 │
└─────────────┘
       ↓
┌─────────────┐
│  工 事 完 成  │
└─────────────┘
```

排水設備改修工事

（一社）マンションリフォーム推進協議会／一級管工事施工管理技士　　河野　智哉

はじめに

マンションにおける排水設備については年代、用途により様々な排水方式・配管材料によって建てられてきています。まずは建物の現状がどの様になっているかを確認し、お住まいのマンションに合った修繕計画を作成、維持管理を行い100年間お住まいになれるマンションをめざし、計画を行って頂ければと思います。

1. 排水設備の概要と劣化について

1.1 排水設備の概要と劣化
①浄化槽
築30年を超えるマンションでは公共の下水道の整備が進んでいなかった地域に浄化槽を設置してあるマンションが存在します。近年では、下水道の整備も進み、浄化槽を使用せず、直接下水道へ流すケースが増えてきています。

また、ディスポーザーを使用しているマンションにおいては浄化槽の設置義務があります。

②汚水槽・雑排水槽
建物の形状により、下水本管より低い箇所に排水設備が必要な場合に用いられます。地下階で使用した排水を一旦水槽に貯め、ポンプにより排出します。水槽はコンクリート製の水槽が多く使用されています。

1.2 排水管材の概要と劣化
ここにマンションで良く使用されている排水管について紹介いたします。
①配管用炭素鋼鋼管（SGP）
内外面にメッキ処理を施した排水管。管内面は鉄管となっている為、錆の発生が起こりやすい材料です。特に、台所配管については劣化が著しく改修を行なっている事例が多く存在します。（写真1）

②排水用鋳鉄管（CIP）
汚水管に良く使用されている配管、鋳物で出来ている為、耐久性に優れている配管ではありますが、ある一定の条件下においては腐食が発生します。特に、横引き配管に腐食が見られる事が多くあります。（写真2）

③排水用塩化ビニルライニング鋼管（DVLP）
鋼管の内面に塩化ビニル管を挿入した配管、配管の厚みが薄いためネジ式の接手が使用出来ずメカニカル継手（MD接手）により接合を行います。耐食性に優れている配管です。

④排水用タールエポキシ塗装鋼管（SGP-TA）
鋼管の内面にタールエポキシの塗装を施した配管。配管の厚みがある為、ネジ式の継手も使用することができます。耐食性に優れている配管です。

⑤塩化ビニル管（VP・VU）
埋設部及び専有部分で多く使用されています。耐食性に優れている事から現在でも使用されています。また、紫外線に弱いため露出部分での配管は勧められません。

⑥耐火二層管
塩化ビニル管の外面にモルタルにより被覆を行った配管。1987年以前に製造された耐火二層管にはアスベストが含有されている配管があるので注意が必要です。（写真3）

⑦排水用塩ビコーティング鋼管（アルファ鋼管）
鋼管の内面に塩ビコーティングを行った配管。現地で加工ではなく工場で制作した物を組み立てます。

⑧耐火塩化ビニル管
三層構造の塩化ビニル管が高温になると膨張し床・壁の穴を塞ぎ耐火性能を有する材料です。近年、施工性の良さから改修工事に使用される事が多い材料です。耐久性については塩化ビニル管と同等と考えられます。（写真4）

写真1　配管用炭素鋼鋼管

写真2　排水用鋳鉄管

写真3　耐火二層管

写真4　耐火塩ビ管

1.3　排水管材の劣化状況

①排水管内部の腐食

配管内部については、主に配管用炭素鋼鋼管の劣化が早く、改修工事を行っている事例が多く見受けられます。使用頻度・使用方法により劣化の状況が著しく違いますが、一般的には20年～30年程度で改修が必要となります。また、近年排水用鋳鉄管についても腐食が発生している事例が多く見受けられます。特に、排水横主管上部の劣化が進んでいます。

②通気管の腐食

排水通気管については排水が流れない事から劣化速度が遅いと考えられていました。近年では排水通気管が結露・発生ガス等により腐食が発生し、破損に至るケースが多くあります。隠蔽されたパイプスペース内で配管が破断している事があり、気付かずに長年放置されている事がありますので注意が必要です。（写真5）

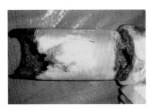

写真5　通気管腐食状況

③外部環境による腐食

腐食については管外面の鋼管部分の腐食となり 主に埋設部及び屋外に設置されている配管で多く見受けられます。主たる原因については配管自体に外面腐食対策が行われていない事、環境としては多湿箇所及び塩害等で腐食が進行する事がほとんどです。

④維持管理による不具合

排水管は定期的に清掃を行う必要があります。その際に使用されているステンレス製の排水用洗浄ホースにより傷が発生し、洗浄ホースが清掃の度に配管を削り、やがて穴をあけてしまいます。現在は洗浄ホースの外側に樹脂の被覆を施した洗浄ホースが使用されています。

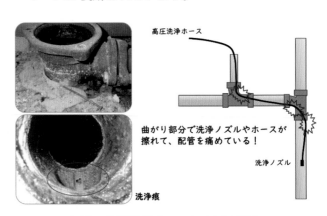

図1　配管洗浄ホースによる不具合

2. 排水設備改修工事の概要

2.1　事前調査から改修工事までの流れ

工事を計画する上で、事前調査から工事実施までの過程は非常に重要となります。特に、現状の建物を把握し、どの時期にどの様な工事を実施すればよいか詳細に修繕計画を立てる必要があります。また、修繕計画を基に、改修工事実施まで専門家との相談

表1　主な配管材料の変遷

製品		1956	61	66	71	76	81	86	91	96	2001	6	11	16	配管の改修時期 上段:老朽度調査 下段:大規模改修
配管用炭素鋼鋼管 (SGP)		●ドレネジ													20年前後 25年前後
硬質塩化ビニルライニング鋼管 (D-VA)						MD継手●									30年前後 調査後検討
タールエポキシ塗装鋼管 (SGP-TA)						MD継手●									30年前後 調査後検討
鋳鉄管 (CIP)		●鉛コーキング 接合			●ゴムリング 接合		●MD継●	●ワンタッチ継手							30年前後 調査後検討
硬質塩化ビニル管 (VP)															30年前後 調査後検討

を行いながら進めて行く必要があると考えます。ここでの専門家とはマンション改修専門設計事務所、マンション管理士、施工業者となります。また、専門家任せの実施計画を行うとそれぞれのマンションの特性に合った改修工事を実施出来ない場合もあり、実際には生活している管理組合様の意見を基に計画を行う必要があると考えます。

2.2 事前調査（劣化調査）について

①1次調査（目視確認・データの収集）

建物管理者・居住者からの聞き取りを行い、現状の確認を行います。また、目視により設備の異常の有無を点検判定します。同時に、配管経路・使用材料の確認を行い、配管設備状況の目視確認を行います。

データの収集としては過去の改修履歴及び故障経歴等の確認、現状の図面の確認を行います。

既存図面との使用管材・配管ルート等現地と相違が無いかの詳細確認を行います。

②2次調査（内視鏡調査・X線調査）

管内面の劣化状況を把握する為に、非破壊検査機器による劣化診断を行います。

主な調査方法として、内視鏡及びCCDカメラで蛇口を外し、管内の撮影を行います。容易に管内面の錆の付着状況が確認できます。

管内の蛇口との接続部、継手部分を中心に調査を行い、状況の確認を行います。主に管内の錆による閉塞率の観察を行います。

写真6 排水管カメラ　　写真7 排水管内部状況

③3次調査（管抜取調査・サンプリング調査）

排水管を実際に切断し、抜取調査を行います。管内面の錆の状況及び酸洗いを行い、錆を除去する事により、ねじ部の欠損状況等、具体的な劣化の状況を把握する事が出来ます。

写真8 排水管サンプル　　写真9 錆び落とし後

2.3 排水方式の種類

排水立管の設置位置については勾配をとり流す必要がある為、水廻りから近い場所に計画されている事が多くあります。その為、給水管と違い、室内にあるパイプスペース内に共用の排水立管が設置されています。また、排水方式については大きく2種類の方法があります。

①汚雑合流方式

汚水管（トイレ排水）と雑排水管（トイレ以外の排水）全てを同一の排水立管にて排水を行う方式です。

②汚雑分流方式

汚水管（トイレ配管）と雑排水管（トイレ以外）の排水管を別々の立管にて排水を行う方式です。

2.4 排水通気設備の特徴

排水管の性能を保つ為には排水が流れる事により排水管内にある空気を何処に逃がしていくかがポイントとなります。空気を逃がすために様々な方法の排水方式があり、ここに集合住宅における代表的な通気方式について説明します。

①通気立管方式

排水管と通気管を別々の配管で設置し、排水が流れる事による空気の行き先を通気管に流す方法。この方法は中層階のマンションに用いられる事が多くあります。

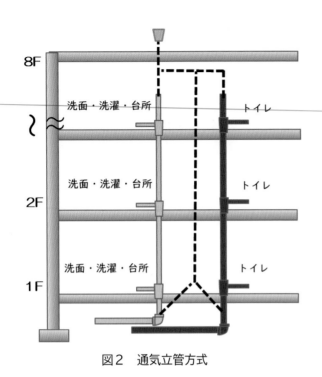

図2　通気立管方式

②伸長通気方式

通気立管を使用せずに排水を行う方法。通気立管方式より排水管のサイズが大きくなります。主に団地タイプの集合住宅に良く用いられる方式です。

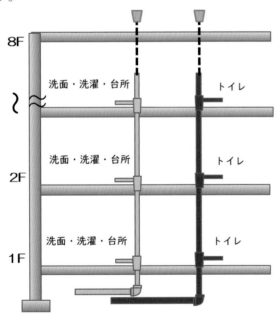

図3　伸長通気方式

③特殊排水継手方式

排水管と排水通気管を同一配管とする方法。特殊排水継手は排水が流れる際、管壁面に排水を流す為に整流板がついています。その事により管中央に空気を流す事ができ、排水性能を満たす事が出来る方式です。排水管と通気管2本を特殊排水継手を使用する事により1本で配管出来ることから、集合継手または集合管と呼ばれています。

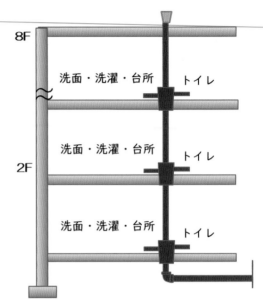

図4　特殊排水接手方式

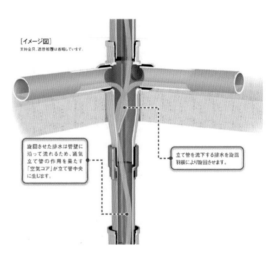

図5　特殊排水接手システム

2.5　集合住宅特有の排水管設置

集合住宅において専有部排水管の設置位置は工事計画を行う上で重要なポイントです。

図6、7の様に専有部の排水管がスラブの上に設置されているか、スラブ下の下階の天井内に設置されているかで大きく計画が異なります。スラブ下配管の場合は専有部の配管が下階の住戸の天井内に設置されている事となり共用部、専有部の区分けが非常に難しい問題となります。また、専有部の配管であっても排水管のリニューアルを行う事は非常に難しい問題となります。

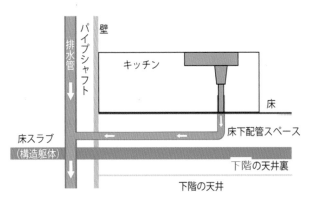

図6 床スラブ上配管

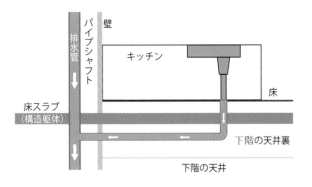

図7 床スラブ下配管

3. 排水管改修工事について

3.1 改修工事における計画のポイント

工事を行う上で、排水管が何処に設置されているかを把握することが非常に大切です。

また、どの様な配管を使用しているかも改修計画を行う上で重要です。

①排水管改修ルートについて

排水管更新は必ず勾配が必要となるため、既存と違うルートでの配管がとても困難となります。基本的には既存の給水管と同じルートで更新する事をお勧めします。

②排水音の問題

排水管は住戸内のパイプスペースに共用立管が設置されている事がほとんどであることから、上階から流れる排水音については十分な検討を行う事が必要です。更新を行う配管についてはビニル系配管の管材を選定することが多く、配管自体に遮音性能を有する事ができません。必ず遮音シート等の遮音性能を有する処置と行い、現在使用している配管より良い遮音性能の配管で更新を行う事がポイントです。

③排水管材の問題

施工性の良い材料を使用する事は工事計画を行う上で非常に優位になります。現在では、更新配管はビニル系配管の材料を使用する事がほとんどです。ビニル系配管は遮音性能を有しておりません。遮音性能を向上させる為に遮音シートを使用し工事を行うことをお勧めします。

④配管口径の問題

排水管の口径について新築時の計画において現設計に当てはまると、配管口径が小さいマンションが存在します。排水不良の原因となる為、再度計画を行う事をお勧めします。近年、特殊排水継手による方法に計画変更を行うマンションが増えて来ています。

3.2 改修工事における工事方法のポイント

①排水制限の回数

改修工事を行う上で給水管と異なり、仮設設備を設け更新を行う事が難しい排水管については綿密に工事計画を行う必要があります。更新を行う方法としては作業日毎に既存配管と新規配管を仮り接続しながら更新を行い、最終的に全ての配管を更新する事で工事完成となります。1日に施工できる範囲が決まる事で、各部屋毎の排水制限の回数が決まってきます。計画を行う際は排水制限回数も検討の上、工事方法の決定を行う必要があります。1日の作業時間については室内入室作業となる為、午前9時より午後5時までで作業を行う場合が一般的です。

②入室日数の問題

排水管工事を行う際、ほとんどの場合、入室作業が発生します。排水制限の回数同様、工事計画の方法によって入室日数が異なりますので検討を行う必要があります。

③工事金額の件

排水管更新工事においては本来の配管を取り替える工事費と同等もしくはそれ以上の費用が内装費用として発生します。工事を行う際は内装工事範囲により工事金額が大きく変動します。内装工事範囲についてはあくまで設備の配管工事の付帯である事から、最低限の範囲で計画を行う事をお勧めします。

また、住戸の設備配管についても更新を行う際、排水管だけではなく給水給湯管等の設備配管も同時に工事を行う事をお勧めします。古い配管を残してしまうと将来工事を行った場所と同様の内装工事が発生してしまう事があります。

※上記①②③の3つのポイントのバランスで工事方法、工事金額が決まってきます。

4. 排水設備改修工事事例

室内に設置されている排水管を取替える際、工程及び作業イメージ写真になります。作業工程については一般的には下階から順次排水管を取替える事となります。【系統別共用排水管更新工事の流れ】については色が付いている部分に入室作業が発生します。

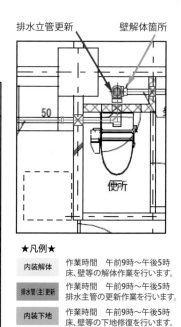

排水立管更新　壁解体箇所

便所

★凡例★

内装解体	作業時間　午前9時〜午後5時 床、壁等の解体作業を行います。
排水管(主)更新	作業時間　午前9時〜午後5時 排水主管の更新作業を行います。
内装下地	作業時間　午前9時〜午後5時 床、壁等の下地修復を行います。
内装仕上げ	作業時間　午前9時〜午後5時 床、壁等の内装仕上を行います。
予備日	仕上げ作業の予備日
排	排水制限です。

系統別　共用排水管更新工事の流れ

	1日目	2日目	3日目	4日目	5日目	6日目	7日目
8階 住戸		内装解体 排	排水管(主)更新 排	内装下地	内装仕上げ	内装仕上げ	予備日
7階 住戸		内装解体 排	排水管(主)更新 排	内装下地	内装仕上げ	内装仕上げ	予備日
6階 住戸		内装解体 排	排水管(主)更新 排	内装下地	内装仕上げ	内装仕上げ	予備日
5階 住戸		内装解体 排	排水管(主)更新 排	内装下地	内装仕上げ	内装仕上げ	予備日
4階 住戸	内装解体	排水管(主)更新 排	内装下地	内装仕上げ	内装仕上げ	予備日	
3階 住戸	内装解体	排水管(主)更新 排	内装下地	内装仕上げ	内装仕上げ	予備日	
2階 住戸	内装解体	排水管(主)更新 排	内装下地	内装仕上げ	内装仕上げ	予備日	
1階 住戸	内装解体	排水管(主)更新 排	内装下地	内装仕上げ	内装仕上げ	予備日	

パイプシャフト解体

洗面所にある壁・床を解体し、配管を露わにします。

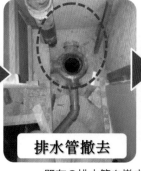

排水管撤去

砕り、既存集合管撤去

既存の排水管を撤去します。その際に砕り作業（コンクリートを壊す作業）が発生する場合が多いです。

新規集合管設置

新規配管を敷設します。排水勾配や配管固定等に留意して作業を行います。

排水管立管敷設

穴埋め、遮音材取付

砕り作業をした場所の穴埋め等行います。

アルミサッシの改修効果について

（一社）マンションリフォーム推進協議会　技術委員　増田　弘

『あなたのマンションを100年先へ』

これは私共、マンションリフォーム推進協議会が掲げるキャッチフレーズです。

このキャッチフレーズの背景には、マンション住民における永住意識の高まりがあります。国土交通省がマンション居住者に対して行った調査では62.8％の住民が「永住するつもり」と回答しており「いずれは住み替えるつもり」という意見を大きく上回っております。（グラフ1）

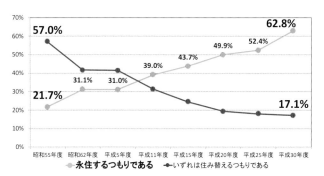

グラフ1　マンション総合調査
～永住意識調査（平成30年度）

鉄筋コンクリート造の建物は適正なメンテナンスを行い躯体の中性化を抑制することで、100年以上の躯体寿命を保つことが可能となります。ただ、今お住まいのマンションに今後も永く住み続けるためには、躯体の改善だけでなく住環境の改善も不可欠となります。

本稿では住環境の改善に「アルミサッシ改修」がどういう役割を果たしているのかについて説明させて頂きます。

1．アルミサッシ改修の必要性

1.1 経年劣化によるアルミサッシの性能改善の必要性

国土交通省が作成した長期修繕計画作成ガイドラインによるとアルミサッシ（建具）は、築36年目が改修目安となっており、実際にこれまでアルミサッシ改修を実施したマンションは築30年～45年程度の建物が多いのが実態です。アルミサッシはそれまでの木製建具やスチール製建具に比べてはるかに高性能・高耐久ですが、竣工当時のアルミサッシに求められていた機能は、雨風を防ぎ、採光を確保し、ベランダ等の出入り口などのハード面がメインであったため現在のアルミサッシの規格に比べると性能値は低いものでした。

表1は、30年前のサッシ性能と現在のサッシ性能を比較したものです。30年前のサッシの気密性能は、1時間・1㎡あたり15㎥の隙間風流入まで許される規格で現在サッシの気密性能に比べて緩い規格でした。その竣工当時の気密性能も経年により気密ゴムなどの劣化が進んでいることから、現在の気密性能はほとんど期待できないと思われます。

表1　30年前と現在のサッシ性能比較

性能区分	30年前の 竣工当時の性能値	現在の性能値
耐風圧性	2,000Pa	2,400Pa
気密性能	15m³/h·m²	2m³/h·m²
水密性能	250Pa	350Pa
断熱性能	規定ナシ	H2等級 (4.07W/m²·K)
遮音性能	規定ナシ	T2等級 (30dB低減)

1.2 環境変化に対応したアルミサッシの性能改善の必要性

経年は単に性能劣化だけの話ではなく、周りの環境変化にも言えることです。

近年の自然環境の変化は、熱中症やヒートショックなどが身近なリスクとなっているとおり大きな問題となっています。また交通量の増加や周辺施設など環境変化に伴う騒音が発生する例もあります。これらの環境変化に対応するためにも、アルミサッシには高い性能が求められるようになっています。

この為、30年前のアルミサッシの要求性能には断

熱性能や遮音性能がありませんでしたが、現在においては非常に重要な要求性能となっています。

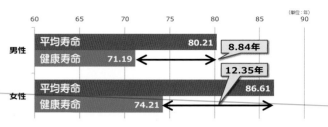

図1　環境変化に伴うアルミサッシ改修ニーズ

グラフ2　平均寿命と健康寿命の差
（平成28年　国土交通省）

2. アルミサッシ改修効果〜3つの視点

アルミサッシ改修の必要性を経年劣化対策や環境対応として説明してまいりましたが、アルミサッシ改修には単なる機能改善という効果だけではなく、今お住まいのマンションに今後も永く住み続けるために重要な意味をもつ効果があります。その効果について次の3つの視点からご紹介いたします。

● 『健康維持』の視点
● 『安全・安心』の視点
● 『快適な住まい』の視点

2.1　アルミサッシ改修効果（その1）
『健康維持』の視点〜断熱改修がもたらす効果

グラフ2は男女別の平均寿命と健康寿命のグラフですが、この差が示すものは健康でない期間が男性で約9年間、女性では約12年間もあるという驚きの報告です。

『あなたのマンションを100年先へ』というキャッチフレーズが表すものは単に永く住み続けるという話ではなく、『人生100年時代を快適に暮らす』という意味であり、永く健康であり続ける（つまり健康寿命が延びる）ことが重要となります。健康であり続けるためには少しでも健康を阻害する要因を減らす必要がありますが、そのヒントが断熱リフォームにあるという調査報告が国土交通省より発表されておりますのでご紹介致します。

■国土交通省：『断熱改修等による居住者の健康への影響調査』（※出典：㈳日本サステナブル建築協会）

この調査は1〜2年以内に改修予定の約1,800軒・3,600人を対象に、改修前後における居住者の血圧や活動量等健康への影響を検証したもので、調査は平成26年に開始され、これまでに多くの研究成果が発表されております。今後も更に10年以上にわたって改修後の追跡調査を進めるという国家プロジェクトです。

表2に、この調査からわかったことの代表的なものを示します。

表2　調査で得られた知見

項目	断熱性がもたらす効果
家庭血圧	室温※1が低いほど血圧が高い
	高齢者ほど室温低下による血圧への影響は大きい
	断熱改修をすることで、居住者の血圧が有意※2に改善された
健康診断数値	室温が低いほど、心電図の異常所見が有意に多い
夜間頻尿（トイレ回数）	断熱改修をすることで、夜間頻尿回数が有意に減少した
疾病	床近傍室温※3の低い住宅では、様々な疾病・病気を有する人が有意に多い
身体活動量	断熱改修に伴う室温上昇によって、住宅内の身体活動量が有意に増加

※1：「室温」とは居間の床上1mの室温
※2：「有意」とは「確率的に偶然とは考えにくく、意味があると考えられる」ことを指す統計用語
※3：「床近傍室温」とは床上に設置した温度計で測定した室温

温暖な住環境が健康に与える影響は大きいということは、これまでも言われておりましたが、実際に断熱改修前後の測定結果を統計的に分析したものはありませんでした。この調査報告は測定結果を基に断熱改修と健康影響の関係を数値で明確に示しているので、とても興味深いものです。各調査報告の全てを紹介することは出来ませんがその調査報告内容のいくつかをご紹介させていただきます。

＜調査報告（１）：家庭血圧に対する影響調査＞

●起床時の居間室温の変化に伴い血圧値がどうのように変化するのかを調査したところ、室温が低くなるほど血圧値が高くなる傾向であることがわかりました。グラフ3は30歳〜80歳の男性を対象に調査した結果です。調査平均年齢57歳の測定値（点線ライン）を見ると起床時居間室温が20℃の時の血圧値に対して10℃の時の血圧値が高くなっていることがわかります。またこの血圧上昇は年齢が増すごとに大きくなります。特に60歳以上の方は日本高血圧学会が設定した高血圧基準値135mmHgを大きく超えて健康阻害のリスクが高くなっていることがわかります。

●断熱改修前後の２回測定を行った居住者（改修あり群）と、断熱改修せずに２回測定を行った居住者（改修なし群）の血圧変化量を分析した結果、断熱改修実施により室温が上昇することが一因となり血圧の低下効果があることがわかりました。その血圧低下効果を試算したものがグラフ４です。

特に最高血圧の低下効果は -3.5mmHg となっていますが、これは非常に大きな意味をもつ結果です。厚生労働省は「健康日本21（第二次）」にて、40〜80歳代の国民の最高血圧を平均4mmHg低下させることで、脳卒中死亡数が年間約１万人、冠動脈疾患死亡数が年間約５千人減少すると推計しております。この最高血圧を平均4mmHg低下とした目標のうち、断熱リフォームで3mmHgの血圧低下効果があったということは断熱改修が健康維持に貢献できることを明確に示した結果であると言えます。

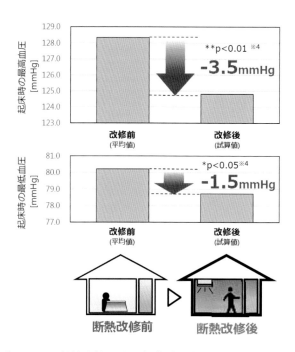

グラフ４　断熱改修による起床時の血圧の低下量（試算）

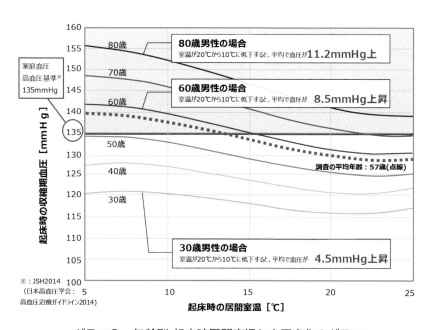

グラフ３　年齢別 起床時居間室温と血圧変化のグラフ

<調査報告（2）：健康診断数値に対する影響調査>

朝の居間室温（床上 1m）が 18℃以上の温暖住宅群と 18℃未満の寒冷住宅群に住む人の健康診断数値を比較したところ、コレステロール値が基準範囲を超える人、心電図の異常所見がある人が寒冷住宅群では有意に多いことがわかります。

寒冷な温度環境は高血圧を引き起こすだけでなく、コレステロール値の上昇や心電図異常所見などにも影響があるということが測定により証明されたことも非常に興味深い報告です。

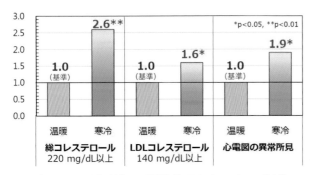

グラフ5　健診結果が基準範囲超えるオッズ比※
（温暖住宅群を基準）

※オッズ比：ある事象の起こりやすさを2つの群で比較して示す統計学的な尺度

■暮らし創造研究会：『健康改修住宅の効果・効能研究委員会の調査報告』（※出典：暮らし創造研究会 効果効能部会報告）

これまで国土交通省が行った調査研究成果を報告してまいりましたが、もう一つの団体でも断熱改修が健康に与える影響を調査しておりますので、ご紹介いたします。

この調査は 2014 年と 2015 年の冬に実施したもので、東京都にある団地において断熱・気密性能の異なる3つの住宅の温熱環境測定と、各住戸に高齢者が1泊ずつ宿泊して健康指標測定を行ったものです。

図2　調査対象住宅

表3　各住宅の断熱レベル

外皮性能	断熱レベル	備考	
梅	未改修	昭和40年代の住宅で想定される気密性能	
竹	気密性能ＵＰ	窓	気密強化
		玄関扉	断熱・気密強化
		浴室	常時換気設備導入
松	気密・断熱性能ＵＰ	窓	断熱・気密強化
		玄関扉	断熱・気密強化
		浴室	常時換気設備導入

表4　被験者構成

調査年度	被験者人数	年齢
2014年度	30名（男性15名、女性15名）	60〜77歳（平均年齢：68.8歳）
2015年度	27名（男性12名、女性15名）	62〜79歳（平均年齢：69.6歳）

<温熱環境の測定結果：松住宅は暖房を切った後も暖かく、室温と床表面温度の差が少なく安定している>

下の2つのグラフは、各住宅の室温※1と床表面温度※2のグラフです。室温グラフを見ると暖房ＯＮの時間帯は各住宅の温度差はあまり無いですが、暖房を切ると断熱レベルの低い梅住宅の温度が松住宅に比べて低くなっています。また床表面温度を見ると暖房ＯＮの時間帯であっても梅住宅では足元の温度が低いことがわかります。

つまり、断熱レベルの低い梅住宅は暖房時には室温と足元温度の差が大きく、3住宅の平均温度が最も低い環境であることがわかります。一方、気密性・断熱性を改善した松住宅では暖房を切った後も暖かさを維持しており室温と床表面温度の差も少なく安定した室内温度環境であることがわかります。

※1：「室温」とは居間の床上1.1mの室温
※2：「床表面温度」とは床上に設置した温度計で測定した室温

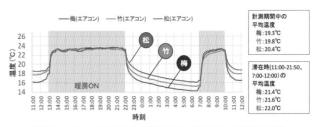

グラフ6　各住宅の室温変化（2014年測定値）

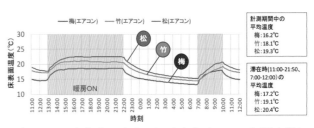

グラフ7　各住宅の床表面温度変化（2014年測定値）

<健康指標の測定結果：気密・断熱改修により室内が暖かくなり、血圧が下がる>

平均年齢が約70歳の男女約30名の被験者が、各住宅に1泊して24時間血圧測定（30分毎に自動測定）したものの平均値を集計したのが**グラフ8**です。

これを見ると梅住宅に比べ松住宅では3mmHgの血圧低下効果があることがわかります。国交省でも同様の報告がありましたが、3mmHgの血圧低下効果は、厚生労働省が健康日本21（第二次）で進めている最高血圧を平均4mmHg低下させることに貢献できることが示されました。別団体の測定で同一の結果が出たことはとても興味深いと言えます。

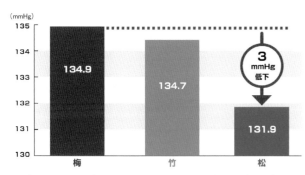

グラフ8　断熱・気密改修による最高血圧低下効果

■『健康維持』の視点〜断熱改修とアルミサッシ改修の関係について

あらためて**グラフ8**をもう一度見て頂きたいのですが、竹住宅で測定した血圧値は未改修の梅住宅とあまり変化がありません。一方、アルミサッシの断熱改修をした松住宅では3mmHgの血圧低下効果が出ています。

竹と松住宅との差は断熱改修の有無ですが、ではなぜ断熱改修すると効果が高まるのでしょうか？それは窓からの熱の出入りに関係性があります。

図3は住宅における季節ごとの熱の出入り割合を示したものですが、熱の出入りが最も多い場所が窓であることがわかります。この図は戸建住宅のものですが、マンション中間階においては更に窓からの熱の出入り割合が多くなっていると考えられます。

このため窓の断熱性を高めることが、お部屋の温熱環境に与える影響が大きく、その結果、健康維持効果が期待できるということになります。

図3　季節ごとの住宅熱流入割合

出典：「21世紀の住宅には、開口部の断熱を…！」日本建材・住宅設備産業協会　省エネルギー建材普及促進センター（平成4年制定の省エネ基準［新基準］で建てたモデル）

2.2　アルミサッシ改修効果（その2）
『安全・安心の視点』の視点〜操作性改善、防犯性向上

マンションに永く住み続けることは、高齢者向けの話だけではなく、幅広い世代にとって安全で使い易く、また防犯に対しても安心でなければなりません。新築のアルミサッシには**表5**に示すような安全・安心に配慮した部品があり、改修によって新築同等の機能にグレードアップすることができます。

その一例として「アシスト引手」をご紹介します。アルミサッシは断熱性を高めるため断熱性能の高い複層ガラスが使用されますが、この複層ガラスはとても重たいため窓の開け始めが重たくなります。その開け始めの重さを軽減する部品が「アシスト引手」です。この引手はテコの原理を使って障子開閉の初

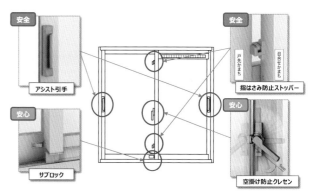

図4　アルミサッシの安全・安心仕様

表5　アルミサッシの安全・安心仕様

区分	部品名	機能
安全	アシスト引手	複層ガラス障子の開け始めの重さを軽減します お年寄りから子供まで軽い力で窓を開けることができます
	指はさみ防止ストッパー	召し合わせ框で、指が挟まれるのを防ぐストッパーです
安心	サブロック	クレセントとのダブルロックで不正侵入を防ぎます
	空掛け防止クレセン	うっかり無締まりを防止する機能があるクレセントです

動をアシストするもので、引手タイプ以外にも「アシスト把手」などのバリエーションがあります。

2.3 アルミサッシ改修効果（その3）
『快適な住まいの視点』の視点

　永く住み続けるために『住まいが快適であること』も、とても重要な要素です。ここではアルミサッシ改修後の住民アンケートをもとにして、『快適な住まい』の例をご紹介させて頂きます。

●写真1はアルミサッシ改修後のものですが、こちらにお住まいの方から『改修後は部屋が広くなったように感じる』とのご意見を頂きました。改修前のサッシには中桟があって下側が磨りガラスだったものが、改修後のサッシは中桟を無くして一枚ガラスにしたので眺望が広がり、そのように感じたようでした。

写真1　アルミサッシ改修事例

●アルミサッシ改修によって様々な建具性能が改善されますが、最も実感しやすいのは"静かさ"です。これまでも『周りの道路からの騒音が殆ど気にならなくなって快適です』とのご意見は多く寄せられております。アルミサッシの遮音性能で一般的なＴ1等級の場合でも外部騒音を25dB（デシベル）低減する効果があります。例えば周りの道路の騒音レベルが75dBだった場合、25dB下がるとお部屋の中は50dBになります。この環境は図5で示すように60dB未満の好ましいレベル範囲となっているため快適に感じて頂けているものと思われます。アルミサッシの遮音性能には30dBの低減効果が期待できるＴ2等級の仕様もございます。

■快適な住まいを守るためには、室内の湿度が高くなり過ぎないようにすることが重要

　快適な住まいであるためには、お部屋の中をクリーンな状態に保つ必要があります。その邪魔をするのが冬場の結露です。結露はそのままにしておくとカビやダニ発生の原因になります。ここまでアルミサッシ改修の優れている点を説明してまいりましたが、新しいアルミサッシに改修することで結露発生の原因に繋がってしまうというリスクについてもご紹介させて頂きます。またそのリスク回避のためにお部屋の換気がいかに重要であるかも合せてご説明致します。

図6　お部屋の結露発生

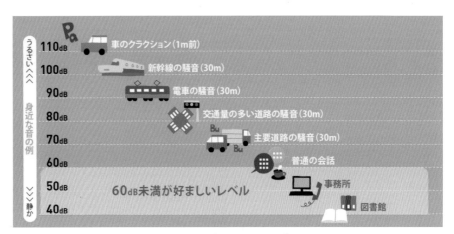

図5　騒音レベルの目安

●結露発生の仕組み（1）

　結露は温かい湿った空気が、冷えた時に水滴となって表れる現象です。暖かい空気は多くの水蒸気を蓄えることができますが、冷たい空気は僅かな水蒸気しか蓄えることができません。空気をコップに例えると、大きなコップ一杯に入っていた水が、水の量はそのままでコップだけが小さくなってしまうと、入っていた水はあふれてしまいます。このあふれた水が結露水です。

図7　大きなコップと小さなコップ

　つまり断熱改修によって室内を暖かい環境に改善することができますが、それと同時に多くの水蒸気を溜め込みやすく、結露が発生しやすい環境となるので、改修後ほど室内に湿った空気を滞留させないための対策が必要となります。

●結露発生の仕組み（2）

　本稿の冒頭に30年前と新しいサッシの性能比較を載せましたが、改修前のサッシに比べて新しいサッシは気密性能と断熱性能が改善されます。これによってお部屋は暖かくなり、また隙間風も入りにくい環境となりますが、換気が十分に行われない場合、お部屋の湿度も高くなり結露が発生しやすい環境になってしまいます。

　この状況をシミュレーションしたものがグラフ9です。改修前の室温が15℃、湿度が50%であった場合の露点温度は4.7℃です。露点温度とは結露が発生する時の温度のことで、外部温度に近いアルミサッシ枠の表面温度が4.7℃になったときサッシ枠表面に結露が発生します。

　改修後の室温が20℃、湿度が70%の場合、サッシ枠表面が14.4℃で結露が発生します。

　つまり改修後の湿度が高い状態では、改修前よりも早い段階で結露が発生してしまうため、湿度が高くならないための対策が必要になります。

●湿度を下げるための2つの方法

　結露発生は湿った空気の滞留が引き起こす物理現象なので、この湿った空気の滞留を防ぐことが重要です。その為には2つの方法があります。まずは「湿った空気の発生を抑える」こと、そして「湿った空気を排出する」ことです。表6に湿った空気の発生を抑える方法をまとめましたので参考にして頂けますようお願い致します。

表6　湿った空気を抑える方法

物干し	洗濯物は出来るだけ外に干すことをお勧めします
浴室	入浴中は換気扇を使用し、入浴後はお風呂のフタ、ドアの閉め忘れにご注意が必要です
加湿器	加湿器の使用は控えめに
暖房	水蒸気が発生するストーブ使用を避け、エアコン使用がお勧めです
表示	湿度計を置いて、湿度状況を見える化します お勧めの湿度範囲は40〜60%程度※です ※東京都健康快適環境指針より

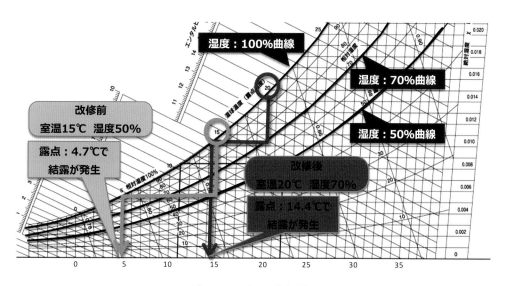

グラフ9　湿り空気線図

次に「湿った空気を排出する方法」ですが、そのためにはお部屋の換気がとても重要です。新しいサッシには窓を締めたまま風を取り込むことができる換気框があります。また風の入口と出口を確保して、お部屋の中に新鮮な空気の通り道をつくることで有効な換気をすることができます。

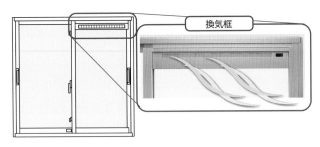

図8　換気框

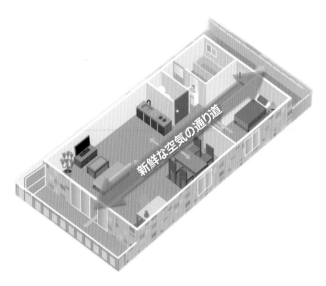

図9　お部屋の換気

≪アルミサッシ改修効果〜3つの視点：まとめ≫

これまでアルミサッシ改修効果について、①健康維持の視点、②安全・安心の視点、③快適な住まいの視点からご紹介してまいりました。それを簡単に整理致します。

①健康維持の視点・・・
　暖かいお部屋になることは、健康維持効果が期待できる。

②安全・安心の視点・・・
　新しいサッシの部品は幅広い世代にとって扱いやすく、防犯機能もある。

③快適な住まいの視点・・・
　眺望もよく静かで快適の声がある。ただし結露防止のため換気が重要となる。

3．アルミサッシ改修工事について

サッシ改修方法は今あるサッシ枠を撤去して新しいサッシ枠を取付けすると考えられている方がおりますが、今あるサッシ枠を残して、その上に新しいサッシを被せるカバー工法が一般的です。

今のサッシを撤去しないので周りの仕上げを壊しません。そのため騒音や粉塵の発生がなく、工事も短時間で終わるため転居を伴わない“居ながら改修”が可能です。

ただし、サッシを被せる納まりのため若干ですが開口寸法が狭くなりますが、この狭まり寸法が最小になるように全数実測して個別に納まりを検討します。施工後写真でも足元の立ち上がりがあまり気にならない程度であることがわかると思います。

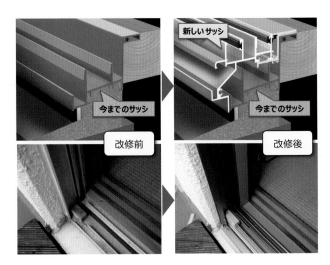

写真2　カバー工法_施工前と施工後

4．上手な補助金・助成金の活用方法

建築物における省エネルギー対策として断熱リフォーム改修への各種補助事業が多く実施されております。国土交通省の「長期優良化リフォーム推進事業」では令和2年度から性能項目に「省エネルギー対策」が必須になりました。また環境省の「高性能建材による住宅の断熱リフォーム支援事業」は、これまで多くのマンション管理組合で活用実績がある補助金で令和2年度も実施されます。

このような支援事業は国だけでなく地方自治体でも実施されております。注目すべきは補助事業を複数併用申請ができる可能性があるという点です。詳

しくは各事業の公募要領の確認が必要ですが、東京都の例ではサッシリフォームをする場合、国と東京都と区の事業を3つ併用申請ができるケースもありますので、その地区の補助事業の情報収集はとても重要になります。

そこでとても参考になる情報をご紹介致します。図9は一般社団法人 住宅リフォーム推進協議会のホームページで公開されている「地方公共団体における住宅リフォームに係わる支援制度検索サイト」です。日本地図をクリックして支援分類で絞り込みができるのでとてもわかりやすいサイトです。

もし、調べた補助事業の申請が終わっていたとしても行政の事業は継続性があるので次年度のための情報収集としても有効です。また減税制度の情報もありますので是非ご活用願います。

図9　地方公共団体における
住宅リフォームに係わる支援制度

検索サイト（http://www.j-reform.com/reform-support/）
出典：（一社）住宅リフォーム推進協議会ホームページより

5.おわりに

マンションをこれからも永く維持するためのハード面のリフォーム重要性とは別に、快適に暮らすためというソフト面の重要性を「サッシリフォーム」の切り口でご紹介させて頂きました。

本稿が少しでもサッシリフォームに対するご理解の一助になれば幸いでございます。

ありがとうございました。

玄関ドア改修によるメリットと工事方法

（一社）マンションリフォーム推進協議会　技術委員　高田　豊司

お住いの建物をいつまでも使いやすくするためには、建物のライフサイクルに合せた維持保全計画が不可欠です。とくに建物の外部を構成している各種の材料、部材は、風雨や温度変化、地震、台風など過酷な自然条件にさらされ、経年変化は避けられません。このため、適切なリニューアルを実施しなければ、建物の耐用年数はさらに短くなり、構造体に影響をおよぼす場合もあります。

マンションの顔ともいえる玄関ドアの改修は、こうした建物の経年変化と劣化を防ぐための改修を実現するとともに、外観イメージの向上、周辺環境との調和、快適性・居住性の向上、バリアフリー対応など、「初期の性能を上回る性能」をリニューアル時に付加することによって、「新たな資産価値」を生み出すことができます。

1．玄関ドア改修について

マンションの玄関ドアは共有部にあたるため、マンション全体での工事になり、大変だからと諦めていませんでしょうか。実際に「替えることは考えたこともない」という方がとても多いのです。

玄関ドアの工事は、大がかりな工事をしなくてもできます。壁を壊さないカバー工法なら1ドア2時間程度ですので、各戸への負担はさほど大きくありません（施工状況により変わる場合もあります）。最新の玄関ドアに替えれば、建物の資産価値の向上にもつながります。

玄関ドアの交換は基本的に「共用部」の工事になります。リフォームの可否はお住まいのマンションにより異なりますので、まずは管理組合などにご確認頂くことが必要です。

1.1　玄関ドアの改修工事の考え方

高経年の玄関ドアに関して、日々のメンテナンス・定期的な補修の実施だけでは限界があります。いくら補修を重ねても、建物の価値が竣工時以上に向上することはありません。

玄関ドアの改修工事は、「直す」のではなく、「良くする」工事です。簡単な施工で、新しい玄関ドアへ交換することにより、建物の性能をいまの時代にふさわしいレベルへと高めることができます。

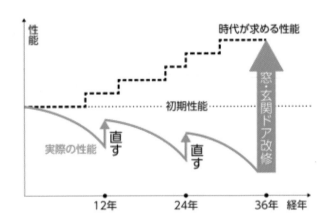

図1　窓・玄関ドアの改修時期

1.2　玄関ドアのリフォームで安心・安全な住まい

築30年を過ぎると玄関ドアには経年劣化によるさまざまな不具合が生じてきます。玄関ドアを交換することで、外観・気密性・開け閉めのスムーズさ、さらには鍵の性能や枠の強度向上など、経年マンションの玄関まわりのお困りごとを解決します。

○玄関ドアの経年劣化

マンションの玄関ドアは、建物寿命より短く25年～40年といわれています。年月の経過とともに古くなると、サビや塗装の剥げなどで見た目が悪くなるだけでなく、すきま風や開け閉めがしにくくなるなど機能面でも多くの不都合が生じます。

図2　玄関ドアの経年劣化

○社会情勢・自然環境の変化

　巧妙な手口のピッキング犯罪や大きな地震など、防犯・防災上の対策も十分とは言えません。

　最新の機能を備えたドアへのリフォームは、このようなお悩みや心配事を解消し、安心・安全なマンションライフを確保することができます。

図3　社会情勢・自然環境の変化

1.3 美観・操作性・防犯性の向上

　玄関ドア改修では断熱性能改善だけでなく、玄関まわりの外観イメージの一新と同時に、錠前などの金物も最新の部品に交換することにより操作性や防犯性が大きく向上します。

1.4 玄関ドアに求められる性能

　玄関ドアの性能も時代の変化とともに変わってきています。現在の玄関ドアの性能は大きく向上し、30年前と比較するとその差は歴然としています。既存の玄関扉仕様がスチールプレスドアであったり、玄関枠にエアタイトゴムがない仕様の場合、断熱性能や気密性能は期待できません。玄関ドアを改修することで、気密性、遮音性、断熱性、すべての性能において大幅に向上させることができます。

　改修後の玄関ドアの性能は、現在の新築マンションの玄関ドアと同等の性能となります。

○耐風圧性

　耐風圧性とは、ドアの枠と扉がどれくらいの風圧に耐えられるかを表す性能です。台風などの強風によって変形したり、開閉に支障をきたさないようにします。

○気密性

　気密性とは、ドア枠と扉のすきまから、どれくらいの空気（すきま風）がもれるかを表す性能です。冷暖房時の熱損失を少なくし、騒音の侵入を防ぎ、砂やほこりの侵入を抑えます。

○遮音性

　遮音性とは、室外から室内へ侵入する音、室内から室外へ漏れる音をどれぐらい遮ることができるかを表す性能です。外部騒音、室内からの音漏れを遮ります。

○断熱性

　断熱性とは、熱が移動するのをどれくらい抑えることができるかを表す性能です。室外と室内の熱の移動を抑え冷暖房負荷を軽減します。

○防火性

　防火性とは建築物の火災に対する安全性のレベルを表す性能です。延焼のおそれのある部分の開口部については、炎を遮り延焼を防止するために、「防火設備」（防火戸）の使用が義務づけられています。

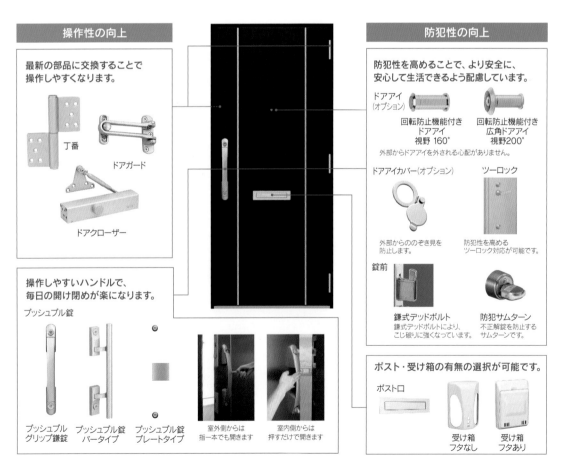

図4　美観・操作性・防犯性の向上

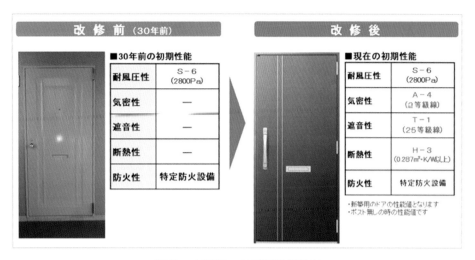

図5　玄関ドアの新旧性能比較

2. 改修工事の方法について

2.1　玄関ドア改修工事の工法

　玄関ドアの改修工法は、「かぶせ工法」、「扉交換工法」、「撤去工法」があります。現在は「かぶせ工法」が主流となっており、マンションの改修では一番多く採用されています。

　あらゆる玄関ドアの既設枠に対応できるよう多様な工法があり、既設枠の状態・ご要望・ご予算に合わせて、選択していただくことができます。

①かぶせ工法
・カバー工法

　今ある枠の上から新しい枠をかぶせ、新しい扉を取り付ける工法です。古い枠が見えませんので、新築ドアの様な仕上りになります。最新のデザイン、機能等が選択でき、新築同等の性能に引き上げることができます。今ある枠の上に新しい枠をかぶせるため、古いドアに比べて、開口寸法が少し小さくなります。

・持ち出し工法

　新しい枠を外部側に持ち出して取り付けるので、開口幅を狭めたくない場合におすすめです。改修前とドアの幅は変わりません。

図6　かぶせ工法（カバー工法・持ち出し工法）横断面図

②扉交換工法

　今ある枠はそのままで、扉のみを新しいものに取り換える工法です。材料費を抑えて、改修可能な工法です。

図7　扉交換工法　横断面図

　開口寸法が変わらないのがメリットとしてありますが、枠が変わっていない為、気密性が向上しないままとなります。また、枠が古いままの為、扉と比較して見栄えが劣る点がデメリットとしてあります。

③撤去工法

　玄関ドア枠周りの壁（コンクリート）を壊して、今あるドア枠全体を取りはずし、新しい玄関ドアを取り付ける工法です。開口寸法が変わらずに改修することができますが、工事期間が長く、生活に影響があります。また、工事には粉じん、騒音が多く発生するデメリットがあります。また、壁や内装の工事も要なため、費用もかさみます。このような理由から、マンションでの住みながらの改修ではほとんど行われていない工法です。

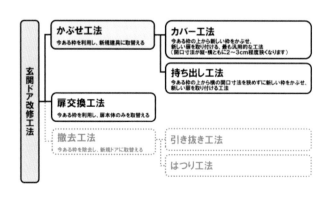

図8　玄関ドアの改修方法

2.2 カバー工法の玄関ドア改修工事手順

　既存の枠を撤去しない、新しいドア枠を被せるカバー工法の場合は、周りの天井・壁・床を壊さないので、粉じんや騒音の発生が少なく、住まいながらの工事が可能です。短時間で玄関ドアを交換することができます（図9）。

　　①ドアの周辺を養生（保護シート）します
　　②今ある扉を取り外します
　　③今あるドア枠と鍵受け部分を加工します
　　④今あるドア枠を錆止め塗装します
　　⑤今あるドア枠に下地材（補強板）を取り付けます
　　⑥新しいドア枠を取り付けます
　　　（※扉交換工法では必要ありません）
　　⑦新しい扉を取り付けます
　　⑧新しい部品を取り付けて調整します
　　⑨新しいドア枠の周りをシーリングします
　　⑩完成です

3．玄関ドア改修で対震対策

　日本は地震が多い国です。1981年以前の建物は旧耐震基準のため、大地震の際に大きな被害を受ける可能性があります。「うちのマンションは1981年以降の建築だから大丈夫」と思っている方も多いかもしれませんが、建物の耐震と同じくらい重要なのは、ドアの「対震」（地震対策）です。
　大型地震発生時に、地震の揺れによって建物がゆがむと、玄関ドア枠が変形して扉と接触し、ドアが開かなくなることで避難できず、室内に閉じ込められてしまうおそれがあります。避難路が絶たれることによる二次災害のリスクを低減するには、地震対策が施されたドアに替えることが有効です。

3.1 地震時の心配ごと

○枠の歪みで脱出できなくなる…
　ドア枠が変形して扉に食い込んで開かなくなるおそれがあります。

○脱出後の家財を守るための施錠ができない…
　扉をこじ開けて脱出したものの施錠ができなくなるおそれがあります。そうなればチェーンと南京錠などで施錠するしかありません。

図10　地震時の二次災害リスク

3.2 地震の影響により想定される不具合

　玄関枠が歪んでしまうと、枠と扉がぶつかって開かなくなってしまう閉じ込めの危険があります。
　枠の変形には、枠が平行四辺形にゆがんで枠と扉がぶつかる「面内変形」と、枠の一部が押しつぶされてへこむことで、枠と扉がぶつかる「局部変形」の2

1 養生（保護シート）　　2 既設扉の撤去　　3 枠・錠部分の加工　　4 防錆塗装　　5 下地材（補強板）取付

6 新しい枠 取付　　7 新しい扉 取付　　8 部品 取付・調整　　9 シーリング　　完成

図9　玄関ドア改修工事の手順

種類があります。対震ドアには地震の変形時も50kg以下で開閉できる基準を満たしていることが定められています。

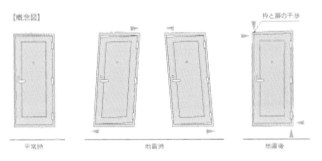

図11　地震時の玄関ドア枠変形のイメージ

○面内変形追随性（JISA4702）

　建物がドア枠の内面の変形に対し、枠とドアの接触を緩和し、500N以下の力でドアを開けることができます。ドア枠の変形に対して、対策がなされています。

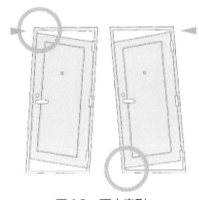

図12　面内変形

○局部変形追随性（BL基準）

　局部変形を受けても枠とドアの接触を緩和し、500N以下の力でドアを開けることができます。ドア枠が変形し局所的にドア本体を圧迫しても開けられる対策がなされています。

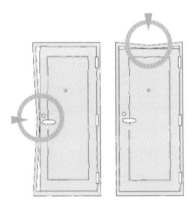

図13　局部変形

3.3　玄関ドアの地震対策

　玄関ドアの地震対策には、2種類の仕様があります。対震の工夫をした玄関ドアなら、万が一の時にも使用し続けられることができます。

○対震防犯仕様による効果

　枠とドアの間に適度な空間を設けることで、枠が変形しても扉が固定されにくくなります。なお、外部側の扉とドア枠の隙間は、扉の形状を工夫することで防犯上の対策をとっています。

○対震丁番仕様による効果

　内蔵されたスプリングにより柔軟に動く仕様です。枠変形時に丁番が圧迫されて動かなくなることを防ぎます。

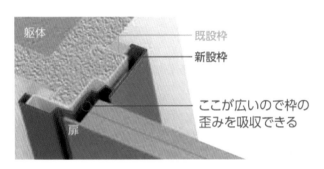

図14　対震防犯仕様

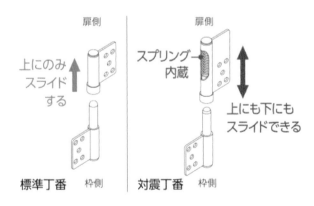

図15　対震丁番仕様

3.4　実際に玄関ドアを改修された方の声

ドアを開けるときのストレスが解消。
防犯面でも安心できるようになりました。

○築年数が古いマンションのため、玄関の下枠が盛り上がり、扉が枠に擦れてドアの開け閉めがしにくくなっていました。体で押さないと開かないような状態がマンション全体で発生していたため、ドアの改修をすることになりました。

○工事は想像していたよりも短時間で簡単に済み、騒音や粉じんも気になりませんでした。

○新しいドアで驚いたのは、その軽さです。ドアを開けるときのストレスがまったくなくなりました。プッシュプルグリップなのでドアノブを回す必要がなく、荷物を持っていても簡単に開けられるのも便利ですね。防犯性の高い錠が2ヶ所もついているので、安心感が増しました。以前はドアのすきまから光が漏れていましたがそれもなくなり、すきま風も入ってこなくなりました。新しいドアにして、本当によかったです。

4．おわりに

『100年先を見据えたマンションにおける
　　　　　　　　　　玄関ドア改修について』

　マンションの玄関改修工事は築30年超から増加し始めます。当初、玄関ドア改修工事を行う主な要因は経年劣化により『性能・美観・機能』に問題が生じ我慢をしながら使用していた玄関ドアをより快適に使用出来る事を目的に改修工事を行ってきました。しかしここ20年程に限っては、これから起きうるであろう事柄（防犯対策・地震への備え等）に対応すべく改修工事をおこなうマンションもかなり増えており、さらに長寿命化により健康面を考慮しカビの発生や結露発生を抑制すべく『換気機能付玄関ドア』の需要も増加しております。

　これから先20年後、30年後更に100年後はどのような社会情勢・自然環境の変化が起きているか想定していくのは非常に難しいですが、常に一歩先を見越した改修工事を検討する事が必要になると思われます。

写真1　玄関ドア改修後

写真2　玄関ドア改修前

写真3　改修前のドアが擦っていた跡

マンションの耐震改修

（一社）マンションリフォーム推進協議会　技術委員　岩佐　健志

はじめに

　一般社団法人マンションリフォーム推進協議会（REPCO）では、マンションの安全性の向上と良質な住宅ストックの形成を目的として、マンションの耐震化の促進に向けた活動を行っております。

　マンションの耐震化の促進は、居住者の安全・安心の確保、建物所有者の資産価値の維持、住宅市街地の防災性の向上の観点から、重要な課題となっております。

　ここでは、分譲マンションの区分所有者様や、マンション管理組合様向けに、マンションの耐震化事業の進め方について、以下の全5章に分けてご紹介いたします。

1. 耐震化事業の概要

1.1　耐震基準と法整備の変遷

　耐震基準は、大きな地震災害が発生する度に被害状況の調査・分析を行い、建物の被害を減じるために、これまで様々な改訂がなされてきております。（図1-1参照）

　特に、1978年（昭和53年）の宮城県沖地震（M7.4，最大震度5，死者28名、建物の全半壊6,757戸）をうけて、1981年（昭和56年）に建築基準法の大改正がありました。

関係法令	(T9)1920年 市街地建築物法 制定	(T13)1924年 市街地建築物法 改正	(S25)1950年 市街地建築物法 廃止 建築基準法 制定	(S46)1971年 建築基準法 改正	(S56)1981年 建築基準法 改正	(H7)1995年 耐震改修促進法 制定	(H25)2013年 耐震改修促進法 改正
名称	旧耐震基準				新耐震基準（現行基準）		
記録地震	1891年 濃尾地震	1923年 関東大震災	1944年（昭和東南海地震）／ 1946年 昭和南海地震／ 1948年 福井地震	1964年 新潟地震／ 1968年 十勝沖地震	1978年 宮城県沖地震	1995年 阪神淡路大震災（倒壊は旧耐震が大半を占める）	2011年 東日本大震災／ 2016年 熊本地震
規模	M8.0	M7.9	M8.0　M7.1	M7.5　M7.9	M7.4	M7.5	M9.0　M7.3
全壊	142,177	109,713	11,506　36,184	1,960　673	1,183	104,900	127,830　8,169
半壊	80,324	102,773	21,972　11,816	6,6640　3,004	5,574	87,000	275,807　29,294
設計基準	-	耐震規定なし（1916年軍艦島「30号棟」建設）	水平震度0.1（1924年同潤会アパート建設）	水平震度0.2 許容応力度設計	仕様規定強化	2次設計	長周期地震動／連動地震
設計	-	-	-	震度5強程度に耐える設計		震度6強でも倒壊しない設計	
診断	耐震診断が必要					-	

図1-1　地震被害と耐震基準の変遷

さらに、1995年（平成7年）の兵庫県南部地震（M7.3，最大震度7，死者6434名、建物の全半壊64万棟）をうけて、同年「建築物の耐震改修の促進に関する法律」（耐震改修促進法）が制定されました。建物被害が顕著であった、1981年以前に設計された建物について、耐震化を促進するため、所有者に耐震化の努力義務を定めました。

また、2000年（平成12年）には「マンションの管理の適正化の推進に関する法律」（マンション管理適正化法）においても、管理組合と区分所有者に対して、建物の耐震化の努力義務が定められました。

また、2006年（平成18年）には、宅地建物取引業法施行規則の改正により、旧耐震建物について、建物の重要事項説明書への耐震診断の実施の有無の記載と、その内容説明が義務付けられました。これにより、耐震性が建物の資産価値に影響をするようになりました。

また、2013年（平成25年）の耐震改修促進法の改正により、特定緊急輸送道路沿道建築物の所有者に対して耐震診断の義務付けと補助等の支援策が定められました。

現在も国や自治体により、耐震化事業への補助等の支援策は、拡充され続けております。

1.2　地震に弱いマンションの特徴

耐震改修促進法では、1981年の建築基準法の改正以前の耐震基準を「旧耐震基準」、旧耐震基準で設計されている建物（建築確認済証の交付年月日が昭和56年5月31日以前の建物）を「旧耐震建物」、改正以降のものを「新耐震基準」と「新耐震建物」と規定されております。これは兵庫県南部地震において、旧耐震建物に顕著な被害が見られたことによります。

大地震時に旧耐震建物に顕著な被害が出やすい理由は、新耐震基準では、中地震（震度5強程度）に加え、大地震（震度6強以上）に対しても建物が崩壊しないように構造設計を行うのに対して、旧耐震基準では、大地震に対するチェックが行われていない事によります。

また、構造上のバランスが悪い建物（形状が不整形、ピロティやセットバックがある、柱際に腰窓があるなど。図1-2参照）は、大地震時に顕著な被害が発生することが知られておりますが、旧耐震基準

では、これらに対するチェックも行われていません。

上記の理由のため、旧耐震建物は地震に弱いことが考えられる為、耐震化を進めることが求められております。

剛性率が悪い　　　　　短柱
（ピロティがある）　（横長窓が柱際にある）

偏心率が悪い　　　　　形状が複雑
（耐力壁が偏在）　（セットバックがある）

その他
・縦横比が大きい（スレンダーな建物）
・構造形式が階で異なる（上層RC造，下層SRC造など）

図1-2　地震に弱いマンションの特徴

1.3　耐震化事業について

耐震化事業は、耐震診断・補強設計・耐震改修工事の3段階で進めます。（図1-3参照）

分譲マンションの場合、管理組合は、各段階毎に区分所有者間の合意形成を図り、区分所有法に基づく決議により、事業を進める必要があります。

区分所有法17条1項より、共用部の形状または効用の著しい変更が無い場合は普通決議（区分所有者及び議決権の過半数以上の賛成）、ある場合は特別多数決議（区分所有者及び議決権の各4分の3以上の賛成）による決議が必要になります。一般的に、耐震診断と補強設計は普通決議、耐震改修工事は特別多数決議になります。

また耐震化事業にて助成金等を利用する場合などは、専門的な知識が必要な手続きが伴う場合や、完了までに数年を要することもあるため、専門の検討委員会を立ち上げて対応することが望ましいです。

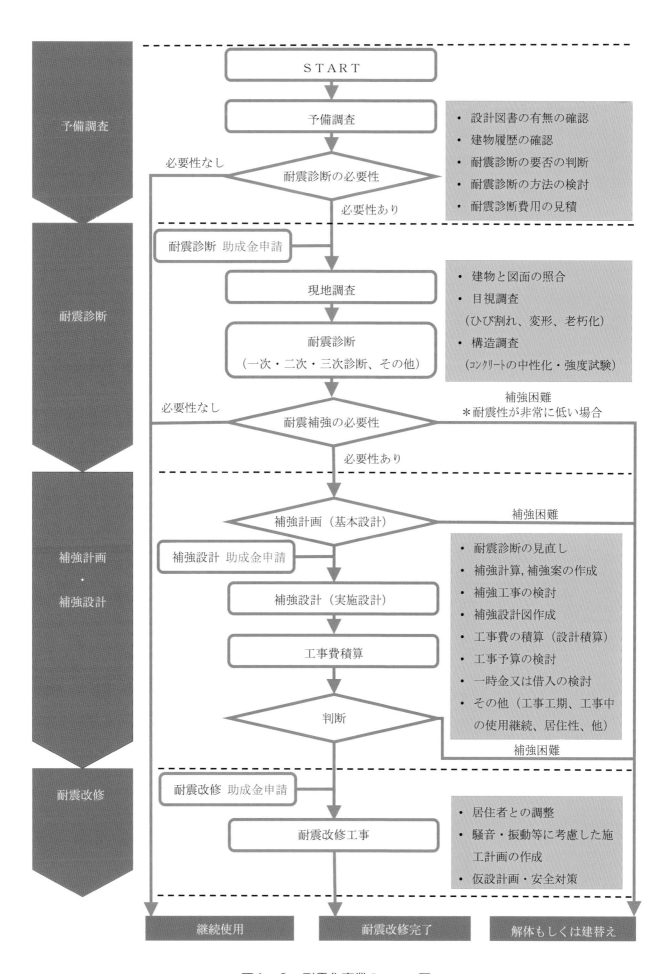

図1-3　耐震化事業のフロー図

2. 耐震診断について

2.1 耐震診断の概要

旧耐震建物の大地震に対する耐震性を判定する作業を「耐震診断」と呼びます。耐震診断の結果、耐震性能が規定値を満たさないと判定された建物は、法的には「既存不適格建築物」とされます。尚、この建物は不適合建築物（違法建築物）には該当しません。

2.2 耐震診断の手順

耐震診断は、予備調査に始まり、現地調査工事を行った後、耐震診断計算を行います。（図1-3参照）

2.3 予備調査

確認申請年月日や、新築時の設計図書の保管状況を調べます。設計図書の保管が無い場合や、一部の保管しかない場合は、耐震診断の計算に必要な図書を現地調査時に復元します。

2.4 現地調査

耐震診断計算を行うために必要な情報を得るために、現地調査を行います。現地調査は、大きく非破壊調査と破壊調査に分かれます。（表2-1参照）

非破壊調査は、敷地状況の確認と、目視による建物の劣化調査、構造部材の寸法計測、鉄筋探査機による鉄筋本数の確認、建物の傾斜や沈下等がある場合は沈下測定、などを行います。

破壊調査は、調査工事と室内物理試験に分かれます。

調査工事は、建物の耐力壁等からコンクリート試験体の採取（円柱状のコンクリートコアを各階3本以上採取）を行います。コンクリートコアの採取は、鉄筋の切断が無いように、事前に鉄筋探査機で鉄筋位置を確認して採取位置を決めた後、採取作業を行います。（図2-1参照）

また、既存の設計図書が著しく不足している場合などは、鉄筋径や鉄骨寸法の確認ために、一部、躯体表面を斫り（はつり）、鉄筋や鉄骨を露出させて計測する、斫り調査工事を行う場合もあります。（図2-2参照）

表2-1　現地調査の概要

種　類	大項目	備　考
非破壊調査	目視調査： ・敷地状況の確認 ・劣化調査 ・屋上防水 ・外壁塗装 ・ひび割れ計測 図面照合： ・柱梁壁の寸法計測 ・鉄筋本数の確認 （鉄筋探査機による） 沈下測定： ・レベルによる計測	共用部のみの立ち入りにて実施。
破壊調査	調査工事： ・コンクリート試験体の採取（各階3本） ・被りコンクリート斫りのうえ鉄筋径計測	共用部のみの立ち入りにて実施。
	室内物理試験： ・圧縮強度試験 ・中性化試験	試験機関の試験所にて実施。

①鉄筋探査 　　　　②アンカー打込み

③コアボーリング 　　④コア採取

⑤モルタル充填 　　　⑥仕上げ復旧

図2-1　コンクリート試験体の採取

室内物理試験は、専門の試験機関にて行います。建物から採取したコンクリート試験体を圧縮試験機にて破壊し、コンクリートの圧縮強度を計測します。また破壊後の試験体にフェノールフタレイン溶液を吹きかけて、中性化の進行具合を計測します。（図2－3参照）

①かぶりの斫り

②鉄筋径の確認

図2－2　鉄筋径の確認

①圧縮強度試験

②中性化試験結果

図2－3　室内物理試験

2.5　コンクリートの中性化

鉄筋コンクリート造建物は、コンクリートの中性化が進んでいるほど、構造的な劣化が進んでいると判断されます。鉄筋コンクリート造は、強アルカリ性であるコンクリートにより、鉄筋の酸化が防がれておりますが、コンクリートのアルカリ性は、空気中の炭酸ガスと化学反応することによって、表面から徐々に中性化して失われてしまいます。コンクリート自体は中性化しても圧縮強度は下がりませんが、中性化が鉄筋の表面まで進行することで、鉄筋が酸化し、体積が2～3倍に膨張することで、コンクリートを内部から押し広げ、ひび割れやかぶりコンクリートの剥落、爆裂等を起こしてしまい、建物の構造的な耐力を下げてしまいます。

2.6　耐震診断の計算の種類

耐震診断計算には、簡易診断と精密診断があります。（表2－2参照）

簡易診断（1次診断）は、柱と壁のコンクリートの断面積のみから、耐震性を判定するものであり、鉄筋コンクリート造（RC造）もしくは、鉄骨鉄筋コンクリート造（SRC造）において、精密診断の必要性の有無について判断をする際に用います。鉄骨造（S造）には簡易診断はありません。

精密診断には、2次診断と3次診断があります。

2次診断は、柱と壁のコンクリートの断面積のほかに、鉄筋も考慮して、耐震性を判定します。主に、中低層のRC造、SRC造に適用されます。一般的なマンションは、ほとんどの場合、2次診断が適用されます。

3次診断は、柱と壁のコンクリートと鉄筋のほかに、梁のコンクリートと鉄筋まで考慮して、耐震性を判定します。大スパンの建物や、比較的高層のRC造やSRC造に適用されます。S造は3次診断のみしかありません。

表2－2　耐震診断の計算の種類

種　類	適用範囲	考慮する部材
簡易診断	1次診断： 低層のRC造、 SRC造	柱・壁の コンクリート
精密診断	2次診断： 中低層のRC造、 SRC造	柱・壁の コンクリートと 鉄筋
	3次診断： 高層のRC造、 SRC造、 大スパン建物、S造	柱・壁・梁の コンクリートと 鉄筋

2.7　耐震診断の結果の判定（RC造）

耐震診の結果の判定は、各階のX・Y方向（東西方向・南北方向）ごとに構造耐震指標(Is値：Seismic Index of Structure)と、累積強度指標(CTU・SD値)が、目標値を上回るか否かで判定します。（表2－3参照）

Is値の目標値（構造耐震判定指標：Iso値）は、1次診断：0.8、2次診断：0.6、3次診断：0.6と定められております。理由は統計的なものであり、過去の地震被害において、Is値が0.6を上回る建物の「大破」が少なかった事によります。（表2－7参照）

CTU・SD値は、現行の耐震設計方法（2次設計（保有水平耐力の検討））と数学的に比較することを目的にした指標であり、CTU・SD値の目標値（CTO）は、0.3と定められております。

表2－3　耐震診断の結果の判定（RC造）

構造耐震指標 (I_s) ≧ 構造耐震判定指標 (I_{so}) 累積強度指標 ($C_{TU} \cdot S_D$) ≧ C_{TO}	
結　果	目標値
$I_s = E_o \cdot S_D \cdot T$ E_o：保有性能基本指標 S_D：形状指標 T：経年指標	$I_{so} = E_s \cdot Z \cdot G \cdot U$ E_s：耐震判定基本指標 　　1次診断：0.8 　　2次診断：0.6 　　3次診断：0.6 Z：地域指標 G：地盤指標 U：用途指標
$C_{TU} \cdot S_D$ C_{TU}：構造物の終局限界における累積強度指標 S_D：形状指標	$C_{TO} = 0.3 \cdot Z \cdot G \cdot U$ Z：地域指標 G：地盤指標 U：用途指標

表2－4　耐震診断の結果の判定（SRC造）

構造耐震指標 (I_s) ≧ 構造耐震判定指標 (I_{so}) 累積強度指標 ($C_{TU} \cdot S_D$) ≧ C_{TO}	
結　果	目標値
$I_s = E_o \cdot S_D \cdot T$ E_o：保有性能基本指標 S_D：形状指標 T：経年指標	$I_{so} = E_s \cdot Z \cdot G \cdot U$ E_s：耐震判定基本指標 　　1次診断：0.8 　　2次診断：0.6 　　3次診断：0.6 Z：地域指標 G：地盤指標 U：用途指標
$C_{TU} \cdot S_D$ C_{TU}：構造物の終局限界における累積強度指標 S_D：形状指標	$C_{TO} = 0.28 \cdot Z \cdot G \cdot U$ （非充腹） $C_{TO} = 0.25 \cdot Z \cdot G \cdot U$ （充腹） Z：地域指標 G：地盤指標 U：用途指標

2.8　耐震診断の結果の判定（SRC造）

　SRC 造の判定も、Is 値と CTU・SD 値にて行われます。

　Is 値の目標値（Iso 値）は、RC 造と同じです。

　CTU・SD 値の目標値（CTO）は、RC 造は 0.3、SRC 造は 0.28（柱の鉄骨が非充腹）と 0.25（柱の鉄骨が充腹）と定められております。（表2－4参照）

　非充腹材とは、SRC 造の内部の鉄骨部材がラチスやトラス形状の組立部材によるものを指します。

2.9　耐震診断の結果の判定（S造）

　S 造の判定は、Is 値と q 値にて行われます。

　Is 値の目標値（Iso 値）は、0.6 です。

　q 値は現行の耐震設計方法と数学的に比較することを目的にした指標であり、目標値は 1.0 と定められております。（表2－5参照）

2.10　耐震診断の結果の評価

　耐震診断の結果の評価は、耐震改修促進法の用語では「地震の震動及び衝撃に対し倒壊し、又は崩壊する危険性が低い」「地震の震動及び衝撃に対し倒壊し、又は崩壊する危険性がある」「地震の震動及び衝撃に対し倒壊し、又は崩壊する危険性が高い」の3段階で評価されます。（表2－6参照）

表2－5　耐震診断の結果の判定（S造）

構造耐震指標 (I_s) ≧ 0.6 保有水平耐力に係る指標 (q) ≧ 1.0	
結　果	目標値
$I_s = E_{oi} / (F_{esi} \cdot Z \cdot R_t)$ E_{oi}：耐震性能を表す指標 F_{esi}：剛性率・偏心率により決まる係数 Z：地域係数 R_t：振動特性係数	Is 値の目標値：0.6 ※地域の地震危険度、地盤の状況、用途による重要度は、建物の所有者等と協議して設定する。
$q_i = Q_{ui} / (0.25 \cdot F_{esi} \cdot W_i \cdot Z \cdot R_t \cdot A_i)$ Q_{ui}：i層の保有水平耐力 W_i：i層が支える重量 A_i：層せん断力の高さ方向の分布	q 値の目標値：1.0 ※上に同じ

表2-6 耐震性能の結果の評価

簡易診断（1次診断）

構　造	判　定	評　価
RC造 SRC造	Is≧0.8	「安全」
	Is＜0.8	「疑問あり」 **精密診断を行う**

精密診断（2次診断、3次診断）

構　造	判　定	評　価
RC造	Is≧0.6かつ CTU・SD≧0.3	地震の震動及び衝撃に対し倒壊し、又は崩壊する危険性が低い
	Is＜0.6または CTU・SD＜0.3	地震の震動及び衝撃に対し倒壊し、又は崩壊する危険性がある
	Is＜0.3または CTU・SD＜0.15	地震の震動及び衝撃に対し倒壊し、又は崩壊する危険性が**高い**
SRC造	Is≧0.6かつ CTU・SD≧0.28 （非充腹） 0.25（充腹）	地震の震動及び衝撃に対し倒壊し、又は崩壊する危険性が低い
	Is＜0.6または CTU・SD＜0.28 （非充腹） 0.25（充腹）	地震の震動及び衝撃に対し倒壊し、又は崩壊する危険性がある
	Is＜0.3または CTU・SD＜0.14 （非充腹） 0.125（充腹）	地震の震動及び衝撃に対し倒壊し、又は崩壊する危険性が**高い**
S造	Is≧0.6かつ q≧1.0	地震の震動及び衝撃に対し倒壊し、又は崩壊する危険性が低い
	Is＜0.6または q＜1.0	地震の震動及び衝撃に対し倒壊し、又は崩壊する危険性がある
	Is＜0.3または q＜0.5	地震の震動及び衝撃に対し倒壊し、又は崩壊する危険性が**高い**

表2-7 Is値と地震被害の関係

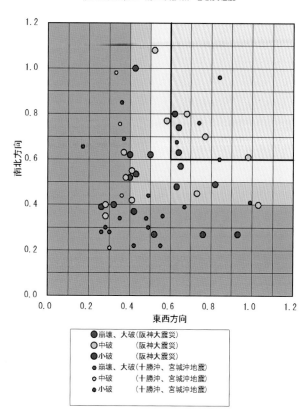

構造耐震指標Is（第2次診断）と被災程度

凡例：
● 崩壊、大破（阪神大震災）
○ 中破　　　（阪神大震災）
◦ 小破　　　（阪神大震災）
● 崩壊、大破（十勝沖、宮城沖地震）
○ 中破　　　（十勝沖、宮城沖地震）
• 小破　　　（十勝沖、宮城沖地震）

2.11　耐震化の必要性の判断

「地震の震動及び衝撃に対し倒壊し、又は崩壊する危険性が低い」との評価を受けた場合は、耐震化の必要性は無いとされております。

「地震の震動及び衝撃に対し倒壊し、又は崩壊する危険性がある」との評価を受けた場合は、可能な時期に耐震化を実施することが望ましいです。

「地震の震動及び衝撃に対し倒壊し、又は崩壊する危険性が高い」との評価を受けた場合は、早急に耐震化を実施することが望ましいです。

3. 補強設計について

3.1 補強設計の概要

耐震診断において、「地震の震動及び衝撃に対し倒壊し、又は崩壊する危険性がある」または「地震の震動及び衝撃に対し倒壊し、又は崩壊する危険性が高い」と評価された建物において、必要な耐震補強量を計算し、工事に必要な図面を作成する作業を、「耐震補強設計」と呼びます。

3.2 補強設計の手順

補強設計は大きく、基本設計と実施設計に分かれます。基本設計では耐震診断の見直しと補強方針の決定を行い、実施設計では計算書と図面の作成、設計者により工事費の積算（設計積算）まで行います。（図1−3参照）

3.3 耐震診断の見直し

2017年にRC造の耐震診断と補強設計の指針である、「既存鉄筋コンクリート造建築物の耐震診断基準・改修設計指針・同解説」（RC診断指針、（一財）日本建築防災協会）の16年ぶりの大改訂が行われました。

この「2017年改訂版」の発行は、最新の知見を反映するためのものですが、特に2011年の東日本大震災において、旧耐震建物の地震被害が耐震診断結果よりも比較的軽微であったことから、これまで厳しすぎた基準の一部を緩和することで、耐震改修工事が進みやすくすることを目的に、改訂が行われました。

そのため旧指針（2001年改訂版）にて耐震診断がなされている建物は、「2017年改訂版」にて再度、耐震診断を実施すると、耐震診断の判定結果が引き上がる傾向にあります。

これを「2017年改訂版」では「耐震診断の見直し」と位置付けており、補強設計の前に実施することが記載されております。

「2017年改訂版」による「耐震診断の見直し」の採用は、現在、徐々に増えてきており、判定結果の引き上げによる補強工事量の削減で、耐震補強工事に進む事例が出始めております。さらに、場合によっては、耐震化が不要になるケースも現れております。

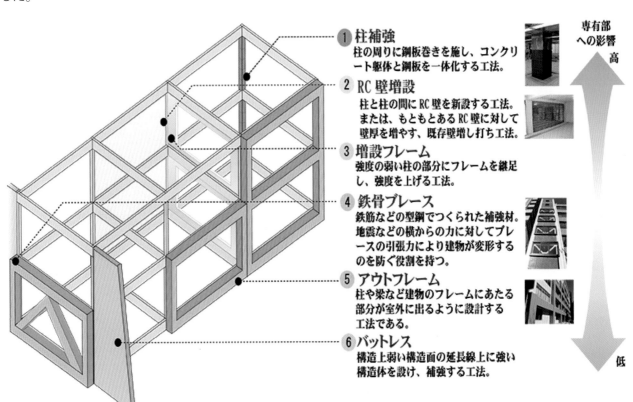

図3−1 耐震改修工事の種類と分類

3.4 概算補強量の検討と基本設計

耐震診断の結果のうち Is 値から必要な耐震補強量を簡単な計算式で導く方法が診断指針に記載されており、これを「概算補強量の検討」と呼びます。

耐震改修工法は、非常に多くの種類があります。（図3−1参照）

そのため設計者は、いくつかの補強案を検討し、建物所有者等と補強方針を検討する必要があります。

その際に、概算補強量の検討が用いられます。

概算補強量の検討にて、補強方針と概算の工事費を決めた後、合意形成と事業予算の作成を行います。

3.5 合意形成と事業予算の作成

分譲マンションの場合、補強方針の検討では、工事完了後の居住性（採光・通風・美観等）のほか、工事中の仮移転による補償費の有無や、工事費の支払いに必要な修繕積立金の値上げ、もしくは一時金の徴収、または借入の検討などを、基本設計段階で行う必要があります。

これらは、すべて区分所有者の合意形成を行いながら進める必要がありますので、管理組合は、耐震専門委員会の立ち上げや、臨時総会の実施などを計画する必要があります。

3.6 実施設計

基本設計段階で、補強方針の確定と合意形成が確認できた後、設計者は補強設計の計算書と、補強図面（改修箇所の意匠・構造・設備図）の作成を行います。

3.7 設計積算

設計者は、実施設計図面をもとに、市況単価から工事費の積算を行います。これを「設計積算」と呼びます。設計積算により最終的な予算（工事の予定価格）を確定し、工事業者の選定を行えるようにします。

3.8 工事業者の選定

設計者は入札仕様書を作成し、管理組合は入札により工事業者を選定します。予定価格と入札価格の比較の他、工事業者の技術力や実績なども加味して選定を行います。

4. 耐震改修工事について

4.1 耐震改修工事の手順

耐震改修工事は概ね、工事計画の作成、工事費積算、工事契約、資材の発注、準備工事（仕上げの撤去、設備の盛替え、仮設工事など）、補強工事、復旧工事（仕上げの復旧、設備の復旧、仮設の撤去など）、の順番で行います。（図4−1参照）

4.2 工事計画の作成

マンションの場合、居住者が居る状態のまま工事を行う「居ながら工事」が多いため、工事期間中の居住者の安全と居住性を確保する必要があります。そのため工事業者と設計者は、事前に工事計画を管理組合とよく検討する必要があります。

一般的には補強設計時に、工事期間中の居住者の仮移転を避けるために、専有部内（住戸内）の工事を避け、共用部内（バルコニーや共用廊下）にて、補強工事を行うように計画をします。

工事計画では、工事期間中のバルコニーの使用禁止や、共用廊下の一部の通行禁止について、管理組合と協議します。また工事中の騒音や振動、粉じんなどの問題もあるため、騒音や振動、粉じんが少ない工法へ変更するなどの対応がされる場合もあります。

工事範囲や工法を確定した後は、資材の搬入時期や仮設工事の時期、重機等が敷地内に入る（掘削や補強部材の取付工事など）の時期を検討し、安全計画も検討した後、工程表を作成します。

管理組合は、工事費と工程表と工事計画図について、設計者の確認と、居住者の合意を得た後、工事契約に進みます。

4.3 工事契約

工事契約書は、表書きと約款、工事図面と見積書からなります。表書きには、発注者と請負者、金額と支払い条件と工期が記載されます。

約款は、「民間（旧四会）連合協定工事請負契約約款」の使用が一般的ですが、2019 年の民法改正を受けて、「民間（七会）連合協定工事請負契約約款」の使用が勧められております。

また工事費の支払い条件には、総額の何割かを契約時に支払う内容とすることが一般的です。

①外構構築物の解体

②基礎の根伐(ねぎり)

③基礎の配筋

④1階コンクリート打設

⑤鉄骨建方

⑥柱・梁配筋

⑦躯体コンクリート打設

⑧コンクリート打設完了

某マンション耐震改修工事鉄骨
鉄筋コンクリート構造12階建
て(全95戸)
鉄骨鉄筋コンクリート構造のア
ウトフレーム補強による

耐震改修前

耐震改修後

図4-1　耐震改修工事の手順の事例

4.4　工事監理と工事管理

　現在、設計と施工の分離発注の有無に関わらず、設計事務所に工事監理を依頼する事が多くなっております。目的は施工の品質管理の向上です。

　工事監理者は、発注者の代理人であり、工事が設計図どおりに行われているかをチェックします。工事契約とは別に、監理業務契約を管理組合と設計事務所間で結びます。

　工事管理者は、工事業者の現場代理人であり、いわゆる現場監督です。工事を工事契約どおりに遂行するため、現場常駐もしくは巡回により、工事の進捗管理（工程管理）、作業員および周辺住民の安全確保、材料の発注・管理による原価管理などを行います。

4.5　段階的改修

　耐震改修工事は、一度にすべての工事を完了することが望ましいですが、事業費の関係や、区分所有者の合意形成の都合等により、一度にすべての工事を実施できない場合があります。このような場合、緊急性の高い補強からまずは行い、数回の工事で耐震化を目指す「段階的補強」が選ばれる場合もあります。全体工事費は割高になりますが、事業計画上やむを得ない場合に選択します。

4.6　耐震改修工事と大規模修繕の時期

　マンションの機能の維持保全を図るにあたり、中・長期修繕計画に基づく計画修繕は、管理組合の重要な業務の一つです。大規模修繕工事は、建物の機能を竣工時と同等に保つための維持を目的とした「修繕」工事であり、工事範囲は、屋上防水から外壁改修まで多岐に渡ります。

　耐震改修工事は、維持ではなく機能向上を目的にするもので、構造体の不足している耐震性を向上させる、「改良」の工事にあたります。（図4－2参照）

　修繕時には改良までを合わせて行う（改修を行う）ことで、機能を現行建物と同水準まで引き上げられます。

　また大規模修繕工事と耐震改修工事は、外壁工事など、重なる工種が多いことから、同時に実施する事で、仮設費や外壁工事費などが二重にかかることを防げ、トータルのコストを削減することが出来ます。

5. 支援策について

5.1　耐震化事業の費用

　耐震診断、補強設計、耐震改修工事の監理業務費は、国交省告示第670号「建築士事務所の開設者が耐震診断及び耐震改修に係る業務に関して請求することのできる報酬の基準」に定める略算法により、建物の延床面積から各費用を算出することができます。

　ただし耐震改修工事費については、耐震診断結果に基づく補強案から概算工事費を積算しなければ、費用を算出することはできません。

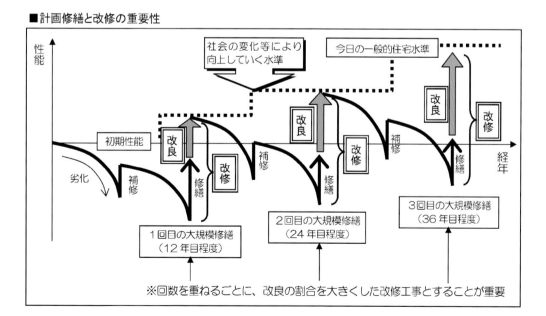

図4－2　修繕と改修の概念図「改修によるマンションの再生手法に関するマニュアル」（国土交通省）

そのため、まずは耐震診断の実施、もしくは耐震診断の見直しを行うことが重要になります。

5.2 支援策

国や自治体は、耐震対策緊急促進事業として、耐震化の促進の為に耐震化事業（耐震診断・補強設計・耐震改修工事）へ、助成・減免・融資の３つの経済的な支援策と、認定による２つの法的な支援策を設けております。

5.3 助成制度

国と自治体は、耐震診断・補強設計・耐震改修工事に、助成制度を設けております。

助成金の窓口は、各自治体（所管行政庁：市区町村）になります。助成率や運用規定は、所管行政庁によって異なるため、事前にホームページや所管行政庁の窓口に確認する必要があります。

5.4 助成制度（耐震診断の義務付け建物）

マンションの場合、特定緊急輸送道路沿道建築物（特定沿道。図５－１参照）に該当した場合、耐震診断の義務付け建物となりますが、比較的高い助成率が望めます。

助成率は、国が原則形を示しており（図５－２参照）、具体的な数値は、所管行政庁によって異なります。

助成金の支給期限は、令和１年度の制度の拡充により、令和４年度末迄に補強設計に着手したものとなりました。

5.5 段階的耐震改修

所管行政庁によっては、段階的な耐震改修に対しても助成を行っています。東京都の場合は、2020年４月に耐震改修促進計画の一部を改定し、段階的耐震改修について、耐震化完了の期限の規定を無くし、２回目以降の工事が未定の場合でも、改修後のIs値が０・３以上になることを条件に、工事費の助成する規定としました。

5.6 減免制度（税制の優遇制度）

耐震診断の義務付け対象建築物のうち、耐震改修工事が完了した年の翌年度から２年間分の固定資産税について、税額の２分の１が減額されます。ただし耐震改修工事費の2.5％が上限です。令和２年度には適用期限が３年間延長されました。

5.7 融資制度

日本政策金融公庫による融資制度（防災・環境対策資金）等のほか、都道府県においても、利子補給による利率の引き下げや信用保証料の優遇措置が講じられる場合があります。各都道府県により異なります。

5.8 区分所有建築物の耐震改修の必要性に係る認定

1で前述のとおり、区分所有法17条1項より、耐震診断と補強設計は普通決議（区分所有者及び議決権の過半数以上の賛成）、耐震改修工事は特別多数決議（区分所有者及び議決権の各４分の３以上の賛成）による決議が必要になります。

図５－１ 東京都の緊急輸送道路（沿道建物は道路中心から45度の線にかかるものが対象）

ただし、区分所有建築物の耐震改修の必要性に関わる認定（耐震改修促進法第25条の規定に基づく認定）を取得することで、各4分の3以上の賛成を、過半数以上の賛成に緩和することができます。

この場合、建物は「要耐震改修認定建築物」という扱いになり、所管行政庁へ工事着手と完了報告が必要になりますが、耐震改修工事の法的な義務は、努力義務のままで変わりません。

5.9 安全認定

耐震診断で目標値を満たした場合や、耐震改修工事の完了により、現在の耐震基準と同等の耐震性を有する建物となった場合、所管行政庁へ申請することで、安全認定（耐震改修促進法第22条第1項の規定に基づく基準適合建築物の認定）を得ることができます。

安全認定が認められた建物は、所管行政庁より「認定通知書」が交付され「基準適合認定建築物」となります。

「基準適合認定建築物」は、耐震性について、既存不適格建築物ではなく、基準適合建築物として、法的に取り扱えるようになります。建物所有者は、売買や貸出の際、重要事項説明書や広告などに、その旨を表示できるようになります。建物価値の向上を図ることができます。

また基準適合認定建築物は、耐震マーク表示制度により、専用のプレート（図5−3参照）を建物に掲げる事ができます。建物利用者に耐震安全性をアピールする事ができます。

図5−3　耐震マーク

図5−2　義務付け建物の助成金の原則形（国土交通省）

外壁タイル補修

（一社）マンションリフォーム推進協議会　技術委員　**奥西　弘**

はじめに

　マンション等のコンクリート構造物は、単に美観のためだけではなく、躯体を保護するためにも外壁を仕上げ材で被覆することが一般的となっております。また、近年、地球環境の保全という観点から建物の長寿命化が求められており、外壁仕上げ材に関しても耐用年数の長い材料が好まれています。

　一般にタイルは、土や石等を高温で焼き固めたセラミックスであるため非常に硬く、極めて耐久性に優れた材料として知られています。また、タイルならではの質感や重厚感によるデザイン性の高さ、美しさを有することもタイル張り仕上げの大きな特徴といえます。

　このようにタイル張り仕上げは、意匠性や耐久性に非常に優れており、長期にわたってその美観を維持できることから、発注者や設計者の広い要求に応えられる仕上げ材として近年では多くの建物に好んで採用されています。

　外壁タイル張り仕上げの施工方法は、施工技術や施工材料の発達、その時々のニーズに合わせて変化しています。従来の施工方法では、下地となるコンクリート躯体面の不陸を調整し、コンクリート躯体仕上げ面の精度を確保するために、下地モルタルを塗布した後にタイルを張付ける、所謂後張り工法が主流でした。しかし、近年では、工期の短縮や省力化、コストダウンのために下地モルタルのないタイル直張り工法が普及しています。

　また、外壁タイル張り仕上げには長期間の運用に伴い、気温や日射、天候の影響など環境の影響による経年劣化が進行し、一度タイルが剥離してしまうと、大きな事故につながってしまう可能性があることも無視できません。

　表1にて外壁タイル剥落事故が発生した事例を一部抜粋し、まとめておりますが、1989年北九州市にある集合住宅にて、塔屋部のタイルが縦5m×幅8.6mにわたって剥がれ落ち、それが通行人にあたり2名が死亡（1名は搬送後死亡）、1名が重傷を負うといった事故が発生しました。

　この事故は大きな社会問題に発展し、全国的にタイルの剥落による危険性が知れ渡りました。

　表1で取り上げている他にも、外壁タイルの剥落による事故は全国各地で相次いで発生しております。

表1　外壁タイル剥落事故事例

発生年月日場所	建物概要	事故概要
平成元年11月 北九州市	住宅・都市整備公団 （築後17年）	塔屋部タイルが5m×8.6mにわたり、約30mの高さから落下。 死者2名、重傷1名。階下駐車のタクシー中破。
平成2年1月 東大阪市	オフィスビル RC造6階建 （築後21年）	3階部外壁小口タイルの一部が剥離。約9mの高さから落下。 通行人が負傷。
平成2年2月 北九州市	大学校舎 RC造4階建 （築後13年）	4階パラペット部のモルタル下地タイル張り外壁（1.5m×4m×0.05m）が躯体表面から剥離。約16mの高さから落下。 バイク4台破損。
平成2年3月 北九州市	共同住宅 SRC造9階建 （築後13年）	8、9階部モルタル下地タイル張り外壁（4m×1m）が剥離。約25mの高さから落下。　死傷者無し。
平成2年2月 北九州市	大学校舎 RC造4階建 （築後13年）	4階パラペット部のモルタル下地タイル張り外壁（1.5m×4m×0.05m）が躯体表面から剥離。約16mの高さから落下。 バイク4台破損。
平成2年3月 北九州市	共同住宅 SRC造9階建 （築後13年）	8、9階部モルタル下地タイ張り外壁（4m×1m）が剥離。約25mの高さから落下。　死傷者無し。
平成17年6月 東京都中央区	雑居ビル RC造8階建 （築後15年）	斜壁部モルタル下地タイル張り外壁5m×7mにわたり剥離。重傷1名、軽傷1名。
平成23年2月 静岡県富士宮市	S造	外壁タイル高さ2m×幅12m×厚み約6cmが落下。死傷者無し。
平成27年2月 東京都新宿区	雑居ビル RC造9階建	外壁小口タイルが縦約50センチ×横約30センチにわたり落下。負傷者無し。
平成27年2月 群馬県伊勢崎市	玄関ホール	玄関ホール内壁タイル2枚（大形）が高さ8mから落下。20代男性職員の顔をかすめ負傷。

1. タイル剥落のメカニズム

　外壁タイルの剥落は、コンクリート躯体と下地モルタルの層間、下地モルタルと張付けモルタルの層間、張付けモルタルとタイルの層間、コンクリート躯体と張付けモルタルの層間（直張りタイル仕上げの場合のみ）に発生し、基本的には剥落の前に剥離が発生します。

外壁タイルにおける剥離の要因として、ディファレンシャルムーブメント（相対歪み）による剥離メカニズムが考えられています。

タイル張り仕上げの建物は、基本的にコンクリート躯体、下地モルタル、張付けモルタル、タイルが積み重なるように構成されています。これらの構成材は、それぞれ異なった材料でできているにもかかわらず、層状に一体化しています。これらの異なった材料でできた構成材は、日射や外気温、湿度等の変化によってそれぞれが伸び縮みしたときに、異なった挙動を起こします。この異種材料間に発生する歪みによって各層間に繰り返しのせん断力が発生し、このせん断力が各層間の接着力を上回ると、**図1**で示しているように剥離、浮きが生じてしまいます。

また、近年増加している直張り工法によって施工されたタイル張り仕上げでは、コンクリート打設時に地球環境問題や廃棄物問題への対応として、合板型枠の転用回数を増やす目的で、塗装合板を使用するケースが増えています。しかし、型枠脱型後のコンクリート表面は平滑で、張付けモルタルの付着が悪く引張接着強度が得られにくいため、コンクリート界面からの剥離原因の一因に挙げられています。

こういったタイルの剥落事故の相次ぐ発生により、2010年4月に建築基準法第12条に基づく定期報告制度が改正され、2～3年ごとに手の届く範囲における部分打診調査、その他を目視で確認し異常があれば歩行者等に危害を加えるおそれのある面を全面打診にて調査することが義務付けられました。また、竣工、外壁改修、全面打診等を行い10年経過後、最初の調査時点で3年以内に全面打診を行っていない場合は、歩行者等に危害を加えるおそれのある面を全面打診調査することが建物の持ち主、管理者に義務付けられ、これまで以上に適切なタイル外壁の調査と定期的な維持保全の実施が求められました。

また、これらを背景に、既存のタイル張り外壁の剥離、剥落に対する安全性を確保することを目的として適切な改修工法を適用することの必要性が強まっています。

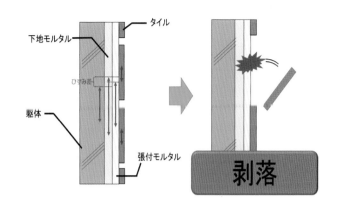

図1　外壁タイル剥落のメカニズム

2. タイル張り仕上げ外壁の浮きに対する改修工法

タイル張り仕上げ外壁の浮き、剥離に対する改修工法は、「公共建築改修工事標準仕様書（建築工事編）」（国土交通省大臣官房官庁営繕部監修）や、「建築改修工事監理指針」（国土交通省大臣官房官庁営繕部監修）にて標準化されています。これらに標準化された施工方法は公共建築物だけでなく、民間建築物やマンション等の改修工事においても改修工法の検討に参考にされています。

浮き部の改修工法については、浮きが発生している界面の位置や劣化の程度、改修時の要求性能等に応じて適切な改修工法を選定する必要があります。

まず、浮きが発生している場合、浮き部の劣化の程度を調べる必要があります。タイルの浮き部が通常レベルの打撃によって剥落する恐れのある場合、該当範囲を除去した後欠損部改修工法より工法の選定を行います。

次に、コンクリート躯体の劣化を含む浮きが発生しているのか、それともタイル張り仕上げ層で浮きが発生しているのかを調査する必要があります。

コンクリート躯体の劣化を含む浮きが発生している場合、タイル浮き部の改修だけでは問題を解決できないため、別途コンクリート躯体に対する改修も含めた工事が必要になります。

また、タイル張り仕上げ層で浮きが発生している場合、的確な改修工法を選定するために、**図2**の①～④のどこの界面で浮きが発生しているのか正確に調査する必要があります。

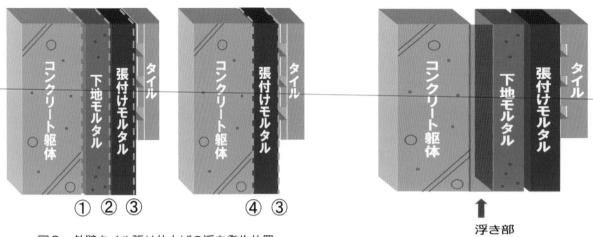

図2　外壁タイル張り仕上げの浮き発生位置

　図3は、タイル張り仕上げ層における浮き部の改修工法を選定するフローになっております。

2.1　コンクリート躯体と下地モルタルの層間で浮きが発生している場合

　図4のようにコンクリート躯体と下地モルタルの層間で浮きが発生している場合、アンカーピンニングエポキシ樹脂注入工法または、注入口付きアン

図4　コンクリート躯体と下地モルタルの層間で
　　　浮きが生している場合

カーピンエポキシ樹脂注入工法が有効な補修工法とされています。

2.1.1　アンカーピンニングエポキシ樹脂注入工法及び入口付きアンカーピンエポキシ樹脂注入工法

　アンカーピンニングエポキシ樹脂注入工法及び注

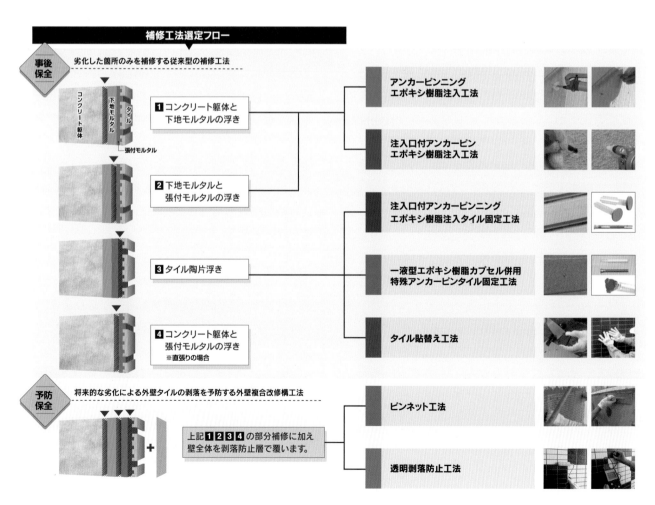

図3

入口付アンカーピンニングエポキシ樹脂注入工法は、タイル陶片の浮きが無く目地モルタルが健全で、コンクリート躯体と下地モルタル間に浮きが発生している場合に用いる工法で、図5及び図6の断面図で示しているように、ステンレス（SUS304）製のアンカーピンと建築補修用及び建築補強用注入エポキシ樹脂 JIS6024 の硬質形・高粘度形エポキシ樹脂でコンクリート躯体に固定する工法で、浮き面積の拡大を阻止するとともに、大面積の剥落を防止する処置として有効な工法です。

注入口付きアンカーピンエポキシ樹脂注入工法は、開脚式のアンカーピンを使用しており、アンカー機能の他に注入口も兼ね備えているのでアンカーピンニングエポキシ樹脂注入工法と比較した際、穿孔の数を減らすことができ、穿孔の工数や騒音の低減にも寄与することができます。また、樹脂注入後にステンレスピンを挿入するアンカーピンニングエポキシ樹脂注入工法とは工程が異なり、先に開脚式のステンレスアンカーピンで機械的な固定を行うため、注入施工時の圧力によるタイルの剥落や、周囲の浮きが発生していない健全なタイルまで浮かせてしまう共浮きを防ぐことができます。

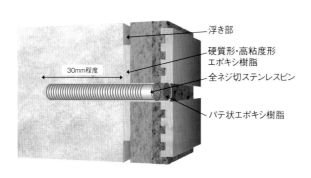

図5　アンカーピンニングエポキシ樹脂注入工法断面図

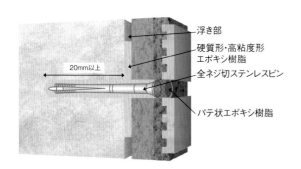

図6　注入口付きアンカーピンエポキシ樹脂注入工法断　面図

2.1.2　部分エポキシ樹脂注入と全面エポキシ樹脂注入

アンカーピンニングエポキシ樹脂注入工法と注入口付アンカーピンニングエポキシ樹脂注入工法には、それぞれ部分エポキシ樹脂注入工法と全面エポキシ樹脂注入工法があり、特徴が異なります。

部分エポキシ樹脂注入工法は、浮き部の剥落防止及び耐久性の確保を目的とする工法で、改修工事終了後にもエポキシ樹脂未充填の浮き部が残存します。

一方全面エポキシ樹脂注入工法は、浮き部の剥落防止に加え、長期にわたり耐久性を確保することを目的とする工法で、特に寒冷地で雨水の侵入により凍結融解のおそれがある場合に適用します。この工法は、残存浮き部に対し、エポキシ樹脂をほぼ全面に注入充填する工法ですが、実際に全面にエポキシ樹脂を行き渡らせるには「建築改修工事監理指針」（国土交通省大臣官房官庁営繕部監修）等に記載されている仕様通りの本数では難しいため、どこまで完全な注入充填を目指すのか等、事前に施工者との協議が必要です。

2.1.3　タイル直張り仕上げ外壁の浮き部補修について

前述でもご紹介しました、タイル直張り仕上げ外壁は、コンクリート躯体をそのまま下地とする工法で、下地モルタルの施工をなくすことで、工期の短縮、省力化、コストダウンを目的とし、近年非常に普及している工法です。そのため、下地モルタルが存在しないタイル直張り仕上げ外壁の改修工事が増加しています。

しかし、アンカーピンニングエポキシ樹脂注入工法や注入口付アンカーピンニングエポキシ樹脂注入工法のような公共建築改修工事標準仕様書や建築改修工事監理指針に記載されている一般的な改修工法は、コンクリート躯体とタイルとの間に下地モルタルがあることを前提としており、タイル直張り仕上げ外壁のタイル浮き部に対する改修工法としては適応できないケースがあるのが実情です。

タイル直張り仕上げ外壁浮き部補修の問題点は以下のような事が挙げられます。

浮き層の特定が困難であり、また、複数の界面の浮きが併発している場合もあるため、注入が困難な場合があります。

張付けモルタル層が非常に薄く、浮き補修のためのエポキシ樹脂を注入する際に、注入圧による膨らみ、タイルの破損、浮き部の拡大等が懸念されます。

タイル張替えにおける納期の問題や既存タイルとの色味違いや目地の色違いによる意匠上の不具合がおこります。

このようなことから、タイル直張り仕上げ外壁浮き部補修を行う際には、状況に応じて事前に試験施工等を実施し、適正なエポキシ樹脂の注入量やピッチの確認を行い、周囲の健全なタイルの浮きを広げないよう注意する必要があります。また、その他の有効な工法としましては、タイル陶片の浮き補修で使用される注入口付アンカーピンニングエポキシ樹脂注入タイル固定工法や、浮き部のさらなる進展や危険性が懸念される場合には、既存の外壁タイルに対して全面的に改修することのできる外壁複合改修構工法（ピンネット工法）や既存のタイル風合いを生かすことができる透明剥落防止工法もあります。

2.2　下地モルタルと張付けモルタルの層間で浮きが発生している場合

図7のように、下地モルタルと張付けモルタルの層間で浮きが発生している場合は、コンクリート躯体と下地モルタルの層間で浮きが発生している場合と同様に、アンカーピンニングエポキシ樹脂注入工法または、注入口付きアンカーピンエポキシ樹脂注入工法が有効な補修工法とされています。

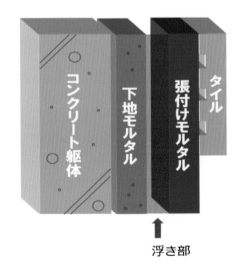

図7　下地モルタルと張付けモルタルの層間で浮きが発生している場合

2.3　張付けモルタルとタイルの層間で浮いている場合（タイル陶片浮き）

図8のように、浮きが張付けモルタルとタイルとの層間で浮いている（所謂タイル陶片浮き）場合、注入口付アンカーピンニングエポキシ樹脂注入タイル固定工法が有効な補修工法とされています。

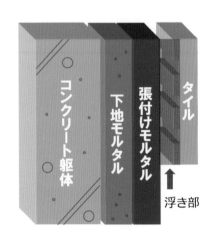

図8　張付けモルタルとタイルの層間で浮いている場合（タイル陶片浮き）

2.3.1　注入口付アンカーピンニングエポキシ樹脂注入タイル固定工法

注入口付アンカーピンニングエポキシ樹脂注入タイル固定工法は、図9のようにタイル陶片の浮きをコンクリート躯体に固定する機能を有する注入口付アンカーピンと、建築補修用及び建築補強用注入エポキシ樹脂 JIS6024 の硬質形・高粘度形エポキシ樹脂を用いて、浮いているタイル1枚1枚をコンクリート躯体に固定する工法です。

この工法では、タイルの中心部にピンを打つための孔を穿孔しますが、振動ドリルやハンマードリルのように衝撃力の強いドリルはタイル自体を破損するおそれがあるため、無振動ドリルを用いて穿孔します。無振動ドリルは躯体に衝撃を与えず、大変静かであるため、居住者に不快感を与えない利点もあります。

注入後には、タイルと同色に焼付塗装を施したキャップ等をはめ込むことによって、タイルの意匠性を損なわず、補修跡を目立たせずに仕上げることが可能です。

また、適用可能なタイルの大きさは、小口タイル以上の比較的サイズの大きなタイルに適用することとなっております。これは、モザイクタイル等の小さなタイルに補修を行う場合、施工の本数が極端に

増えてしまうために実用性に欠けてしまうことや、キャップ等をはめ込む際にタイル表面を座掘りする必要があるため、タイルに一定以上の厚みが必要となるためです。

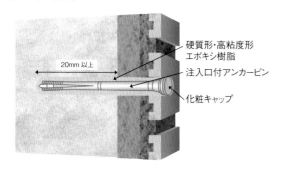

**図9　注入口付アンカーピンニングエポキシ樹脂
注入タイル固定工法**

2.3.2　1液型エポキシ樹脂カプセル併用特殊アンカーピンタイル固定工法

近年では、張付けモルタルとタイルの層間での浮き（タイル陶片浮き）に対して、注入口付アンカーピンニングエポキシ樹脂注入タイル固定工法以外のタイル固定工法が開発されています。

1液型エポキシ樹脂カプセル併用特殊アンカーピンタイル固定工法は、**図10**のようにステンレス（SUS304）製の特殊アンカーピンと、一液型エポキシ樹脂を封入したカプセルを用いて浮いているタイル1枚1枚をコンクリート躯体に固定する工法です。

この工法では、事前にアンカーピン頭部に既存タイル同色に着色加工した特殊アンカーピンを使用するため、補修跡を目立たなくするためのキャップ等を施す必要がなく、タイルの厚みや大きさに左右されることなく施工が可能です。また、エポキシ樹脂を封入した特殊カプセルを使用することにより施工及び管理が容易で、施工時にエポキシ樹脂が漏れて周辺を汚してしまう恐れがありません。

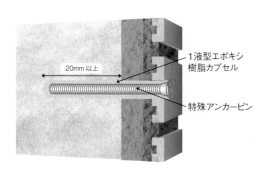

**図10　1液型エポキシ樹脂カプセル併用型
特殊アンカーピンタイル固定工法**

3．外壁複合改修構工法

ここまでに、外壁タイルの浮き部補修方法として、浮きの状況や劣化箇所に応じた各種部分補修工法を紹介してきました。

タイルやモルタルの浮きに対する樹脂注入工法は、長い歴史と実績をもち外壁タイルの維持保全において、非常に有用で効果的な工法であるといえます。

しかし、これらの一般的な改修方法では、その時点で劣化している部分に対しては、効果が期待できる一方で、未補修部分については、引き続き将来的な劣化への懸念が残ります。そのため、部分的な補修にとどまらず、既存の外壁タイルに対して全面的に改修することが建物を長期にわたって維持保全するうえで、より望ましいと言えます。

「建築改修工事監理指針」では「改修標仕」以外の外壁改修として、外壁複合改修構工法が挙げられています。外壁複合改修構工法は、劣化したモルタル塗り仕上げ外壁やタイル張り仕上げ外壁等を対象とした改修工法であり、ポリマーセメントモルタルと繊維ネット、アンカーピンを併用した所謂ピンネット工法や透明な樹脂系材料を用いて既存外壁の意匠を維持するものなど多くの工法が開発されています。従来の補修工法と大きく異なる点は、対象の外壁に対して全面的な改修を施すことにより、未劣化部分の予防保全が期待できることにあります。

3.1　ピンネット工法
―ポリマーセメントと繊維ネットによる
実績豊富な剥落防止工法―

最もよく知られた外壁複合改修構工法であるピンネット工法は、**図11**のように繊維ネットにより一体化した剥落防止層をアンカーピンを用いて躯体に機械的に固定することによって、面として剥落に対する安全性を確保するものとされています。

これらのピンネット工法は、前述した北九州市のタイル剥落による死亡事故を契機に1990年頃より急速に広まり、現在では年間約50万㎡の施工が全国にてなされております。このように、現在に至るまでの豊富な実績と高い安全性による信頼を両立した工法であるといえます。また、同工法は既存仕上げ材を撤去することなく施工することが可能である

為、建設廃棄物の産出を抑えられることも特徴の一つとして挙げられます。さらに、ピンネット工法により剥落防止性能を確保した上で、新規の仕上げを施すことで時代の変化に伴って外壁の意匠を一新する手法も選択肢の一つとして採用されています。

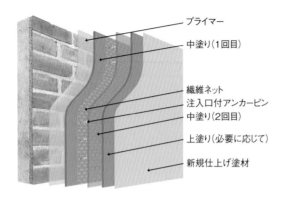

図11　ピンネット工法断面図

プライマー
中塗り（1回目）
繊維ネット
注入口付アンカーピン
中塗り（2回目）
上塗り（必要に応じて）
新規仕上げ塗材

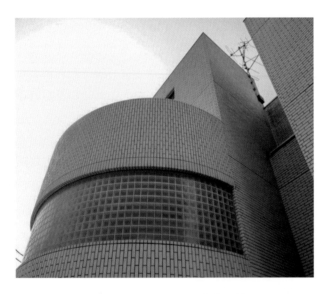

写真1　ピンネット工法施工前

写真2　ピンネット工法施工後

3.2　透明剥落防止工法
——既存のタイル意匠が活きる、
外壁仕上材の剥落防止工法——

一方で、ポリマーセメント等の無機系塗材を用いるこれらの外壁複合改修構工法は、対象面を全面的に被覆してしまう為に、タイル張り仕上げ等の既存の意匠を活かしたい場合に十分に対応できないことが、一つの課題としてあげられていました。

そのため今日では、外壁タイルが持つ本来の重厚感によるデザイン性の高さや美しさ、既存のタイルの風合いを活かすことができる外壁複合改修構工法のニーズが急速に高まってきました。

その中でも、図12のように、アンカーピンニングにより、既存仕上げタイルをコンクリート躯体に固定した後に、透明度の高い樹脂系塗材を塗り重ねることで剥落防止層を形成し、タイル張り仕上げ外壁の剥落に対する安全性を確保する工法が、既存のタイルの意匠性を大きく損なうことがない新たな剥落防止工法として注目されています。

従来、外壁複合改修構工法は、ピンネット工法を代表として左官作業を主とする工法が主流でしたが、近年続々と開発されている樹脂系塗材による工法の多くが、一般的な塗料と同様にローラー作業によって施工が可能なことも特徴の一つとして挙げられます。

また、これらの樹脂系塗材を用いた工法は、剥落防止層に繊維ネットを用いない構成となっているものが主流となっています。これにより、施工工程が大きく簡略化された一方で、剥落防止性能は塗材の塗布量に依存することとなります。その為、規定塗布量が塗布されていることを如何にして管理するかが課題とされており、膜厚計を用いた膜厚検査なども導入されています。また、塗料の排出するVOC削減が近年世界的な課題となっている中、水性材料を用いた外壁複合改修構工法も開発されており、居住者や作業者の健康面や地球環境にも配慮した改修工法として、その進化を続けています。今後、建物の改修に取り組むにあたっては、こうした側面も十分に考慮することが求められます。

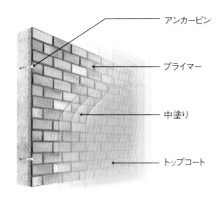

図12　透明剥落防止工法断面図

（ラベル）アンカーピン／プライマー／中塗り／トップコート

写真3　透明剥落防止工法施工前

写真4　透明剥落防止工法施工後

終わりに

　この度紹介しました外壁複合改修構工法は、劣化部の剥落に対する安全性を確保するのみではなく、残された健全部分に対しても劣化の進行を遅延する

予防保全効果が期待できます。さらに、タイル張り仕上げ層の剥落に対して最長10年間の保証や、第三者賠償責任保険が付帯する工法もあり、さらなる安全・安心を提供することができます。また、建物全体として考えた場合に、一般的な部分改修工法を適用する場合と比較して剥落に対する安全性が高く、長期の耐久性を確保することができるため、ライフサイクルコストを低減することも期待できます。

　建築物を長期にわたり使用していくためには、定期的に点検し、必要に応じて補修等を行い、維持管理を適切に実施していくことが当然大切になってきます。それに加え、建築物の改修工事を行う際には、建物の劣化の状態を正しく把握するための「調査・診断」も非常に重要です。施工技術及び使用する材料がいかに優秀なものであっても、出発点である「調査・診断」が適切でなければ、劣化に対して正しい補修を行うことができないからです。外壁タイルの補修におきましても同様に、現在の劣化状況を正しく把握し、適切な工法を選定することが必要不可欠です。ご紹介させていただきました、一般的な部分改修工法（事後保全）を適切に選定することはもちろんですが、状況や必要に応じて外壁複合改修構工法（予防保全）により全面改修を実施することも建物を長期にわたって使用していくうえでは必要な選択肢になってきます。

　近年、我が国では南海トラフ地震等や首都直下地震などの大規模な災害に関するリスクが年々高まっています。このような環境の中で、既存タイル外壁の改修を行うにあたって、タイルの持つ意匠を活かしつつ、又はデザインのリニューアルが可能であり、建物を長期にわたって剥落の危険から守る外壁複合改修構工法への需要は今後更に高まっていくと考えられます。

参考文献
1) 国土交通省大臣官房官庁営繕部:公共建築改修工事標準仕様書（建築工事編）平成25年版,平25.5
2) 国土交通省大臣官房官庁営繕部:建築改修工事監理指針 令和元年版（上巻）,令1.12
3) 日本建築仕上学会　タイル張り外壁の保全技術体系化委員会編:タイル張り仕上げ外壁の保全技術-調査診断から改修工事後の保全技術まで-,平25.8

補助金を活用したマンション改修事例について

（一社）マンションリフォーム推進協議会／一級建築士　**小村　直樹**

1. はじめに

　既存マンションにおいてその資産価値を維持していくためには、大規模修繕工事が必要です。さらに時代にあわせてその性能を向上させる改修工事では、耐震改修やバリアフリー改修、給排水管などの設備改修が多く行われていると思います。また、省エネ性能を向上させる改修では、カバー工法※によるサッシ改修や樹脂内窓取付けなども、ここ数年増えています。しかし、これら性能を向上させる改修工事については、もともとの修繕積立金だけでは足りず、補助金制度の後押しが無いと実現しないのが実情ではないでしょうか。このレポートでは 2012 年以降、補助金を活用して行われた改修工事の実例をご紹介いたします。

※既存の枠の上から新しい枠を取り付ける工法

2. 長期優良住宅化リフォーム推進事業（国土交通省）

　既存マンションが対象の代表的な補助金のひとつが、国土交通省の「長期優良住宅化リフォーム推進事業」の補助金です。（**図1**）平成 27 年から始まり、令和 2 年度も 45 億円の予算が付きました。目的は「良質な住宅ストックの形成や、子育てしやすい生活環境の整備等を図るため、既存住宅の長寿命化や省エネ化等に資する性能向上リフォームや子育て世帯向け改修に対する支援を行う」こととなっています。対象事業は以下の①、②を満たすリフォーム工事です。

①インスペクションを実施し、維持保全計画・履歴を作成すること
②工事後に耐震性と劣化対策、省エネルギー性が確保されること

図1　長期優良住宅化リフォーム推進事業の概要
（出典：国土交通省）

令和2年度から新たに省エネルギー性が必須項目となり、マンションにおいては一気にハードルが上がりました。ある管理組合は、設備改修のみで補助金申請を予定していましたが、同時に省エネ改修も必要となり、予算不足で申請を断念せざるを得なくなっています。

令和2年度も補助率は補助対象費用の3分の1、限度額は1住戸当たり100万円が基本です。また、マンションの場合は一管理組合あたり1億円までとなっています。

それでは実際にどのような工事が対象になるかというと、以下の①、②のような分類になります。

---

①特定性能向上工事として以下の基準を満たすための性能向上工事

　a．耐震性

　b．劣化対策

　c．維持管理・更新の容易性

　d．省エネルギー性

　e．バリアフリー性

　f．可変性

②その他性能向上工事として①以外のもの、例えば大規模修繕工事

マンションでは「c.維持管理・更新の容易性」として、給排水管の更新工事を「特定性能向上工事」として行い、同時に大規模修繕工事を「その他性能向上工事」として行うと、あわせて補助金の対象となります。ただし、「その他性能向上工事」の金額は、「特定性能向上工事」の金額を超えないことが条件として示されています。例えば給排水管の更新工事が3,000万円の場合、補助金は3分の1の1,000万円となります。大規模修繕工事が5,000万円だったとしても、その補助金は1,000万円までとなり、合計2,000万円となります。ただし、この金額は約束されるものではなく、工事完了後の審査により減額になる場合があります。

申請するにあたって、まずはインスペクション（建物診断：予算は1住戸あたり3～3.5万円程度）が必要です。マンションであれば既存建物現況検査の

資格を持った一級建築士がチェックシートを用いて検査をします。共用部は外壁などを見てクラックなどの劣化状況、専有部は戸数の10％以上の室内に入り、雨漏りの有無や改修する配管まわりなどをチェックして記録します。

次にクリヤしなければならないのが、「コンクリートの中性化深さ」と「塩化物イオン量」です。中性化深さはマンションの住棟ごとにJIS規格に定められた方法で試験体を採取し、試験機関で試験（予算は1棟当たり20～40万円程度）してもらいます。設備改修の適齢期の築30年以上40年未満であれば12mm以下が条件です。塩化物イオン量は0.6kg/㎥以下ですが、建築確認日が昭和62年10月1日以降で特段の劣化事象がない場合は確認不要です。さらに「新耐震建築物」であることも必須条件です。建築確認日が昭和56年6月1日以降であれば良いのですが、それ以前であれば耐震診断を行い、Is値0.6以上かつq1.0以上の基準をクリヤすることが条件となります。

令和2年度からは、省エネルギー性が必須条件になりました。築古マンションの場合、断熱性能が低いため、評価基準で当てはまるのは以下のA、Bの改修タイプとなります。

A：全居室全開口部のサッシ改修工事
　　　　　　　　　　　　＋外断熱改修工事

B：主たる居室全開口部以上のサッシ改修工事
　　　　　＋エコジョーズやエコキュートなど設置
　　　　　　　　　　　または全室LED照明化

いずれも当初の予算に無い費用ですので、かなり厳しい条件になったと思います。

これからご紹介する2件の事例は、いずれも設備改修で補助金を活用した事例ですが、当時、省エネルギー性は必須項目ではありませんでした。また、設備改修は「維持管理・更新の容易性」の性能を向上させる工事なので、必ず点検口を付けること、また排水管は15m以内に掃除口を設けることが必要となっています。

事例 1

所 在 地：東京都荒川区
竣　　工：昭和55年10月
規　　模：11階建・423戸
構　　造：鉄筋コンクリート造
補助金額：約3,609万円
工事期間：2017年2月1日〜2017年7月末
工事内容：排水管再生・更新及び給水管更新工事

工事の目的：
給水システム変更（受水槽方式→直結増圧方式）に伴い、共用部給排水管における経年劣化に対する修繕および延命化を図り、良好な水質環境を維持することを目的とする。

ポイント：
旧耐震の建物でしたが、数年前に耐震改修を行い、耐震評定を取得していたので、申請することができました。当時は給水管改修がその他性能向上工事となっていたため、特定性能向上工事は排水管改修のみでした。また、全住戸専有部インスペクションも条件だったので大変でした。

メーターボックス内　　　廊下の下　　　　屋上展開部

事例 2

所 在 地：東京都青梅市
竣　　工：昭和60年7月
規　　模：4階建・40戸
構　　造：鉄筋コンクリート造
補助金額：約629万円
工事期間：2017年2月1日〜2017年6月末
工事内容：雑排水管再生・更新工事＋大規模修繕工事

工事の目的：
共用部雑排水管における経年劣化に対する修繕および延命化を図るとともに、大規模修繕工事による建物共用外部の保全を目的とする。

ポイント：
大規模修繕工事との組み合わせで補助金を活用しました。新耐震でしたが、梁の配筋間隔が狭く、中性化試験のサンプル採取に苦労しました。このときは排水管の部分再生工法でしたが、その2年後からは特定性能向上工事として認められず、その他性能向上工事となりました。

洗面系統　　　　　　　台所系統

いずれの事例も工事の1年から1年半前に準備を始め、4月の国交省の発表を受けて5月にインスペクション、6月に工事請負契約をし、交付申請を行っていくようなスケジュールとなっていました。このように評価基準などについては毎年変わりますので、国土交通省のホームページをご参照ください。

3. 高性能建材による住宅の
断熱リフォーム支援事業（環境省）

既存マンションが対象の代表的なもうひとつの補助金が、環境省の「高性能建材による住宅の断熱リフォーム支援事業（断熱リノベ）」の補助金です。経済産業省から環境省に移って3年目ですが、令和2年度は集合住宅（全体）分で13億円の予算が付きました。主旨は「既存住宅において、省CO₂関連投資によるエネルギー消費効率の改善と低炭素化を総合的に促進し、高性能建材を用いた断熱改修を支援する」こととなっています。

補助対象はアルミサッシ改修工事（カバー工法・リサッシ工法など）およびガラス交換工事（真空ガラス・スペーシアなど）で、国に登録されている製品を使用すること、ガラスはLow−eペアガラス以上となります。令和2年度の補助率は補助対象費用の3分の1、マンションの場合、限度額は1住戸当たり15万円です。必須条件としては、原則として全住戸、全窓の改修を行うこと、ただし、ごく小さな窓や、ジャロジーは除外できます。費用は以下の2種類です。

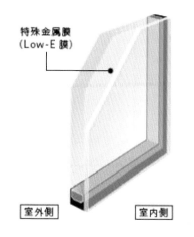

特殊金属膜（Low-E膜）

室外側　室内側

材料費：高性能建材（ガラス・窓・断熱材）の購入費用

工事費：設置取付と一体不可分の工事費用

※諸経費、設計費、産廃費等は除く

発注者が補助事業者（申請者）となります。事務代行業務を施工業者が行うことも可能です。大まかなスケジュールは、交付申請→リフォーム工事→完了実績報告で、マンション管理組合の公募は年度内で1回のみです。平成30年の東京都の場合、補助率6分の1で限度額50万円という「既存住宅における高断熱窓導入促進事業」の補助金がありましたが、令和2年度7月からも同様に施行され、令和4年3月末まで国の補助金と併用できます。

ここで2件の事例をご紹介いたしますが、いずれも経済産業省時代のものです。前項の長期優良住宅化リフォーム推進事業のような耐震性や中性化などの条件も無く、比較的申請し易かったため、その後も件数は増えました。

事例 1

所 在 地：千葉県八千代市

竣　　　工：昭和51年7月

規　　　模：5階建・21棟・520戸

構　　　造：鉄筋コンクリート造

補助金額：約7,182万円

工事時期：2015年6月初旬～11月末

工事内容：大規模修繕工事・サッシ及び玄関ドア交換工事（カバー工法）

ポイント：
典型的な高経年の大規模公団住宅で、外断熱改修も検討しましたが、サッシ・玄関ドアの交換だけでもかなりの効果があることを計算で確認し、大規模修繕工事とあわせて改修工事を行いました。改修後、経産省の委託を受けた検査官が、現地で数戸の住宅についてガラス寸法の実測確認などを行いました。

所 在 地：神奈川県厚木市

竣　　工：昭和57年4月

規　　模：4～5階建・199戸

構　　造：プレキャストコンクリート造

補助金額：約6,000万円

工事時期：2013年8月中旬～2014年3月末

工事内容：大規模修繕工事・サッシ及び玄関ドア交換
　　　　　工事（カバー工法）

ポイント：

こちらも高経年の大規模公団住宅で、長期優良住宅化
リフォーム推進事業で外断熱改修も検討しましたが、
当時は補助金の限度額が一管理組合あたり5,000万
円だったことから予算的に厳しく、大規模修繕工事・
玄関ドア改修工事と高性能建材の補助金を活用した
サッシ改修工事となりました。

4. サスティナブル建築物等先導事業（国土交通省）

　サッシ改修とは異なり、外断熱改修となると、補助
金制度はあってもコスト面でのハードルが高く、な
かなか踏み切れないのが実情です。ここでご紹介す
る事例は、第3回目の大規模修繕工事において改修
予定の外壁塗装を外断熱改修にした数少ない事例の
ひとつです。外壁塗装は付着強度が徐々に落ちてゆ
き将来剥離するのに膨大なコストがかかりますが、
外断熱で外壁を覆うことによってこれを防ぎ、併せ
て、今後の大規模修繕のサイクルを伸ばすことが出
来るメリットにより外断熱改修を採用しました。サ
スティナブル建築物等先導事業（当時は「住宅・建築
物省 CO_2 先導事業」）の補助金や融資も含めて資金
計画もまとまりました。

4.1　事例の概要（エステート鶴牧4・5住宅）

所 在 地：東京都多摩市鶴牧

敷 地 面 積：49,264.77㎡

建 築 面 積：11,345.14㎡

延べ床面積：37,531.20㎡

築 年 数：改修時築31年（1982年3月竣工）

構 造 規 模：RC造（壁式構造）3～5階建

住 棟 数：29棟（7棟は新耐震基準、22棟は耐
　　　　　震診断済）

総 戸 数：356戸　補助金額：約4億円

工 事 時 期：2013年2月～2014年3月末

工 事 内 容：外断熱改修工事、サッシ改修工事、電
　　　　　力の見える化

4.2　湿式外断熱工法による改修とは

　外断熱改修の工法には湿式と乾式があり、建物の種類や形状によって使い分けられます。本建物は3〜5階建てのRC壁式構造で複雑な形状であること、またコスト的に比較的安価なものとするため湿式を選択しました。また、材料の透湿型ビーズ法ポリスチレンフォーム（EPS）断熱材は、コンクリート下地で耐火認定を取得しているものを採用しています。施工手順は、断熱材ボード50㎜を樹脂モルタルで外壁に直接貼り付け、ボード表面をグラスファイバー製メッシュで補強した上に樹脂モルタルで覆い、仕上げ塗装をします。（写真1）これにより、断熱効果だけでなく、外壁の劣化防止による建物の耐用年数延長というメリットもあります。特に外断熱を施工したコンクリート外壁については、温度応力によるひびわれが軽減されると同時に、空気中の二酸化炭素によるコンクリートの中性化※が抑止されるため、鉄筋の腐食が起きにくくなるという効果があります。ちなみに約50年程度の寿命増進が見込まれるとの試算もあります。（図2）

※強アルカリ性のコンクリートのアルカリ度が低下すること。鉄筋の腐食の原因となる。

　断熱材を貼り付ける前に外壁塗装の付着強度試験（写真2）を行い、基準値以上であればそのまま洗浄して貼り付け、基準値以下の場合は塗装を剥離し、樹脂モルタルで補修してから貼り付けました。注意点としては、断熱材を貼り付ける際コンクリート壁との間にどうしても隙間ができるため、貼り付けモルタルに縦に「くし目」を入れて（写真3）、入った雨水を下に流す方法を取っています。この方法は、「くし目」に空気も通るため、塗装を剥離したままではコンクリートの中性化が進んでしまいます。これは今回施工会社の技術研究所で試験した結果でもわかりました。よって、コンクリートを保護する被膜としての外壁塗装は残しておかなければなりません。言い換えれば、外断熱で塗膜の紫外線や熱による劣化を防いで、コンクリートの中性化を防いでいるということになります。

写真1　湿式外断熱工法

写真2　付着強度試験

写真3　貼り付けモルタルにくし目

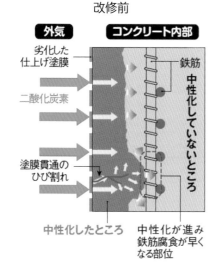

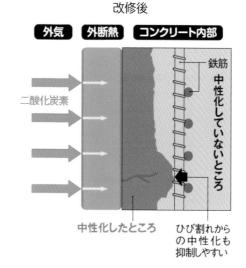

図2　外断熱工法による改修

4．3 工事の概要と特徴

外断熱改修は、大規模修繕と同様に建物の外部の工事であるため、住みながらできるというメリットがあります。一方、通常の工事より工程が多いため工期が長くなり、断熱材の厚み（50㎜）によりバルコニーや階段の幅が狭くなるデメリットが生じます。居住者の方々には初めての体験であることから、本件では特別に工事説明会のほかに、常設のサンプルルームを設けました。外壁に外断熱仕上げ工程を再現し、内部では説明パネルの展示、工事手順ムービーの上映、各種サンプル・カタログの展示も行い、居住者の方々のご理解に大変役立ちました。（写真4・5）

仕上げ材は天然石の粒子を混ぜた樹脂系の塗り材を専用のコテで塗って仕上げていますが、耐候性、耐衝撃性に優れており、クラックも起きず、メンテナンスが容易でした。ただし、断熱施工を行わないコンクリート手摺は通常の塗装、接合部やサッシまわりなどはシールで納めているので、その部分は通常のサイクルで修繕する必要があります。最終的に、管理組合は、これらを考慮に入れ長期修繕計画を見直しました。

4．4 工事完了後の効果検証

外壁の外断熱と同時に、屋根の外断熱（乾式）（図3）および樹脂内窓による二重サッシ化も行いました。これに伴う効果検証を三年間にわたって行っています。全家庭のエネルギー消費量調査をはじめ、温湿度測定やアンケート調査によるものですが、光熱費の削減、室内環境の改善、結露の減少から健康状態の改善まで、大きな効果が出ています。（図4）

この補助金は今までに無い先導的な提案のみが対象となるため、活用は難しいのが現状です。

5．住宅・建築物安全ストック形成事業
　（国土交通省）

地震の際の住宅・建築物の倒壊等による被害の軽減を図るため、住宅・建築物の耐震性の向上に資する事業について、地方公共団体等に対し、国が必要な助成を行うことを目的としています。耐震診断・耐震設計・耐震補強を対象としており、地方公共団体ごとに助成金額を制定するもので、マンションでも多く使われています。特に東京都中央区の例で、

写真4　サンプルルーム外観

写真5　サンプルルーム内部

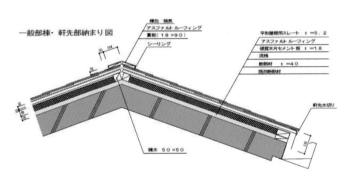

図3　屋根の外断熱

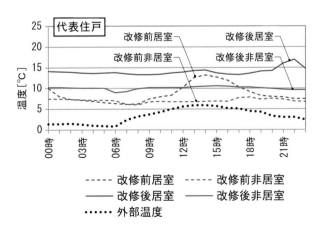

図4　改修前後の室温の変化

緊急輸送道路沿道等建築物に指定されたマンションでは、3分の2という高い補助率になっています。以下の写真は耐震改修の施工事例です。（写真6、7）

写真6　外付け鉄骨ブレースのアウトフレーム補強

写真7　ピロティ柱鉄骨ブレース補強・袖壁による補強

6. 地方公共団体の助成金について

このほか、地方公共団体がそれぞれに制定している助成金がありますが、「地方公共団体における住宅リフォームに係わる支援制度検索サイト」（図5）というホームページで検索することができますので、ご活用されることをお勧めいたします。（国の補助金と併用できない場合がありますのでご注意ください。）

図5　支援制度検索サイト
（出典：（一社）住宅リフォーム推進協議会）

7. おわりに

令和2年度から新しく「マンションストック長寿命化等モデル事業」（国土交通省）という助成制度が始まりました。17億円の予算が付き、令和6年まで継続される予定です。大規模修繕の周期延長につながる高耐久の新材料や、昨今の台風での浸水被害対策の地下電気室の地上階化などが対象で、計画支援には500万円まで、工事支援の補助率は3分の1です。ただし先導性が問われるため、ハードルは高いと思われますが、まさに今後挑戦していくべき重要な助成金であり、老朽化マンションの長寿命化への取り組みが広がっていくことを期待したいと思います。

建物の長寿命化を考慮した屋上防水改修の考え方

（一社）マンションリフォーム推進協議会　技術委員　**紙屋　光昭**

普段あまり目にすることのない防水層は、外部から雨水を建物内部へ浸入させないために屋上や屋根に施工されています。長期間漏水させないために防水層は品質や施工方法が設計されていますが、その防水性能は永久不変ではなく定期的な改修工事が必要です。1回目の改修工事を迎えるマンションも増えていますが、現在は建物の高経年化により2回目・3回目の改修工事も実施され始めています。

1. 防水層には寿命があります

1.1 どの場所にどんな防水層が施工されているか？

新築工事時に防水層は屋上や屋根だけではなく、近年ではバルコニーや外部開放廊下、外部階段、各庇へも防水施工されています。

表1　施工個所と代表的な採用防水層種類例
（新築工事時）

施工個所	採用されている防水層種類
屋上（陸屋根）	アスファルト防水、塩ビシート防水
ルーフバルコニー	アスファルト防水等
バルコニー	ウレタン塗膜防水、塩ビシート防水
外部開放廊下	ウレタン塗膜防水、塩ビシート防水
外部階段	ウレタン塗膜防水、塩ビシート防水
各庇	ウレタン塗膜防水

これらの場所に採用されている防水層は、施工箇所の用途や納まり等により施工個所に適した種類の防水材料と適格なグレードにより施工されています。防水層の改修工事をすすめるためには、どの場所にどんな種類の防水層が施工されているかを知る必要があります。

1.2 各種防水層の寿命（耐用年数）について

防水材料種類やグレードにより差はありますが、一般的に施工されている各種防水層の寿命（耐用年数）は下記の通りとなります。

表2　各種防水層の寿命

防水層種類	寿命（耐用年数）
熱アスファルト露出防水	15年
改質アスファルト防水	15年
ウレタン塗膜防水	15年
塩ビシート防水	15年
熱アスファルト押え防水	20年

＊建築物の長期使用に対応した外装・防水の品質確保ならびに維持保全方法の開発による研究（2013年）
通称：第2総プロ　より

・アスファルト防水

右の写真のように防水層施工後コンクリートを打設している仕様もあります。

・ウレタン塗膜防水

通気緩衝工法や密着工法があります。

・塩ビシート防水

密着工法や機械固定工法があります。

写真1　各種防水層の種類

1.3 防水層改修工事の必要性

各種防水層の寿命（耐用年数）については先述の通りですが、防水性能が著しく低下し漏水発生の危険性が非常に高まる時が寿命であり、その寿命を迎える前に防水性能を復活させ、更にそこから長期的に防水性能を維持させるよう予防処置的に改修工事を実施する事が必要です。

漏水事故が発生してからでは、室内側改善工事が必要となり、防水層下の広範囲に雨水が拡散した場合、次なる漏水の懸念や防水層下地接着性低下による耐風圧性低下、吸湿による断熱性能の低下等発生する可能性があります。

写真2　漏水事例（防水層破断）

写真3　下地接着性低下（剥離した防水層）

写真4　断熱性能の低下（断熱材の吸湿、剥離）

1.4 防水層改修工事のタイミング

先述の通り、防水層の耐用年数が目安となりますが、耐用年数に到達する前に改修工事を実施する事が重要です。

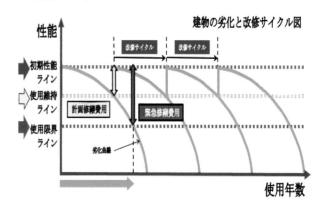

図1　防水性能と使用年数による相関グラフ

グラフのように、新築時を初期性能ラインとした場合、経年により防水性能は低下していき使用維持ラインとなり、更に経過すると使用限界ラインに到達します。

使用維持ラインから初期性能ラインまでと、使用限界ラインから初期性能ラインまでの矢印の長さを比較すると後者が長いのがわかります。これは初期性能ラインまで復元する為に必要なコストや工事日数を示しており、前者と比較してコストの増大や工期の長期化が予想されます。

標準耐用年数15年の防水層の場合、漏水等の不具合が無くとも予防処置的見地から3年前倒しの12年経過頃に改修工事実施を推奨します。

但し12年経過以前に漏水事故が発生していたり、漏水には至っていないが、何度も補修工事を実施している場合は部分的な補修工事ではなく全面改修工事を実施すべき時期に到達しているかもしれません。

2. 防水層改修工法と改修仕様

2.1 改修工法の選定

改修工法については、既存防水層を全面撤去し新規防水層を施工する「撤去工法」と、既存防水層を下地として使用して必要最小限の撤去のみで新規防水層を施工する「かぶせ工法」があります。既存防水層の種類、劣化状況、仕上げ状況、現在の使用用途、改修工事後の用途変更等によりいずれかの工法を選定する必要があります。

2.2 撤去工法とかぶせ工法のメリットとデメリット

既存防水層 （露出防水）	撤去工法	かぶせ工法
メリット	改修仕様を自由に選定可能 屋上面への荷重軽減可能 次期改修工事に配慮可能	撤去時の騒音量軽減 工期短期化が図れる 工事コスト軽減 既存防水性能を付与可能
デメリット	撤去時の騒音が増加 工期長期化が予想される 工事コスト増加 既存防水性能が付与されない	改修仕様選定に制限がある（既存防水層との相性確認要） 屋上面への荷重が増加する 次期改修工事への検討必要

　撤去工法・かぶせ工法いずれもメリットとデメリットがあり、現況や各種条件に合わせ選択する必要があります。

　最近では防水層の状況により同一建物内でも屋根毎に撤去工法とかぶせ工法を採用するケースもあります。

写真5　既存防水層撤去の様子

写真6　かぶせ工法施工の様子

2.3 改修仕様の選定

　改修工法の選定と合わせて改修仕様の選定も行う必要があります。既存防水層種類や既存仕上げ状況、使用用途等によりどのような防水材料をどのグレードで施工するか選定する必要があります。

表3　各種防水層との相性例（露出防水層の場合）

新規＼既存	アスファルト防水	塩ビシート防水	ウレタン塗膜防水
アスファルト防水	◎	△	○
塩ビシート防水	◎〜○	◎〜○	○
ウレタン塗膜防水	△〜×	○〜△	◎

＊既存防水層種類により評価が異なる場合もあります。
＊仕様により施工可能な場合もあります。

2.4 断熱材の劣化を考慮する

　新築工事時に施工された屋上防水仕様は階下が居室である場合、ほとんどが断熱仕様となります。そして、下地水分からの断熱材の吸湿や経年による劣化により断熱性能は新築時から劣っている場合が多く、一方、新築当時と比較して現在要求される断熱性能が高くなっており、当時の断熱性能では不十分な場合が多くなっていると考えられます。

　現在では屋上から採取した断熱材劣化度の判定試験も可能でありそれにより、不十分と推定された断熱性能を新築時もしくはそれ以上に復元する方法があります。既存防水層の改修工事時に施工できる「改修断熱防水仕様」を採用することで不足した断熱性能を補うことが可能となります。

写真はギルフォーム35S

RBボード　　　スタイロフォームRB-GK-Ⅱ

写真7　防水工事用断熱材

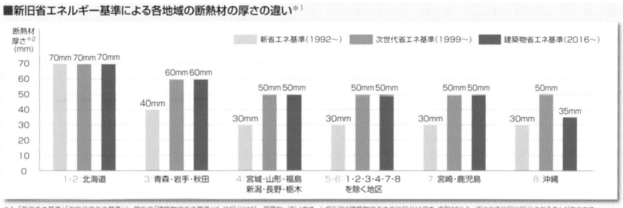

■新旧省エネルギー基準による各地域の断熱材の厚さの違い※1

※1「新省エネ基準」「次世代省エネ基準」と、現在の「建築物省エネ基準」は、地区分けが一部異なっています。上グラフは建築物省エネの地区分けです。市町村によっては他の地区に区分されることがあります。
※2 硬質ウレタンフォーム「ギルフォーム」を使用した場合の厚さ

図2　年代別の断熱仕様で採用された断熱材厚み

2.5　高反射塗料について

施工した防水層が露出している場合、防水層保護を目的とした塗料を塗布する事があります。近年ではこの塗料に太陽光に含まれる近赤外域を高レベルで反射する性能を持たせ、塗膜及び被塗物の温度上昇を抑制する機能性塗料の採用が増えています。遮熱塗料とも呼び、先述の断熱仕様との併用でより高い断熱効果が期待できると共に防水層への蓄熱による熱劣化抑制効果もあり多く採用されています。

写真8　高反射塗料を塗布したアスファルト露出防水層

2.6　改修工事の実施回数と撤去・かぶせ判定

防水層は建物の寿命まで複数回の改修工事が必要である事は先述の通りですが、建物の寿命まで何回改修工事を実施する事になるでしょうか。

例として建物の寿命を60年と想定し12年毎に実施した場合、12年目・24年目・36年目・48年目として4回の改修工事が必要です。

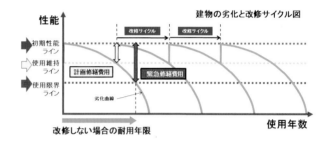

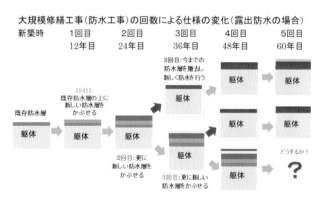

図3

既存防水層が露出防水であり、耐用年数15年の防水層を3年前倒しの12年目で改修工事を実施し続けた場合のケース

・改修1～2回目

既存防水層に新規防水層をかぶせる場合、相互の接着性や固定方法、耐風圧性、追加荷重、改修後使用用途等に問題が無ければかぶせる事が可能となります。

・改修3回目以降

既存防水層の種類や断熱材の有無、仕様のグレード、劣化状況等により、何回目かの工事の際に今までの防水層を全面撤去し新しく防水施工を行う時が到来します。

・建物の寿命を 60 年と想定した場合

　新築時から 12 年毎に改修工事をすると 4 回（48 年目）実施が必要となります。上記の図に従うと 3 回目か 4 回目に既存防水層を全面撤去する事になります。

　全面撤去する事により既存防水層の種類や状態に影響を受けず自由に防水仕様を選択できますが、現在居住中の住居であり撤去時の騒音、工期の長期化、工事中の漏水リスク、工事費用の増加等注意しなければならない問題が発生します。

　将来、何回目かの改修工事の際に、過去に施工した防水層全てを撤去せざるを得ない事実が判明しているのであれば、建物の寿命とする年限中で「改修工事のサイクルを伸ばすことが出来る改修防水仕様」があれば、この問題は解決するのではないかと考えます。

写真 9　1 回目の改修工事例（塩ビシート機械固定工法）

写真 10　2 回目の改修工事例（改質アスファルト防水仕様）

写真 11　2 回目の改修事例（ウレタン塗膜防水密着工法）

3．長寿命化改修のすすめ

　防水層の寿命（耐用年数）を 15 年から 20 年に延ばすことが可能であれば、寿命に対して 3 年前倒しの 17 年毎の改修工事として工事計画が立てられます。

　この場合、3 年前倒しの新築時施工された防水層の耐用年数を 15 年とし、12 年目の 1 回目改修工事より耐用年数 20 年の長寿命化防水仕様にて 3 年前倒しの 17 年ごとに防水改修工事を重ねていき、3 回実施すると

　　1 回目は 12 年目
　　2 回目は 29 年目
　　3 回目は 46 年目　となり

　この 3 回目の防水層の寿命を 20 年とすると 3 回の防水改修工事で 12 ＋ 17 ＋ 17 ＋ 20 ＝ 66 年が耐久年数になります。

　例えば、1 回目の改修工事を 12 年目に（長寿命ではない）耐用年数 15 年防水層にて施工し、2 回目以降は耐用年数 20 年の長寿命化防水仕様にて施工した場合でも

　　1 回目は 12 年目
　　2 回目は 24 年目
　　3 回目は 41 年目　となり

　この 3 回目の防水層の寿命が 20 年とすると
　12 ＋ 12 ＋ 17 ＋ 20 ＝ 61 年となります。

　この考え方は、新築時に施工された既存防水層に対して、建築防水関連に詳しい技術員が的確な防水仕様選定を行い、工事監理者のもと、優秀な施工技術を有する防水技術者により施工された場合に実現可能と考えられます。

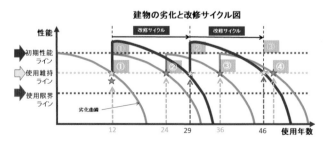

図 4　長寿命化防水仕様を採用した場合の
改修工事実施回数比較

長寿命化防水仕様採用にあたり

　長寿命化防水仕様の採用にあたっては、以下の項目をご確認ください。

①建物の寿命を認識し、寿命まで何回防水層改修工事を行う予定か？

②複数回実施する改修工事と想定し、改修工法・改修仕様の選定を行っているか？

③新築時と比較して現在断熱性能は不足していないか？

　ご確認ください。

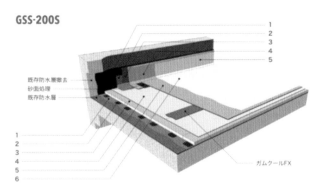

改質アスファルト防水露出断熱仕様

図5　長寿命防水仕様の一例（耐用年数20年仕様）

4．おわりに

　屋上屋根防水層は建物資産価値にも影響する重要な機能のひとつです。雨漏りしていたり断熱性が劣っていたりすると居住者減少、修繕費用不足、改修工事サイクル長期化による建物の陳腐化等起きてしまうかもしれません。そうならないために専門家による定期的な調査診断とそれにより計画された改修工事を実施していく事が建物全体の長寿命化、建物資産価値維持につながっていくと考えられます。

（文書中の写真、グラフ、表は田島ルーフィング株式会社より引用）

マンションの4K8Kテレビ放送の受信対応

（一社）マンションリフォーム推進協議会　技術士（電気電子部門）　**村越　章**

　2011年のデジタル化により、テレビ放送はより高度な情報通信に移行し、2018年12月1日から、更に高画質・高精細放送となる4K8K放送がBS/110度CS放送で始まりました。情報通信技術は最先端技術分野の1つであり、各国は向上のため多くの投資を行い技術の向上を図っています。このような流れから今後、多くの住宅で高画質・高精細の4K8K放送視聴が進んでいくことと思います。

1. マンションのテレビ受信設備

1.1　現在のマンションのテレビ共聴設備

　現在のマンションのテレビ放送受信方式には、マンション屋上にアンテナを立てて受信する方式、ケーブルテレビを引込み受信する方式、そして光ファイバによる受信方式があります。

①アンテナ受信

　マンション屋上にUHF放送受信アンテナ、BS/110度CS放送受信アンテナを立てて、地上デジタル放送、BS放送、110度CS放送の3つの放送を直接受信します。

②ケーブルテレビ（CATV）受信

　マンションにケーブルテレビからのケーブルを引込んで受信します。マンションのテレビ受信の7割はケーブルテレビと言われています。ケーブルテレビ会社は主要キー局の放送以外に、専門チャンネルとしてBS放送、CS放送から数多くのテレビ番組を提供しています。またインターネットサービス等も提供しています。尚、視聴に料金がかかるものがあります。

　マンション竣工後にアンテナ受信からケーブルテレビ受信に切替えると、ケーブルテレビ会社がマンション外壁に露出配線を行うことがあり、注意が必要です。

③光ファイバによる受信

　NTT等、通信会社の光ファイバによるサービスを利用した放送です。新築マンションでは建物全体に光ファイバネットワークを敷設する場合もありますが、既存マンションでは、住戸ごとに通信会社と契約し光ファイバを引き込み視聴することが多いと思います。

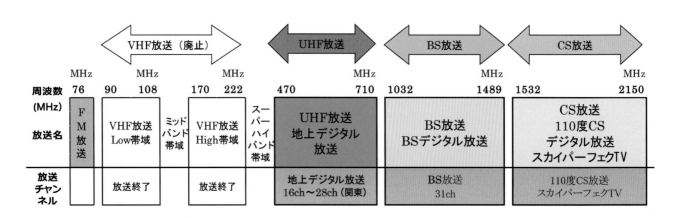

テレビ放送の周波数地帯

1.2 テレビ放送の配列

テレビ放送の電波は同軸ケーブルという1本の電線に、多くのテレビチャンネルの周波数を少しずつ変えて伝送しています。

同軸ケーブル

周波数帯域90MHz〜222MHzはVHF放送(アナログ放送)と呼ばれ、テレビ放送黎明期から使用されていましたが、2011年7月24日に停波し、現在はテレビ放送としては使われておりません。

周波数帯域470MHz〜710MHzはUHF放送と呼ばれ、地上デジタル放送に使用されています。

周波数帯域1032MHz〜1489MHzは放送衛星からの電波を変換してBS放送として使用しています。更に、周波数1532MHz〜2150MHzは通信衛星からの電波を変換してCS放送として使用しています。

①UHF放送

UHF放送は現在、通常視聴している、1ch(NHK総合)から9ch(東京MXテレビ)までの地上デジタル放送です。関東圏の例では**右図**のチャンネル表となります。

UHF放送

発信場所	ch	チャンネル名	UHFch
東京スカイツリー	1ch	NHK総合	27ch
	2ch	NHKEテレ	26ch
	3ch	テレビ神奈川TVK(神奈川県)	18ch
	3ch	千葉テレビ(千葉県)	30ch
	3ch	テレ玉テレ工(埼玉県)	32ch
	4ch	日本テレビ	25ch
	5ch	テレビ朝日	24ch
	6ch	TBSテレビ	22ch
	7ch	テレビ東京	23ch
	8ch	フジテレビ	21ch
	9ch	東京MXテレビ	16ch
東京タワー	12ch	放送大学	28ch

BS放送

No	放送種別	周波数帯域	BSch	チャンネル名	
1	2K放送	1032MHz〜1489MHz	BSch101	NHK BS1	有料(受信料)
2			BSch103	NHK BSプレミアム	有料(受信料)
3			BSch141	BS日テレ	無料
4			BSch151	BS朝日	無料
5			BSch161	BS-TBS	無料
6			BSch171	BSテレ東	無料
7			BSch181	BSフジ	無料
8			BSch191	WOWOWプライム	有料
9			BSch192	WOWOWライブ	有料
10			BSch193	WOWOWシネマ	有料
11			BSch200	スターチャンネル1	有料
12			BSch201	スターチャンネル2	有料
13			BSch202	スターチャンネル3	有料
14			BSch211	BS11	無料
15			BSch222	TwellV(トゥエルビ)	無料
16			BSch231	放送大学テレビ	無料
17			BSch234	グリーンチャンネル	有料
18			BSch236	アニマックス	有料
19			BSch241	BSスカパー!	有料
20			BSch242	J SPORTS 1	有料
21			BSch243	J SPORTS 2	有料
22			BSch244	J SPORTS 3	有料
23			BSch245	J SPORTS 4	有料
24			BSch251	BS釣りビジョン	有料
25			BSch252	シネフィルWOWOW	有料
26			BSch255	日本映画専門チャンネル	有料
27			BSch256	ディズニー・チャンネル	有料
28	4K放送	1032MHz〜1489MHz	4K-BS101	NHK BS 4K	有料(受信料)
29			4K-BS141	BS日テレ 4K	無料
30			4K-BS151	BS朝日 4K	無料
31			4K-BS161	BS-TBS 4K	無料
32			4K-BS171	BSテレ東 4K	無料
33			4K-BS181	BSフジ 4K	無料
34		2224MHz〜2681MHz	4K-BS203	ザ・シネマ 4K	有料
35			4K-BS211	ショップチャンネル 4K	無料
36			4K-BS221	4K QVC	無料
37			-	WOWOW 4K (2020年12月放送開始予定)	有料
38	8K放送		8K-BS102	NHK SHV 8K	有料(受信料)

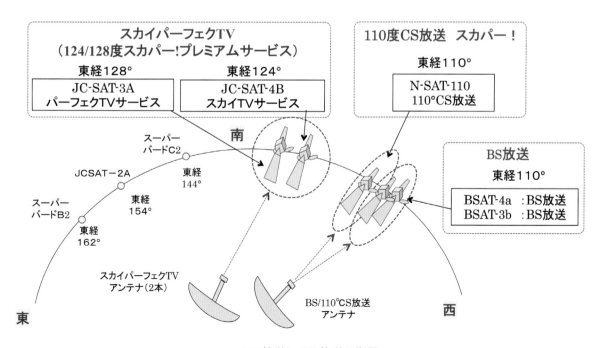

BS放送とCS放送の衛星

②BS放送

BS衛星は東経110度の衛星軌道上にあり、南西の方向にBSアンテナを向けて受信します。BS放送は、現在、2K放送が27チャンネル、4K放送が10チャンネル（1チャンネルは2020年12月放送開始）、8K放送が1チャンネルの38チャンネルが放送します。

③CS放送

CS放送には"110度CS放送スカパー！"と"スカイパーフェクTV（124/128度CS放送スカパー！プレミアムサービス）"があります。この2つはどちらも一般的にスカパーと呼ばれます。110度CS放送とスカイパーフェクTVは異なる衛星から送信しています。そして、110度CS放送衛星は東経110度でBS放送衛星と近接しており、BS放送と110度CS放送は一つのパラボラアンテナで受信ができます。尚、現在のテレビはBS放送と110度CS放送用のチューナが内蔵されてBS放送と110度CS放送の視聴が可能です。

1.3　テレビ共聴設備機器

①増幅器（ブースタ）

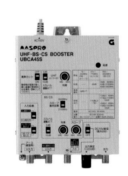

増幅器（ブースタ）

増幅器はテレビ共聴設備で一番重要な機器です。増幅器はマンションのテレビ共聴設備系統で弱い電波やケーブル・分配器などで減衰した電波を増幅します。これによりマンションの全住宅で良好なテレビ視聴ができるようにします。増幅器はメーターボックス内にあり、テレビが映らない場合は主に増幅器の故障が考えられます。

②家庭用増幅器

テレビ端子の増設や配線延長により、電波が低下するとテレビが映らなくなります。この場合、家庭用増幅器を設け電波レベルを上げてテレビ視聴を行います。但し、家庭用増幅器を使用してもテレビ視聴ができない場合もあります。

③分配器・分岐器

テレビの同軸ケーブルを分ける時には分配器・分岐器を使います。分配器は電波を2つ以上に均等に分配する機器、分岐器は幹線から電波の一部を分岐・取り出すための機器です。テレビの同軸ケーブルの分岐分配は必ず分岐器、分配器を使います。

分配器　　　　　　分岐器

④同軸ケーブル

同軸ケーブルはテレビ電波を伝送する配線です。外部導体の概略内径㎜で、5C（内径5㎜）や7C（内径7㎜）と呼ばれます。1980年代のマンションでは5C-2V（770MHzまで）、5C-FEケーブルが使われていましたが、現在はS-5C-FB（衛星放送対応ケーブル）が主流です。ケーブルの太さも5C以上とします。電気工事会社により3C等細く伝送性能が低い同軸ケーブルを使用する場合があり注意が必要です。

同軸ケーブル

⑤テレビ端子

テレビ端子は75Ω端子（F型端子）を使います。

現在のマンションのテレビ端子は全室に設置されていますが、それ以前のマンションではテレビ端子が全室になくテレビ端子を増設したいという要望があります。しかし、テレビ端子を増やすと、受信レベルが低下しテレビが映らなくなることもあり注意が必要です。

一方、1980年代までのマンションでは上下階住戸内のテレビ端子が直接つながっているため、改修工事の際は上下階の住戸に影響を与えないように注意して工事を行う必要があります。

テレビ端子

⑥同軸ケーブル接続不良による障害

　同軸ケーブルの銅線を直接結んでいる事例があります。このような接続はテレビ電波の伝送性能が低下し受信障害を生じます。特に1980年代までのマンションでは上下階のテレビ端子が直接つながっているため、住宅のリフォーム工事時に同軸ケーブルの接続不良を生じ他の住宅のテレビ受信に悪影響を及ぼすことがあります。同軸ケーブルの接続は、F型接栓や分岐分配器等を使い行います。

2．マンションの4K8Kテレビ放送対応

2．1　4K8K放送とは

　テレビ画像は画素数が増えると、より高画質な画面になります。現在の地上デジタル放送の画面は、水平画素数1920×垂直画素数1080約200万画素の映像画面です。この水平画素数が約2000画素＝2K画素あるため2K放送と呼びます。

　4K放送は水平画素数3840×垂直画素数2160約800万画素の映像画面ですが、この水平画素数が約4000画素＝4K画素あるため4K放送と呼びます。同様に8K放送は水平画素数7680×垂直画素数4320約3300万画素の映像画面で、水平画素数が約8000画素＝8K画素あるため8K放送と呼びます。

　このように4K放送は現在の地上デジタル放送（2K放送）の約4倍の高画質、8K放送は約16倍も高画質です。尚、昔のアナログ放送は約31万画素（水平画素数640×垂直画素数480）相当です。

2．2　現在の4K8K放送

　2018年12月1日から4K8K放送が始まりました。しかし、2015年からすでにスカイパーフェクTVが "スカパープレミアムサービス" として、スカパー！4K総合等の4K放送を放送していました。そして、このスカパー4Kチューナ搭載テレビは大手メーカーから4Kテレビとして発売されました。また、ケーブルテレビ会社でも、ケーブル4K、ひかりTV4K等、4K放送等を配信していました。更に、インターネットでもAmazonプライムビデオ等で4K放送が配信されています。尚、これらの4K放送は2018年12月1日からのBS/110度CS放送による4K8K放送とは異なります。

2．3　4K8K放送の衛星からの電波

　BS/110度CS放送は、衛星のアンテナから、円偏波と呼ばれる右回りの電波（右旋）と左回りの電波（左旋）で送信しています。もともと右周り（右旋）電波がテレビ放送用でした。しかし、4K8Kの高画質放送では、より多くの周波数帯域を使用するため、右旋の電波だけでは放送電波を送信することができません。そこで、2018年12月1日からの4K8K放送は、左回り（左旋）の電波を利用することとしました。これにより周波数帯域を2倍に増やして新しい4K8K放送が送信できるようになりました。

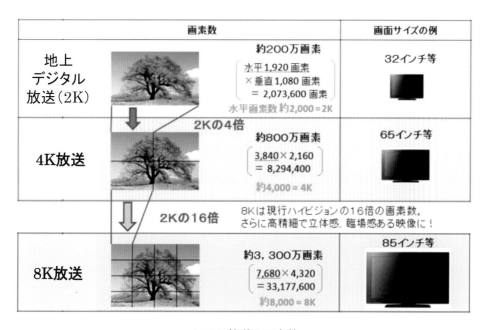

4K8K放送の画素数

尚、2018 年 12 月 1 日からの新しい 4K8K 放送を、"新 4K8K 衛星放送"と呼びます。

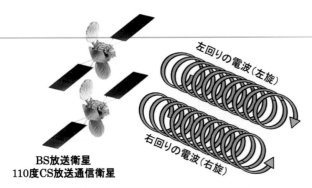

BS放送衛星
110度CS放送通信衛星

BS/110度CS放送受信アンテナ

2.4 新4K8K衛星放送の開始とその放送内容

4K 放送は BS 衛星から 10 チャンネル、110 度 CS 衛星からスカパーが 8 チャンネル放送します。また、8K 放送は NHK が BS 衛星から 1 チャンネル放送します。このように、BS/110 度 CS 放送による 4K8K 放送は 19 チャンネルを予定しています。

2.5 新4K8K衛星放送の視聴

新 4K8K 衛星放送は周波数帯域が 3224MHz まで拡大するために、現在の 2150MHz までの BS/110 度 CS アンテナでは全ての放送を受信できません。但し、2150MHz までの 4K 放送 6 チャンネルだけは視聴できる可能性があります。

4K8K 放送は、従来の放送に比べ変調方式を高度化しておりノイズ耐性が多少低く、BS 2K 放送全てが視聴できれば、既存 BS/110 度 CS アンテナで 2150MHz までの 4K 放送は視聴できる可能性があります。

但し、3224MHz までの全ての新 4K8K 衛星放送を視聴するためにはテレビ共聴設備の全面改修が必要です。

2.6 新4K8K衛星放送の周波数帯域

4K8K 放送はより高画質・高精度の放送番組が大幅に増えることから、従来の周波数帯域だけでは伝送することができません。そこで、従来の BS/110 度 CS 放送の右旋電波だけでなく、左旋電波も利用して伝送します。このため、マンションのテレビ共聴設備の周波数帯域を 2150MHz から 3224MHz まで拡大する必要があります。

但し、高周波になると同軸ケーブルや分岐分配器、テレビ端子等機器の伝送損失が増え、現状のテレビ共聴設備では、3224MHz までのテレビ受信波の伝送ができない住戸が生じる可能性があります。

2.7 マンションの4K8K放送の受信改修

マンションの 4K8K 放送の受信設備改修は、現状の地上デジタル放送、BS 放送・110 度 CS 放送に対応した 2150MHz のテレビ共聴設備を、3224MHz まで受信できるように改修します。

このためには、マンションのテレビ共聴設備機器

		1032MHz～2150MHz帯域			2150MHz～3224MHz帯域	
		現在のテレビ共聴帯域（右旋）			4K8K放送で拡張する帯域（左旋）	
BSアンテナ受信	4K放送	6ch	NHK、BSテレ東、BS日テレ、	BS朝日 BS-TBS BSフジ	4ch	SCサテライト QVCサテライト ザシネマ4K 東北新社メディアサービス) WOWOW
	8K放送		―		1ch	NHK
110度CSアンテナ受信	4K放送		―		8ch	スカパー（8チャンネル） J SPORTS1,2,3,4 日本映画・時代劇4K スターチャンネル4K スカパーチャンネル1,2
備考					WOWOWは2020年12月から放送予定	

4K8K 放送の内容

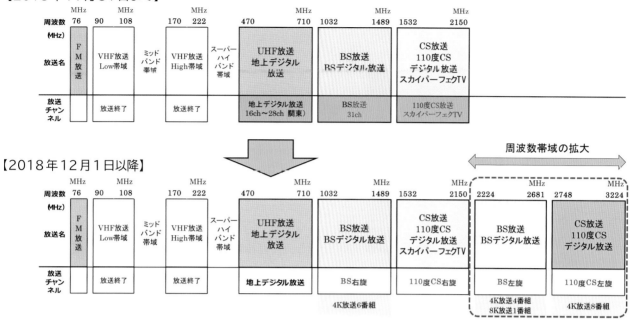

【2018年11月31日まで】

周波数(MHz)	76	90 108		170 222		470 710	1032 1489	1532 2150
放送名	FM放送	VHF放送 Low帯域	ミッドバンド帯域	VHF放送 High帯域	スーパーハイバンド帯域	UHF放送 地上デジタル放送	BS放送 BSデジタル放送	CS放送 110度CS デジタル放送 スカイパーフェクTV
放送チャンネル		放送終了		放送終了		地上デジタル放送 16ch〜28ch 関東)	BS放送 31ch	110度CS放送 スカイパーフェクTV

周波数帯域の拡大

【2018年12月1日以降】

周波数(MHz)	76	90 108		170 222		470 710	1032 1489	1532 2150	2224 2681	2748 3224
放送名	FM放送	VHF放送 Low帯域	ミッドバンド帯域	VHF放送 High帯域	スーパーハイバンド帯域	UHF放送 地上デジタル放送	BS放送 BSデジタル放送	CS放送 110度CS デジタル放送 スカイパーフェクTV	BS放送 BSデジタル放送	CS放送 110度CS デジタル放送
放送チャンネル		放送終了		放送終了		地上デジタル放送	BS右旋 4K放送6番組	110度CS右旋	BS左旋 4K放送4番組 8K放送1番組	110度CS左旋 4K放送8番組

4K8K放送による周波数帯域の変化

である、テレビアンテナ、増幅器、分岐分配器、テレビ端子等を3224MHz仕様の機器に全て交換します。また、テレビ共聴設備の系統も変更し、増幅器を増やす必要があります。この場合、1985年以前の住戸貫通型配線方式と1985年以降の住戸完結型配線方式により改修方法は変わります。

また、ケーブルテレビを受信しているマンションの4K8K放送受信改修はケーブルテレビのサービスに依存します。但し、ケーブルテレビ会社や電気工事会社から、"マンション内のテレビ共聴設備は使えないので建物外壁に露出配線します"と要求される場合があります。このような提案は、マンションの外壁に配線が露出し資産価値の低下につながる可能性があり注意が必要です。

2.8 マンションの年代等によるテレビ受信改修方式

マンションで新4K8K衛星放送を視聴するための改修方式は、マンションの年代や受信方式の違いにより、以下が考えられます。

①住戸完結型配線方式の4K8K放送受信改修（1985年以前頃）

②住戸貫通型配線方式の4K8K放送受信改修（1985年以降頃）

③ブロックコンバータ導入マンションの4K8K放送改修

④周波数変換方式の4K8K放送受信改修

⑤ケーブルテレビ（CATV）の4K8K放送改修

①住戸完結型配線方式の4K8K放送受信改修
住戸完結型配線方式

住戸完結型配線方式は、1985年頃から現在まで採用されているテレビ共聴配線方式です。

メータボックスから住戸ごとに配線が分岐し、各住戸の天井裏の住戸内分配器で配線が分配されて各部屋のテレビ端子まで配線しています。

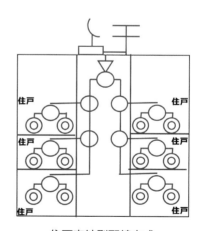

住戸完結型配線方式

このため、住戸のテレビ端子を外しても他の住戸への影響が生じません。また、伝送性能の高いケーブル（S-5C-FB）が使用され地上デジタル放送やBS/CS放送の受信設備として対応しています。

住戸完結型配線方式は、テレビ共聴設備の改修も

容易で、住戸内のテレビ端子増設も可能ですが、テレビ端子数を多くすると電波レベルが低下し視聴できないことがあります。

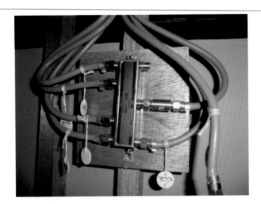
住戸内分配器

4K8K放送受信のためのテレビ共聴設備改修

現状の地上デジタル放送・BS/CS放送に対応したテレビ共聴設備（2150MHz）を、4K8K放送（3224MHz）設備まで受信できるように改修します。このためには、テレビ共聴設備機器であるテレビアンテナ、増幅器（ブースタ）、分岐器・分配器、テレビ端子を全て3224MHz用機器に交換します。更に、テレビ共聴設備系統を変更し、増幅器の台数も増やします。

4K8K放送受信用　　増幅器
BS/110度CSアンテナ　ブースター

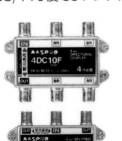

分岐器（上）分配器（下）　テレビ端子

住戸完結型配線方式の4K8K改修

現在の多くのマンションのテレビ共聴設備は住戸完結型配線方式で2150MHzまでの共聴設備と考えます。

周波数が上がると伝送損失が大きくなるため、4K8K放送（3224MHz）の受信に対応する場合は、増幅器の追加や配線方式の変更が必要になります。

改修例として6階建て12戸の2戸一系統の2150MHzのテレビ共聴系統を改修例として示します。この例では1住戸のテレビ端子は5カ所を想定しています。

この系統では、6住戸ごとに1台の増幅器（▲）が必要であり、6階建、2戸一系統、全12戸で2台の増幅器を設置しています。

この系統を4K8K放送（3224MHz）受信に対応した改修案が"3224MHz改修①"です。

増幅器の数が2倍の4台に増え、赤線の様にテレビ共聴設備の配線が変わります。

この改修①方式は、配線変更か多く費用と手間がかかるため、より容易な改修方法が求められます。そこで、上下間の配線変更をなくした案が"3224MHz改修②"です。上下階に渡る配線変更を減らし、増幅器の追加と繋ぎ変えで対応します。これにより配線変更はなくなりますが増幅器台数が5台に増えます。

テレビ共聴設備の改修を効率的に行うためには配線変更を減らし増幅器の増設で対応することが良いと思います。

このように4K8K放送受信改修の改修は、マンションごとに技術的検討が重要です。4K8K改修は、しっかりとした設計・技術力があり改修実績のある会社で行うことが重要です。

②住戸貫通型配線方式の4K8K放送受信改修
住戸貫通型配線方式

住戸貫通型配線方式は1985年頃まで採用されてきたテレビ共聴配線方式です。

80年代まで多くのマンション、団地で導入されていました。安価で効率的な設備構築が可能ですが、住戸のテレビ端子は上下階住戸の同じ位置にあるテレビ端子と直接結ばれています。このため、途中の住戸のテレビ端子を外すと、下階の住戸のテレビが見

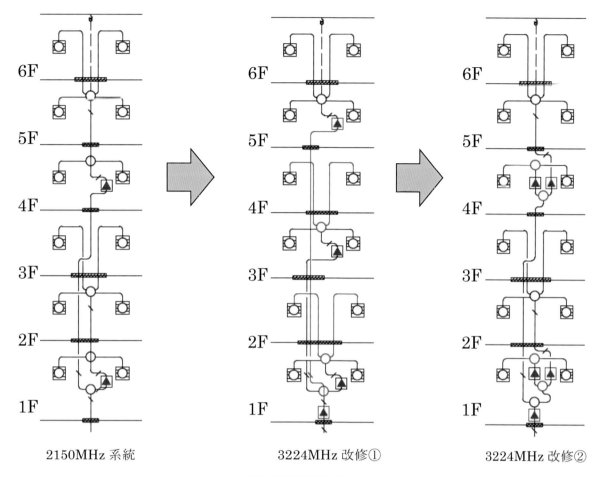

| 2150MHz 系統 | 3224MHz 改修① | 3224MHz 改修② |

4K8K 放送受信改修方式

えなくなる等の悪影響が生じます。このため、安易な改修で上下階住戸の受信に影響を及ぼす恐れがあります。このように住戸貫通型配線方式はテレビ端子の位置変更等が難しく、また、同軸ケーブル（5C-2V 等）の性能も低いため、4K8K 放送の受信改修は難しくなります。

4K8K 放送受信のためのテレビ共聴設備改修

　住戸貫通型配線方式でも住戸完結型配線方式と同様に、テレビ共聴設備機器である、テレビアンテナ、増幅器（ブースタ）、分岐器・分配器、テレビ端子の機器を全て 3224MHz 機器に交換します。但し、住戸貫通型配線方式では配線の多くが住戸内にあるため、容易にテレビ共聴設備の変更や増幅器の増設ができません。

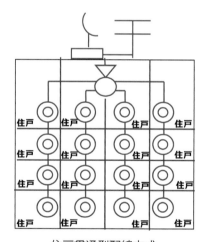

住戸貫通型配線方式

テレビ端子

住戸内の配管配線方式

住戸貫通型配線方式の電波の増幅

住戸貫通型配線方式は4階や6階ごとに住戸内を縦に配管配線し、各階住戸の同一位置にあるテレビ端子に接続しています。また、マンション竣工時にはアナログ波（～770MHz）だけの受信でしたが、現在は増幅器を増やしBS放送（1335MHz）まで改修しているマンションも多いようです。

このようなテレビ共聴設備を、更に周波数の高い4K8K放送（3224MHz）受信に対応するためには、より多くの増幅器の設置が必要です。しかし、住戸内に配線されているため、その途中に増幅器を入れることができません。また増幅器を設けたとしても、その電源は共用部から取る必要があります。

このように住戸貫通型配線方式のテレビ共聴設備では、住戸内の配線部分に増幅器を設ける必要があり、この増幅器に共用部から電源を供給する必要があります。

住戸貫通型配線方式の増幅器の設置

住戸貫通型配線方式の住戸テレビ端子の裏側に小型の増幅器"ラインブースタ"を組込みます。ラインブースタは小さいため、住戸テレビ端子裏側の壁内に組込むことができます。これにより、住戸貫通型配線方式でも3224MHzの電波の増幅を可能とします。また、従来のラインブースタを改良し、電源を共用のテレビ共聴設備から供給することで住戸の電気は使用しません。

しかし、住戸内のテレビ端子の裏側にラインブースタを組み込むため、テレビ端子のプレートが現状のテレビ端子の約3倍の大きさになります。但し、ラインブースタの設置住戸は、原則3～4階のうち1住戸程度です。尚、ラインブースタの位置は改修設計で決まります。

このラインブースタを使った住戸貫通型配線方式の4K8K放送受信改修は特許を申請しています。

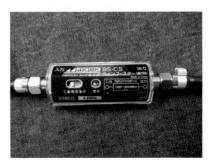

ラインブースタ

住戸貫通型配線方式のテレビ端子・同軸ケーブル交換

住戸貫通型配線方式は同軸ケーブルの伝送性能が低いため、住戸内の縦の同軸ケーブルを交換します。その際は、縦系統の複数の住戸に同時に作業員が入りケーブル交換を行いますので、居住者・管理組合の協力が必要となります。もし、1住戸でも入れないと他の住戸の受信レベルが低下しテレビの視聴ができない場合があります。

各住戸に入った作業員は、テレビ端子を3224MHz用テレビ端子に交換し、上下階の古い同軸ケーブル

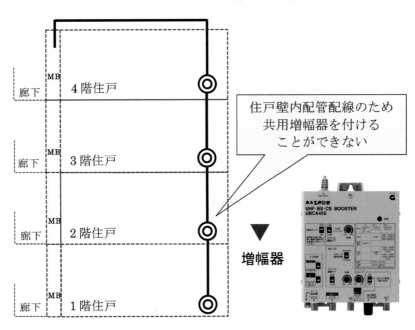

住戸貫通型配線方式への増幅器の設置

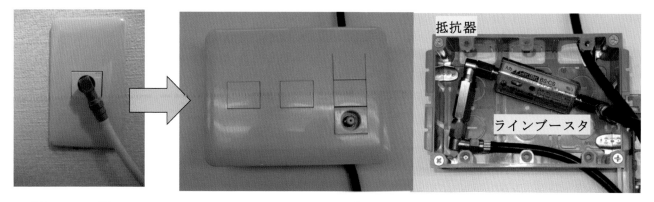

現在のテレビ端子　　　　　　　　　　　　ラインブースタを組込んだテレビ端子

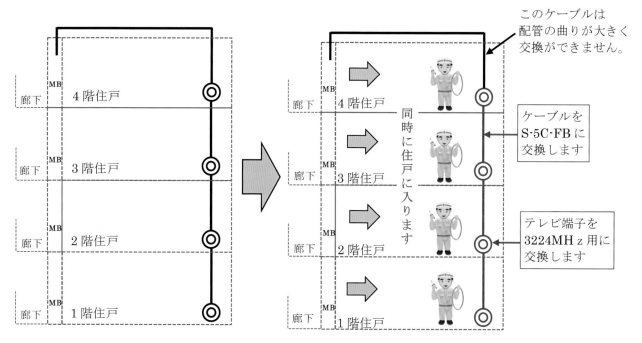

住戸貫通型配線方式の同軸ケーブル交換範囲

（5C- 2V）を引抜いて新しい同軸ケーブル（S-5C-FB）に引き換えます。

　尚、最上階のMB（メータボックス）から最上階住戸テレビ端子までの5C-2V等のケーブルは、配管の曲りも多く、ケーブル長も長いため交換ができません。

③ブロックコンバータ導入マンションの 4K8K放送改修

ブロックコンバータによるスカイパーフェクTVの受信

　CS放送には110度CS放送とスカイパーフェクTVがあります。スカイパーフェクTVは1998年から放送を開始し、110℃S放送は2002年から放送を開始しました。このため、1998年〜2004年ごろに建設されたマンションでは、スカイパーフェクTVを受信しているマンションが多数あります。

　当時のスカイパーフェクTVは約160チャンネルあり1本の同軸ケーブルでマンションの住戸に供給することができませんでした。そこで、ブロックコンバータを使いスカイパーフェクTVの放送を約100チャンネル程度に選択してマンションのテレビ共聴設備に流していました。

　2002年に110度CS放送がサービスを開始しましたが、スカイパーフェクTVと110度CS放送は同じ周波数帯域を使用するため、両方をマンションに導入することができません。

スカイパーフェクTVから110度CS放送の切替え

　ブロックコンバータはすでに生産を終了しています。このため、ブロックコンバータを使用してスカイパーフェクトTVを視聴しているマンションは、ブロックコンバータが故障したら、110度CS放送に

切替える必要があります。尚、ブロックコンバータはCSアンテナ1基に1台設置され最上階のMB内に納められています。

　スカイパーフェクTVから110度CS放送に切替えると、今までスカイパーフェクTVの番組を見ていた住戸はスカイパーフェクTVの一部のチャンネル（アダルト・ギャンブル・中国語放送等）が見られなくなります。このため、スカイパーフェクTVから110度CS放送への切替は、マンション居住者への十分な説明と同意が必要です。

　ブロックコンバータ導入マンションは住戸完結型配線方式と考えられるため、4K8K放送受信改修は、スカイパーフェクTVから110度CS放送への切り替えと同時に、テレビ共聴機器を3224MHz機器に交換し、配線の変更を行います。

ブロックコンバータ

④周波数変換方式による4K8K放送受信改修
周波数変換方式

　マンションの多くは2150MHzまでの周波数に対応したテレビ共聴設備となっていると思います。このため、4K8K放送受信改修を行うためには、全ての機器を3224MHzに交換する必要があり大きな費用がかかります。

　そこで、テレビ受信波の周波数を一度2150MHz以下に落としてマンション内に伝送させ、住戸内のテレビの前で3224MHzに上げることで、マンションのテレビ共聴設備の大きな改修をすることなしに4K8K放送を視聴することができます。これを周波数変換方式といいます。

周波数変換方式の4K8K放送受信方法

　周波数変換方式には、以下の方法があります。

（A）屋上アンテナで受信した4K8K放送受信波を、ダウンコンバータで470MHz以下に落として各住戸まで伝送し、住戸のテレビの前でアップコンバータを使い3224MHzに戻してテレビに接続する方式。

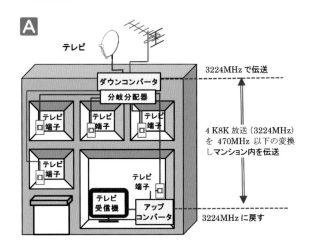

（B）放送基地局で4K8K放送受信波を2150MHz以下に落として光ファイバでマンションまで伝送し住戸のテレビの前でアップコンバータを使い3224MHzに戻してテレビに接続する方式。

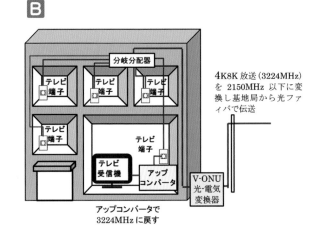

周波数変換方式の課題

　住戸のテレビごとにアップコンバータ（数万円程度）が必要となります。またケーブルテレビとの併用ができないため、ケーブルテレビは中止する必要があります。更に、今後4K8K放送が増えると放送受信ができなくなる可能性があります。

⑤ケーブルテレビ（CATV）受信の新4K8K衛星放送改修対応

　一般的にケーブルテレビは10MHzから770MHzまでの周波数帯域を利用しており、このうち90MHz

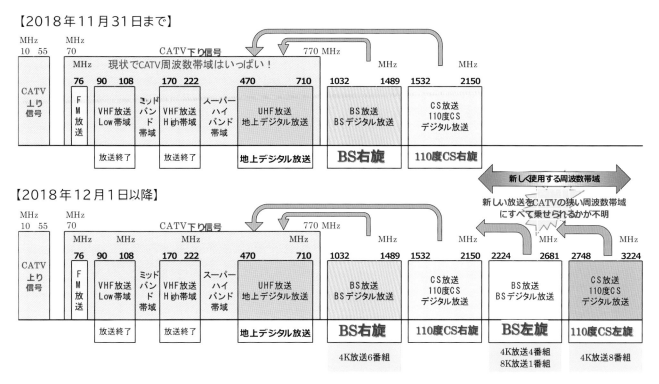

4K8K放送によるケーブルテレビの対応

から770MHzをテレビ放送に使用しています。そして、現在のBS/110度CS放送からチャンネルを選択して、この周波数帯域に変調し伝送しています。しかし、ケーブルテレビの周波数帯域はあまり大きくなく、そこに多くの放送を流しているため、ケーブルテレビの周波数帯域は一杯になっています。このためケーブルテレビではデータ量の大きい4K8K放送をそのまま送ることは難しいと考えます。

2.9　ケーブルテレビの4K8K放送視聴方式

ケーブルテレビで新4K8K衛星放送の視聴する方法としてはパススルー方式とモジュレーション方式の2つが考えられます。

（A）パススルー方式

ケーブルテレビの現在の放送（地上デジタル放送、BS/110度CS放送等）を770MHzまでの周波数帯域で伝送します。そして、新4K8K衛星放送（BS右旋（4K6番組）、BS左旋（4K4番組、8K1番組）、110度CS左旋（4K8番組）は、そのままの高周波数帯域で、マンションのテレビ共聴設備に送信します。

マンション居住者は新4K8K衛星放送受信テレビを購入することで4K8K放送を視聴することができます。しかし、この方式は、マンションのテレビ共聴

設備を4K8K（3224MHz）対応に改修する必要があり、アンテナ受信と同様、テレビ共聴設備改修に大きな費用が必要となります。

（B）モジュレーション方式

新しい圧縮技術を用いて4K8K放送を現在のケーブルテレビ放送帯域である770MHz帯域内に圧縮しテレビ共聴設備に伝送します。

この方式は、テレビ共聴設備の改修がほとんど不要で費用負担も少ない導入方式です。

このため、管理組合としては負担が少なく有利に見えます。しかし、将来、4K8Kのチャンネル数が増えた場合、視聴が出来なくなる可能性があります。またケーブルテレビ会社によっては、マンション外壁に露出配線を提案することがあります。マンション外壁露出配線は、建物外観が悪化し、マンションの資産価値が低下するため、お奨めできません。

2.10　ケーブルテレビ受信の今後

新4K8K衛星放送は、右旋放送はBS4K放送が6チャンネル、左旋放送はBS4K放送4チャンネルと8K放送が1チャンネル及び110度CS4K放送が8チャンネルです。8K放送1チャンネルの周波数帯域は、4K放送3チャンネル分の周波数帯域が必要なた

(A) パススルー方式

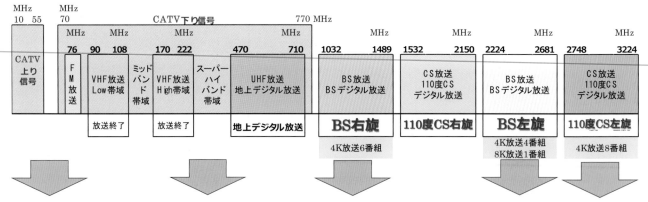

ケーブルテレビのチューナを利用して受信

4K8Kそのままの周波数帯域で流すため
マンションのテレビ共聴設備の改修が必要

改修費用負担が生じる

(B) モジュレーション方式

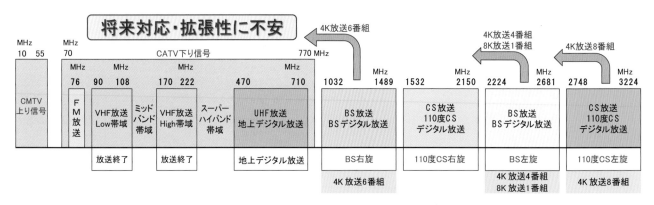

4K8K放送のケーブルテレビの送信方式

め、BS、CS 合わせて左旋放送は 4K 放送で 15 チャンネル分が必要です。

一方、新たに周波数帯域を拡大した BS、CS 放送の左旋放送は、BS 左旋で 33 チャンネル、110 度 CS 左旋で 26 チャンネルの計 59 チャンネルがあります。

今回の左旋放送は 15 チャンネル分を使用するため左旋放送はまだ 44 チャンネルも拡張できます。

つまり左旋放送は周波数帯域がまだ十分余っており、今後、4K8K 放送はますます増える可能性があります。

しかし、伝送周波数帯域が限界に近づいているケーブルテレビでは、チャンネルが増えた場合の視聴対応が難しくなると思われます。ですから、これからのマンションのテレビ放送受信は屋上アンテナによる地上デジタル放送、BS/110 度 CS 放送受信が主流になるかもしれません。

2.11 現在のテレビ共聴設備で 4K 放送を受信する

現在のマンションのテレビ共聴設備は、2011 年の地デジ対応により 2150MHz までの受信対応になっている場合が多いと思います。このため、現在の屋上アンテナの BS 放送受信設備で、右旋の 4K 放送（6 チャンネル）の視聴ができる可能性があります。

2.12 それでは、マンションの 4K8K 放送 対応はどうするか

新 4K8K 衛星放送の対応は、あまり浸透しているとは言えません。しかし、マンションの管理組合・居住者等から新 4K8K 衛星放送の問合わせが増えると思います。この際、以下の対応が考えられます。

①BS/110 度 CS 放送を屋上パラボラアンテナから受信しているテレビ共聴設備（2150MHz）のマンションは、そのまま 2150MHz 以下の 4K 放送 6

チャンネルを視聴する。

②その後、居住者・管理組合の協議・合意により、テレビ共聴設備を3224MHzまでの改修を検討する。但し、改修には大きな費用がかかります。尚、改修工事はテレビ共聴設備の設計・計画ができる専門の大手工事会社で行うことが原則です。

③ケーブルテレビを視聴しているマンションの新4K8K衛星放送対応はケーブルテレビのサービスによります。しかし、今後の4K8K放送の拡大を考えると、将来ケーブルテレビで視聴することは難しくなるかもしれません。また、ケーブルテレビからの提案を受けて安易にマンションの外壁露出配線を受け入れることはマンションの資産価値の低下をまねくと思います。

④4K8K放送受信としては光ファイバ等を利用した周波数変換方式もあります。この方式は現在のテレビ共聴設備の改修が少なく安価で導入が可能です。しかし、ケーブルテレビ受信マンションではケーブルテレビをやめる必要があり、各住戸のテレビごとにアップコンバータの設置が必要なため設置費用負担が住戸ごとに生じます。更に、将来4K8K放送が増えた場合に受信ができなくなる可能性もあります。このため、導入については十分な検討が必要です。

2.13　4K8K放送受信に伴う電波障害対策の補助金制度

　壁面内で同軸ケーブルの接続部が露出した古いテレビ端子等を使用しているマンションのテレビ共聴設備で、3224MHzまでの4K8K放送を受信・伝送すると、電波漏洩が生じ家庭内の電気機器の影響が出る可能性があります。このため、4K8K放送受信のためにテレビ共聴設備を改修する際に、電波漏洩による影響を防ぐための国の補助金制度が適用される可能性があります。補助金対象機器としては、増幅器、テレビ端子等があります。詳しくはA-PAB（一社放送サービス高度化推進協会）のHP等を確認いただければと思います。

3．おわりに

　2018年12月1日よりBS/110度CSアンテナで受信する新4K8K衛星放送が始まりました。そして、現在、新4K8K衛星放送受信チューナを内蔵したテレビ受信機が発売されています。

　このような流れの中で、マンションのテレビ共聴設備の新4K8K衛星放送受信改修は、未だ具体的な事例も少ない状況です。

　新4K8K衛星放送開始により、多くのマンション居住者・管理組合・管理会社等から、4K8K放送受信対応の相談・依頼の声が出てくると思います。その際の対応は費用や将来の展開を考慮する必要があります。

　今回の資料がその一助になれば幸いです。

マンションのインターホン設備の改修

（一社）マンションリフォーム推進協議会　技術士（電気電子部門）　村越　章

1. はじめに

マンションは戸建住宅までの一時的な仮住まいと扱われていましたが、機能面、構造面、価格面等の向上を図り、現在、日本の住宅の約15%を占めて、永住型の住まいとして定着しました。特に、機能面については、マンション特性を生かしたオートロックやセキュリティ機能を備え警報をマンション全体で集中監視できるマンション向けのセキュリティインターホン設備が開発・導入されてきました。

2. マンション向け
　セキュリティインターホンの推移

マンション向けセキュリティインターホンは単純な報知機器から、以下のように推移してきました。

2.1　戸別チャイム、インターホン

70年代から80年代前半のマンションは、戸建住宅と同様に訪問機器として住戸毎に戸別のチャイムやインターホンが設けられ、機能は訪問者の確認通話機能程度に限られていました。

2.2　HKICホームモニタ

80年代前半、マンションの建設会社である㈱長谷川工務店は、マンション向けの集中監視型セキュリティインターホン設備をメーカと開発し、首都圏・近畿圏の約3万戸のマンションに導入しました。このインターホン設備は来訪者とのインターホン機能だけでなく、マンション全住戸の火災、ガス漏れ、非常等のセキュリティ警報を管理人室で集中監視しました。この集中監視型セキュリティインターホン設備は大変好評であり、その後、マンションのインターホンの標準仕様になりました（**写真1**）。

しかし、当時はセキュリティインターホンにどのような機能が必要か試行錯誤の段階であり、様々な機能が盛り込まれていきました。

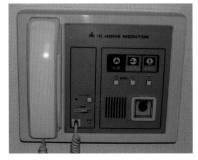

写真1　HKICホームモニタ6型、15型

2.3　セキュリティインターホンの普及

HKICホームモニタのようなマンション向け集中監視型セキュリティインターホン設備は、防犯防災性能向上からマンションの差別化につながり導入要望が増えていきました。これに伴い、インターホンメーカー各社はこのマンション向けセキュリティインターホン事業に参加し、市場ニーズやコスト等からその機能もインターホン通話機能、セキュリティ機能（火災、ガス漏れ、非常押しボタン）、管理人室警報移報機能等に集約されていきました。

2.4　機能の多機能化

1980年代末にマンション向け集中監視型セキュリティインターホン事業に家電メーカー各社が参加し、バブルの影響もあり、電話機能（ホームテレホン）、制御機能（テレコントロール、電気錠、照明）、防犯（センサ機能）等々の新たな機能が付加されました（**写真2**）。

このような流れにより、様々な機能を持ったインターホン機器が壁面いっぱいに設置され、マンションのセキュリティインターホンは、未来住宅の情報コントロール盤のようになると考えられました。

写真2　多機能型インターホン

2.5　消防用設備への移行

このようなセキュリティインターホンの普及とその有効性を鑑み、国は住宅火災の防止のためセキュリティインターホン設備を消防設備として認定し"住戸用自火報設備"（昭和61年（1986年）消防予第170号通知）が誕生しました。

住戸用自火報設備をマンションに導入することで屋内消火栓等の消防設備が緩和され、建築コストや維持メンテナンスコストの削減が可能となりました。これにより、セキュリティインターホン設備はよりマンションに必要な設備となりました。一方で機器の消防認定により多種な機能を持たせることが難しくなりました。

このように、インターホンを消防設備化とした住戸用自火報設備は、マンションのセキュリティインターホン設備の定着に寄与しましたが、機能の拡大や住宅の情報コントロール盤の実現は難しくなったとも言えます。

その後170号通知は220号通知、告示40号と変わり、住宅火災を防止する住戸用自火報設備はより重要な設備になりました。

2.6　機能の変化

90年前後のバブル崩壊によりマンション価格が低落し、インターホンも多機能から機能の絞込みや配線の省力化を図った安価な製品が開発されました。

多機能化によるホームテレホンやテレコントロール機能は一般電話機の多様化から衰退し、防犯性能が重要視されるようになりまた。これにより、オートロック機能や訪問者を確認できるモニター機能、防犯センサ機能が標準化されるようになりました。

3. セキュリティインターホン改修の増加

集中監視型セキュリティインターホン設備はマンションと戸建住宅の差別化を図るだけではなく、マンションとしての資産価値を向上させました。

そのため、集中監視型セキュリティインターホンのマンションへの導入は拡大していきました。この流れにより今後、インターホン設備の改修需要は拡大すると考えられます。

ただし、マンションのインターホン改修には様々な課題があり、効率的な改修方法が求められます。

3.1 マンション供給の市場推移

マンションは1980年代から永住型の住まいとして徐々に定着し、90年代当初、首都圏では年間4万戸のマンションが供給されていました。しかし、94年から首都圏マンションの年間8万戸供給時代が始まり、供給量が急激に増大し2007年まで14年間続きました（図1）。

インターホン工業会ではインターホンの改修時期の目安を設備導入後15年としています。これによれば8万戸供給が始まった1994年から2007年までの14年間から、15年経過する2009年から2022年以降にインターホン改修需要が増加しています。

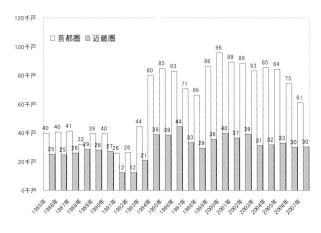

図1　首都圏・関西圏のマンション供給数

3.2　オートロックの普及

マンションのオートロック設備はマンションの各住宅内にあるインターホンと共用エントランスにあるロビーインターホン間で通話・確認し、住宅内から遠隔操作でエントランスの扉を開錠します。これによりオートロックは防犯性能を高めています。こ

のオートロックは1980年代から徐々に一般向けマンションにも導入が進み、89年には約半数のマンションで導入されています。特に、8万戸供給を開始した94年頃には8割以上のマンションに導入され、90年代以降はオートロックがマンションの標準設備となっています（図2）。

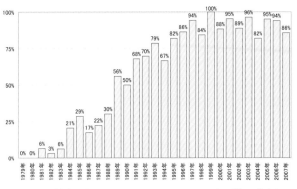

図2　首都圏マンションのオートロック導入率例

オートロック設備は一住宅でも故障すると、その住戸から来訪者との通話確認、遠隔開錠ができなくなり、居住者・来訪者とも大変不便になります。一方、経年により機器生産が終了すると、補修部品がなくなりインターホンの故障修理はできなくなります。そして、1住戸でもインターホンの故障修理ができなくなると、インターホン設備は全体の改修になり大きな改修費用が必要になります。

このように、オートロック設備の故障はインターホン改修を行う大きな要因になると考えられます。

3.3　消防設備の認定

1986年にインターホンが住戸用自火報設備という消防設備に認定することが法制化されました。この消防認定品のインターホン機器を導入することで、マンション全体の消防設備が緩和することができます。

このため、この消防認定品インターホンが導入されたマンションのインターホン設備の改修には、消防認定の機器・設備を使用しなくてはなりません。仮に1住宅でも個人で認定品以外のインターホンを取り付けると、マンション全体が消防法に違反することにもなります。

この住戸用自火報設備の消防認定は、1995年の220号通知、2005年の告示40号に引き継がれ、現在では、マンションのインターホン改修は住戸用自火報設備を用いた改修が基本になっています。

4．インターホンの故障

インターホンの故障について、いくつかの事例からその故障の傾向を探ります。

4.1　インターホン故障修理状況

マンションに導入された約40万台のインターホン子機の故障修理の傾向は、以下のようなバスタブ曲線により表されます（図3）。

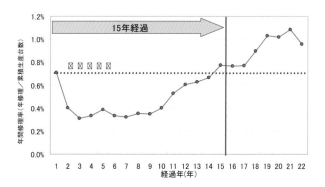

図3　年間修理率

このバスタブ曲線から、導入初期は初期故障が多く生じ、その初期故障の時期が過ぎると、故障率が低下し設備自体が安定化します。その後、徐々に、機器劣化による故障発生率が上がり、15年を経過するころには初期故障以上に故障が生じます。その後さらに、機器の経年劣化により故障率は上昇していきます。

4.2　マンション側の改修状況

インターホン機器故障の実態を探るため、築25年の、消防設備ではない初期の集中監視型インターホン設備を導入したマンションの故障状況を調査しました。その結果、インターホン機器の故障は全戸数の約4割、回答者数の半数で生じていました（図4）。

このマンションではインターホン設備全体の改修はまだ行っていませんでした。そして、戸別にインターホンを交換したという回答が8％（19件）ありました。この戸別にインターホンを交換した住宅は集中監視型インターホン設備と連動していない単独インターホンに改修したと思われ、これでは万一、火災やガス漏れ事故が生じた場合、マンション全体に警報を発することができず危険な状態になります（図5）。

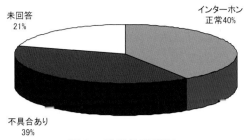

図4　機器故障状況

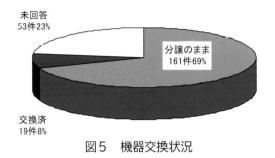

図5　機器交換状況

以上のように、このマンションでは約半数の住宅でインターホンに不具合が生じており、我慢して使っていると考えられます。

5. インターホン改修の課題と手法

インターホン設備は年代により変化しているので、その具体的な改修方法は、年代ごとにより異なります。

5.1　戸別機器は戸別対応

80年代前半までのマンションの戸別インターホン・チャイムの改修は既存ケーブルを利用した戸別のインターホン機器への交換となります。更にセキュリティ機能を高めるために、現状の集中監視型セキュリティインターホンのように各住宅から管理人室まで配線を新設し、住戸内は電話配管により配線を引いて各戸のインターホンと管理人室を結ぶ検討が必要となります。

5.2　システムの全体改修

80年代以降の集中監視型セキュリティインターホンは管理人室の警報監視盤を中心とした建物全体のシステムであり、1つの住宅のインターホン故障も、戸別に交換するのではなく、マンション全体で改修・交換する必要があります。

5.3　故障対応期間

メーカはインターホンの生産終了後、機器部品を7年間保守用としてストックしていると言われています。このため、生産終了後7年以上経過すると、インターホンの保守メンテナンス修理対応が難しくなり、結果として設備全体改修を行うことになります。

5.4　住宅玄関との通話故障

インターホンは通話故障が多くなります。しかし、一住戸の通話故障だけでマンション全体のインターホン改修を決めることは難しく居住者はドアノックで我慢することになります。そして、戸別で勝手に戸別インターホンを設置するとセキュリティ警報が発報されずマンションの安全上問題が生じることになります。

5.5　オートロック故障

オートロック導入マンションのエントランスのロビーインターホンとの通話や開錠の故障は、来訪者の通話確認やエントランス開錠ができなくなり、来訪者と居住者双方が大変不便になります。このためオートロック故障は1住宅の故障であってもその影響は大きくなります。しかし、他居住者には影響がないので当事者以外は余り問題にされません。

更に、経年により、インターホンの修理部品がなくなり修理ができない場合はマンション全体のインターホン改修が必要となります。しかし、費用と時間が必要なインターホン改修を積極的に進めることは難しくなります。

このため、今後のインターホン改修は、オートロック故障にできるだけ早く対応し、提案・工事を行うことが必要と考えられます。

6. インターホン設備の改修方法

6.1　改修の選択肢

90年代にはマンション用セキュリティインターホンメーカは10社程度ありました。しかし、現在のメーカはパナソニックとアイホンの2社であり、その機能もインターホン通話、オートロック、セキュリティ（火災、ガス漏れ、非常、防犯）、警報移報の4つに集約され、カラーモニターが付いた機器となりました。尚、2社の仕様やコストはほぼ同等です。

6.2　消防設備としての課題

1986年以後、消防法の認定機器となったインターホンは住戸用自火報と呼ばれ、これを改修する際、一般インターホン等認定機種以外の機器にすると消防法から外れ、マンション全体が消防法に不適合となります。このため、戸別でインターホンを交換することは注意が必要です。

6.3　マンションの管理組合

マンションのインターホン改修工事はマンションの所有権者（区分所有者）で構成される管理組合の代表機関である理事会で検討の上、居住者全員が参加するマンション管理組合総会に提案し、過半の同意により決定します。しかし居住者の多くは技術素人であり、その改修内容を十分理解・判断することが難しくなります。そこで、改修提案側は技術知識ではなく社会動向や市場変化、工事の必要性、コスト効果等を十分に説明することが求められます。マンション居住者に改修の必要性を理解していただくことが重要になります。

7. インターホンの改修手法

既存マンションの集中監視型セキュリティインターホンの改修では以下の対応が必要です。

7.1　インターホンメーカーの選定

現在の集中監視型セキュリティインターホン設備メーカーは、パナソニックとアイホンがありますが、この2社のインターホンの機能も費用もほとんど同じです（図6）。

マンションのインターホン改修を行う電気工事会社の中には、パナソニック製でもアイホン製でもどちらでも選べますよ・・と言って、管理組合側のインターホン選択肢を多く見せ、より良い提案のように思わせることがありますが、これには問題があります。

通常のインターホン改修工事では、作業員はインターホンが設置されているLDRと玄関に入って工事を行います。しかし、インターホン機器のメーカーを、パナソニック製からアイホン製・・又は、アイホ

メーカー		パナソニック	アイホン
機器名称		ウィンディア（Windea）	ビクサス1P（Vixus-1P）
機器外観			
インターホン通話機能	玄関	インターホン通話	
	エントランス	オートロック対応通話	
セキュリティオートロック機能	セキュリティ警報	火災・ガス漏れ・非常・防犯	
	エントランス	オートロック対応	カメラ付き
	カラーモニター	5インチカラー液晶モニター	7インチカラー液晶モニター
	モニター画素数	23万画素	115万画素
	録画	動画録音録画	コマ撮り録画
	録画件数	15秒動画を16件	6秒（1秒1コマ）録画を40件
その他機能	機器操作方法	タッチパネル＆ボタン	
	一斉放送	一斉放送機能	
	その他機能	住戸間通話機能	掲示版システム
管理人室警報移報機能		部屋番号・警報種別表示	
消防設備		P型3級受信機	

図6　インターホン改修の機器

ン製からパナソニック製・・に変えると、住戸の各部屋の天井についている火災感知器の内、1カ所のみについている終端抵抗を交換する必要があります。

火災感知器の終端抵抗の交換は、作業員が住戸の各部屋（LDR、洋室、和室、台所、4㎡以上の物入等）に入り家具等を移動して、天井の火災感知器のカバーを外し、終端抵抗を交換します。更に、終端抵抗の位置も図面と異なることがあり、結局、作業員は全部屋に入り火災感知器内の終端抵抗を探しながら工事することになります（図7）。

インターホン機器のメーカー変更について、この点が十分に説明されず、住戸内工事の際に作業員が各部屋に入り感知器を取り外すと、居住者の方は突然のことに不安や迷惑と感じることになります。

このような理由により、2社の性能もコストも大きな差異がないインターホン設備の改修は、既存のインターホンメーカーに合わせたメーカーの後継機種を選定したほうが良いと考えます。

7.2　全体改修

集中監視型セキュリティインターホン設備は、マンション管理室に設置された警報監視盤を中心としたマンション全体のシステムです。

全住戸のインターホンと警報監視盤間で、特定の信号で情報伝送しながらマンション全体を監視します。このため、インターホン設備の改修は、集中監視盤、住戸内のインターホン親機、玄関子機、エントランスのロビーインターホンの全てのインターホン機器を交換します。そして、同じ会社の製品であっても型番が異なるインターホンを1住戸だけ交換することはできません。

改修工事では住戸内のインターホン機器交換は個人の住宅内に入って工事を行うため、マンション管理組合や居住者の方の協力が必要になります。しかし、状況により住戸内に立ち入れないことがあります。インターホン改修工事は、マンション総会により決議されマンション全体として工事を行うため、管理組合理事会等から、住戸の居住者の方を説得していただく場合があります。

更に、工事終了時点で、インターホン改修工事ができない住戸が生じた場合、その住戸の方はエントランスのオートロックの呼出・通話・解錠や住戸警報の移報ができず大きな問題となります。この場合、一定期間を設けてその方と工事会社間での有償を含めた工事対応が必要になります。

7.3　新旧インターホン同時運用による安全性の確保

インターホン改修工事期間中は、マンション全体のインターホン設備が停止します。これにより、各住戸のセキュリティ警報が管理室の警報監視盤に移報

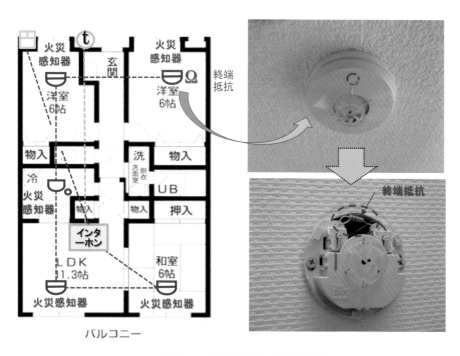

図7　火災感知器内の終端抵抗

されず、エントランスのオートロックも利用できなくなり、マンションの安全性の低下につながります。

このため、インターホン改修工事の際には、管理人室に新旧の警報監視盤を設置し、エントランスに新旧ロビーインターホンを設けて、既存インターホンの配線を利用して新旧インターホンの警報監視とロビーインターホンを同時運用します。これにより工事期間中も、住戸警報の集中監視とオートロックの運用を行い、マンションの安全性の維持を図ります（図8）。

その際、ロビーインターホン上部に工事進捗を明示した住戸工事完了表を設置します。来訪者はこの表を確認して、工事完了した住戸は新しいロビーインターホン、工事未了住戸は旧ロビーインターホンから訪問先住戸に連絡してオートロックを開錠してもらいます（写真3）。

尚、新旧インターホンの同時運用を行うと、旧インターホンがモニター付の場合、モニター表示ができなくなりますので注意が必要です。

7.4　住戸内工事の手順

住戸内のインターホン親機の交換工事は、住戸内に入り工事を行うため、居住者の承諾と工事日の在宅が必要になります。このため、最初に施工会社からマンション各住戸の工事予定日を全居住者に配布します。そして、その日程で都合の悪い居住者は工事会社と協議して工事日を調整します。

1住戸内のインターホン改修工事時間は60分程度です。工事完了後、動作試験をした上で、居住者の方に使用方法を説明し、了承されれば工事完了確認書に居住者が記名捺印をして住戸工事を完了します。

このようにインターホン改修の住戸内工事は、各戸で居住者の方が工事完了の確認を行います。そして、工事完了後に全住戸分の完了確認書を竣工書類として管理組合に納品して住戸内工事検査結果とします。

7.5　工事後の未改修住戸の対応

居住者がインターホン工事を拒否、又は、空き家、住戸所有不明等により、工事完了時点でもインターホン交換ができない工事未了住戸が生じることがあります。この場合、原則として、工事未了住戸のインターホン機器を管理組合に納品し、工事費用は居住者対応費用としてマンション管理組合と工事を終了します。

その後、工事未了住戸の居住者が工事会社に直接連絡し日程調整をして、その住戸のインターホン機器の交換工事を行います。その際、管理組合に納品したインターホン機器を使用し、工事完了後一定期間は無償で工事を行いますが、その後は、工事未了住戸の居住者が工事費を負担する場合があります。

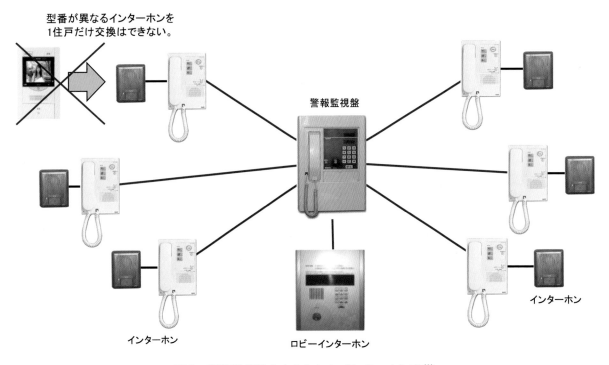

図8　警報監視盤を中心としたインターホン設備

旧ロビーインターホン
工事後撤去

仮設台

新ロビーインターホン
工事後、既存ロビー
インターホンと交換

住戸工事完了表
工事進捗に合せ表示を変更

写真3　新旧インターホン同時運用

8. 今後のインターホン改修

　現在、日本のマンションは650万戸を越え、その多くに集中監視型セキュリティインターホン設備が導入されています。現在1000戸を越える大規模マンションにおいても、インターホン改修工事が行われており、マンションのインターホン改修要望はますます大きくなっています。

　これに伴い、インターホン工事に際してマンション管理組合・居住者対応がより重要になっており、住民説明会の開催、実機によるデモ等、丁寧で詳細な説明とマンション全体での十分な理解が求められます。

　インターホン機器が故障した場合、修理対応が原則となりますがメーカーの修理保証期間が過ぎると、マンション全体のインターホン改修が必要となり大きな修繕費用が生じます。また、消防認定設備のインターホン設備の改修には法的規制があります。更に、オートロック設備の故障はマンション居住者への影響が大きく、住宅のセキュリティ機能の故障は、災害発生時の他住宅への被害拡大の可能性があります。そして、マンション管理組合側の改修内容の理解と合意形成、修繕積立金の確保等改修費用の課題も生じます。

　このようにインターホン改修には課題がありますが、メーカーもパナソニック、アイホンの2社の仕様コストも同等で、検討が容易な点もあります。インターホン機器を最新型に改修することで、マンションの資産価値の向上を図ることができます。今回、そのインターホン設備の改修概要を発表しました。これが、今後のマンションのインターホン改修の一助となれば幸いです。

エントランス周りの改修

～共用部分のリノベーションで資産価値をアップ～

（一社）マンションリフォーム推進協議会／一級建築士　　阿部　操

1．はじめに

　マンションの顔と言われているエントランス部分を、その時代に合ったマンションと同様の内容に改修工事を行う事により、居住者の利便性が増すだけで無く、そのマンションの資産価値そのものがアップしていくことになると思われます。

2．大規模修繕工事と改修工事

　図1は、経過年数とともに快適度がどのように変化するかを表わしたものです。横軸に経過年数、縦軸には快適度を示しています。新築時からメンテナンスを何もしていかなければ、色々なところが劣化していきます。そこで、大規模修繕工事（メンテナンス）にて、定期的に新築時レベルまでに初期性能を回復させていきます。更にその時々の社会的水準を満たすべき性能をリフォーム・リノベーションでグレードアップさせていくと資産価値が新築時のものよりアップしていくことになります。

「修繕（メンテナンス）」＋「改良（リノベーション）」
＝「改修（バリューアップ）」
　となります。

　経年劣化に対して、修繕で元の性能まで回復し、改良・改修で付加価値をプラスすることになり、安心・安全・快適な暮らしができるマンションになります。そして「資産価値」を高めることにもなるのです。

　物理的劣化（老朽化による機能低下など建物自体の痛み）である「ひび割れ・給水管の破損・鉄部の錆び・防水の欠損」をメンテナンスし、機能的劣化（法律にマッチしない状態や時代遅れの性能・機能）である「省エネ対応照明のLED化・窓をペアガラスに更新・ネット回線新設」をリノベーションし、社会的劣化（時代のニーズにデザインや仕様が対応して

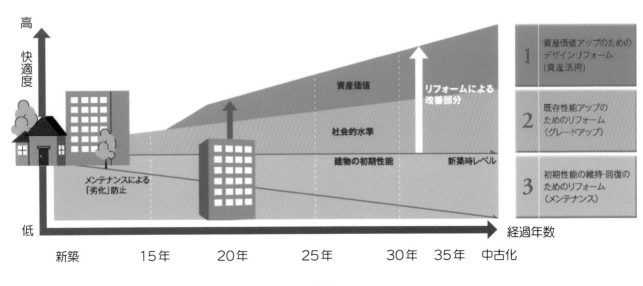

図1

いない）である「バリアフリー対応・カメラ付きインターホンへの更新・オートロックの新設・宅配ボックスの新設」をグレードアップすると、資産価値が向上していくことになります。

3．大規模修繕工事金額の内訳

次に、大規模修繕工事の工事金額の内訳を見てみましょう。図2をご覧ください

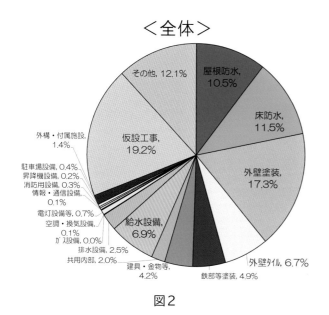

＜全体＞

その他, 12.1%
屋根防水, 10.5%
床防水, 11.5%
仮設工事, 19.2%
外壁塗装, 17.3%
外構・付属施設, 1.4%
駐車場設備, 0.4%
昇降機設備, 0.2%
消防用設備, 0.3%
情報・通信設備, 0.1%
電灯設備等, 0.7%
空調・換気設備, 0.1%
ガス設備, 0.0%
排水設備, 2.5%
共用内部, 2.0%
給水設備, 6.9%
建具・金物等, 4.2%
鉄部等塗装, 4.9%
外壁タイル, 6.7%

図2

※出典：国土交通省「マンション大規模修繕工事に関する実態調査」
調査期間：平成29年5月～7月

外部を修繕する工事が中心の為、仮設工事の比率が一番高く、屋根防水工事や床防水工事の比率も高くなっています。一方、外壁塗装工事・外壁タイル工事・鉄部等塗装工事・建具金物等工事・共用内部工事の合計が（17.3％＋6.7％＋4.9％＋4.2％＋2.0％＝35.1％）と全体の3分の1強を占めています。この部分の修繕工事はデザイン性も考慮していくと、グレードアップ工事として活用することができます。特に、建具金物工事や共用内部工事はエントランス周りのグレードアップ工事として行なっていく事が可能です。

4．エントランス周りの状況

古いマンションのエントランス周りの状況を確認してみると、
・経年劣化による痛みやデザインが陳腐化している
・オートロックシステムが無く防犯性が低い
・エントランスドアが自動でなく重い開き戸で開閉に不便である
・郵便ポストの収納量が少ない
・宅配ボックス等が無くエントランス周りの機能が劣っている
・エントランス周りにゆとりが無い
・省エネ対応の照明器具が使われて無く頻繁に器具の交換が発生する
以上の観点から、居住者の不満率が高くなっている事がうかがわれます。

それではどの様なエントランス周りのリノベーションをしていけば居住者の不満も無くなり、資産価値もアップしていくのでしょうか？次にその問題を解決させた実例を紹介していきます。

5．実例紹介

これからいくつかの実例を紹介しますが、どんな観点でリノベーションをしたのかを整理して見ると、以下のような分類に分かれます。

表1

A デザイン性	1．高級感を演出
	2．広く見せる
	3．アプローチを長く
	4．アイキャッチ
	5．隠す
	6．照度を落とす
B 機能アップ	1．オートロック化
	2．オートドア化
	3．集合郵便受け更新
	4．宅配ボックスの新設
	5．バリアフリー化
	6．省エネ設備へ更新

A-1 高級感・**B-1** オートロック化
B-3 集合郵便受け更新・**B-4** 宅配ボックス新設

・アプローチと外壁に石を貼り高級感を出している
・エントランスドアがオープンであったものをオートロックにし防犯性を高めている
・集合郵便受けをオープンのものからクローズ化させ、セキュリティ内から受け取れるようにした
・宅配ボックスを新設し現在のニーズに対応した設備とした
・エントランス周りの照明器具をLED化し省エネ対応とした

After

Before

A-5 隠す・ B-1 オートロック化
B-3 集合郵便受け更新・ B-4 宅配ボックス新設

・ポストが外部から丸見えの状態であったものを、建物の一部に組み込みセキュリティ内部から取り出せるようにした

・エントランスドアが無くオープンだった状態を自動ドアを設置しオートロックシステムとした

・宅配ボックスを集合郵便受けと一体型で設置しセキュリティ内部から取り出せるようにした

・エントランス周りの照明器具をLED化し省エネ対応とした

After

Before

A-1 高級感を演出・ A-3 アプローチを長く・
A-5 隠す・ B-5 バリアフリー化

Before

・正面から入っていたエントランスを横から長くアプローチをとる
　ようにした
・エントランスの正面に塀と植栽を置き内部を直接見えないように
　した
・正面から入っていた時には階段があり段差があったが横からのア
　プローチ部分をスロープにすることにより段差をなくした

After

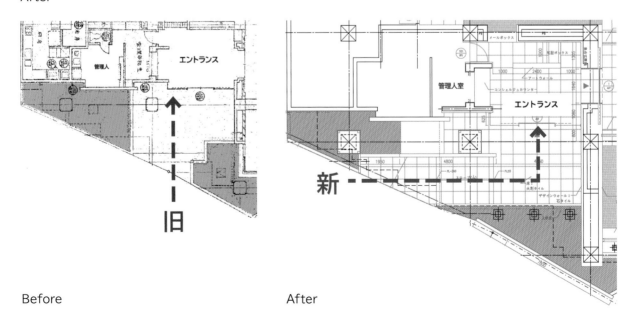

Before　　　　　　　　　　　　　　After

A-1 高級感を演出・ A-4 アイキャッチ・
A-5 隠す・ B-1 オートロック更新

・エントランス正面にガラスオブジェをアイキャッチとして設置した
・エントランス入って正面に見えていたポストを、ガラスのオブジェ
　で隠した
・設置されていたオートロックを更新した

After

Before

A-1 高級感を演出・ A-5 隠す・

B-6 省エネ設備へ更新

・ラウンジの家具を更新し高級感を演出した

・外部からの視線を遮る様にブラインドを設置した

・照明器具をLED化し省エネ対応とした

After

Before

A-1 高級感を演出・ A-2 広く見せる・
B-1 オートロック更新・ B-4 宅配ボックス新設

・ラウンジの壁の位置を移設し広くみせた
・外壁ラインをガラスにして内部と外部の一体感をもたせた
・ラウンジの床を木フロアーにして高級感を出した

Before

After

Before

After

6. まとめ

　以上の様に、各実例を見ていただければお分かりの通り、いずれのマンションも築30年〜40年は経過しているものであるが、エントランス周りを現代のニーズに合った形でリフォーム・リノベーションを行う事により、最新のマンションと見間違える様になり、居住者にとっての利便性のアップばかりで無く、不動産としての資産価値が向上していると考えられます。

長く親しんでもらえる・人の集まる共同住宅

色彩設計における住人の関わり方

（一社）マンションリフォーム推進協議会／1級カラーコディネーター（環境色彩）　高山　美幸

1. 長く親しんでもらえる・人の集まる建物とは

　共同住宅は、人が集まり、長く親しんで居住してもらえる事が資産価値向上に繋がります。入居する建物の選定条件には、環境や建築意匠・設備・安全信頼性等、各要因がありますが、建物の印象を大きく左右する外装色は、入居率にも影響を与えます。この為、土地に相応しく、住民や地域の人々に親しまれる建物となるよう、設計士やカラーコーディネーター（以下　色彩設計者）は、様々な調査を元に、対象に適した仕上材色の提案を行っております。

1.1　外装色の影響

　入居の選定条件として外壁の色彩が影響した新築事例をご紹介します。2棟の異なる共同住宅が隣接して同時期に建設された際、一方は即完売し、一方は入居開始後も数ヶ月に亘り募集されていた建物がありました。販売担当者によると、選定理由として、

「外装色の違い」と回答した購入者が少なくなかったようです。また改装工事での色彩効果として、空き室の多かったマンションが施工後には満室になった事例も多数あります。但し、新築・改装工事どちらも、一過性の魅力は短期的な集客となってしまうので、長く親しんでもらえる建築外装色として、まちの風土や将来像を見据えた色彩設計が重要です。近年では改装によって評判が高まった建物の周辺で、呼応した外装色が波及し、まちの魅力が高まり、人が集まる地域となった例も増えてきています。このように建物外装色は、対象の価値向上だけでなく界隈の印象を変え、地域の魅力や景観価値形成に大きな影響を与える効果があります。

1.2　資産価値を左右する運用期間時の色彩選択

　建物は竣工して終わりではありません。

　色彩設計者は決定色を整理した色彩管理書等を作成致しますが、竣工後の運用期間には、管理書記載

写真1　浦安マリーナイースト21望海の街（千葉県浦安市）　改修工事によって新たな魅力を創出した。

外の付属設備等、新たな要素の色彩やデザイン選定を行う機会があります。都度、色彩設計者に相談される例もありますが、その場に色彩設計者が介入する事の方が少なく、共同住宅の場合、所有者や住人、工事関係者が色彩選定の判断を行う場面が生じます。ここで選択される色彩によっては、例え小面積であっても建物の印象を変えてしまい、竣工当時に評判の高かった建物でも資産価値を下げ、まちの雰囲気をも変えてしまう事にも繋がります。

1.3 建物の主役である住まい手と色彩設計の関わり方

但し、住人の方々自身で運用期間時に適した色彩選択を行える［判断基準］さえあれば、建物の価値を保つだけでなく高める事にも繋がります。この［判断基準］とは、外装色が決定された際の［判断基準］であり、元を辿ると、色彩提案の要となる住人の方々がどのように暮らしたいか、という目的に基づきます。従って運用期間時の色彩選択では、色彩設計の初期段階や決定時と同様、「居住者による暮らしへの目的」が判断基準となります。

このような事から改装工事における色彩計画では、色彩設計者だけで完結するのではなく、建物の主役である住人の方々も関わられる事が、将来にわたって長く親しんでもらえる、人の集まる建物に繋がると考えます。

本章では、建物の主役である住人の方々と色彩設計との関わり方について、留意点をご参考に紹介させていただきます。

2. 建物の色彩の考え方・関わり方

2.1 目的確認 ──────── 対象 住人・色彩設計者
どのような暮らしにしたいか

まず初めに「どのような暮らしとしたいか、改修後どのような生活空間としたいか」といった大きな目的を提示し合います。「住民同士の交流を高めたい」「敷地内のベンチでゆっくり本を読んで暮らしたい」等、様々な［思い］をだされる事をお勧め致します。

色から考えない

注意点は、色については挙げない事です。以前、

「パステルの外壁色が良い」と要望があり、理由を尋ねると「若いファミリー層の入居を増やしたい」という思いでした。調査してみると入居者層には落ち着いた外観色が適していると判断となり、落ち着きのある色彩を施工したところ、竣工後完売となりました。大切なのは、対象者がどのように暮らしたいか、という目的を考える事です。

2.2 現状把握 ──────── 対象 住人・色彩設計者
大切にしたい、改善したい［モノ・コト］

目的を設定した後は、住民の方々が現状をどのように感じているか具体的に挙げていきます（表1）。心地よいと感じている場所［モノ］や、暮らしの中で大切にしている［コト］等、色彩設計者にはわからない大切な［モノ・コト］を、いくつでも挙げてみてください。ホールでのおしゃべりが楽しい［コト］や、

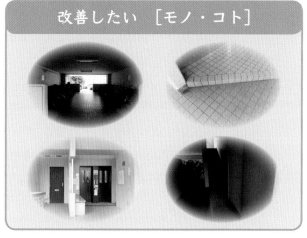

図1 大切にしたい・改善したい「モノ・コト」

エントランスのアーチはデザイン性があるので残してほしいといった［モノ］、薄暗くて不安といった心理面［コト］等、改善課題や防災対策を色彩設計で解決できる事もあります。大切な部分や改善したい事がわかれば、色彩設計者はそれらを活かした計画を行えます。

2.3　周辺環境・視点場 ── 対象 住人・色彩設計者
風景の中の建物

　建物や敷地内外を時間帯や視点場を変えて確認してみてください。通勤通学路から対象がどのように見えるのか、近隣と共に見渡せる場所（近景）や、少し離れた場所（中景）、主要な眺望地点（遠景）から、どのようなまちの中に立地しているのか、日頃見慣れた風景も改めて見つめると、まちの魅力や地域文化の再発見があるでしょう。視点場確認の際、気になった事や場所等を撮影し、［モノ・コト］メモの記録をすると、後で各自記録資料を持ち寄り、共有情報としてまとめやすくなります。

　ポイントは、建物単体だけを見るのではなく、周りとの関係性です。

2.4　地域・風土の歴史　土地固有の魅力発見
── 対象 住人・色彩設計者
一過性の「憧れ色」と「ひとくくりの和風」

　高度成長期、海外の建物を彷彿とする「憧れ色」の外装色が増えましたが、長い年月を重ねると、どこか居心地が悪くなってしまうようです。また、海外からの観光客が増えると、和風を表現する建物も多く見え始めました。只、和風といってもひとくくりに捉えることは難しく、地域それぞれの形態特性があります。例えば格子を用いた建物では、「馴染みのある格子とは幅や色が違う」と土地の人が異質と感じている例も少なくありません。また、「土の色」がキーワードとなる建物もありますが、この「土の色」も、ひとくくりに定める事はできません。以前、147名の方に土の色彩調査を行ったところ、やはり出身地による人々の思い描く土の記憶色が異なりました。[※2] このように、憧れ色や「ひとくくりの和風」ではなく、土地固有の魅力を発見する事が大切です。

表1　利用者思考調査書「大切にしたい・残したい・改善したい［モノ・コト］チェック表」例

(事例)チェック項目		大切にしたい・残したい		改善したい	
大項目	小項目	モノ	コト	モノ	コト
対象	外観	・1階の高級感ある石調仕上げは、残してほしい。	・エントランス壁に丸い開口部は、子供達が覗いて、遊んでいる。	・古い建物なので、若い人が入居するようなオシャレな建物にしてほしい。	・出窓の下の雨垂れが汚い。
	共用部	・基壇上部の花台は、草花を植えられ、デザイン性がある。	・エントランス入口のベンチでのおしゃべりが楽しい。	・高齢者も多いので、エレベーター前にベンチがほしい。	・階段付近が暗くて転倒の危険がある。 ・自転車置き場が暗くて、怖い。
	屋根・屋上	・斜壁が屋根のような形状なので、屋根のような印象は残してほしい。	・特に無し。	・斜壁の汚れが多い。	・屋上菜園を行いたい。 ・屋上を交流の場として活用させてほしい。
	敷地内空間	・入口アーチは、お祭りの集合写真の撮影場として活用している。	・中央の小さな公園は、軽い運動を行うスペースとして使っている。	・自転車置き場に自転車が散乱している。	・ゴミ置き場が、きれいに整理されていない。
	自然・植栽	・大きな桜がシンボル。・木蓮の花がとても綺麗。	・エントランス入口の花壇のお花は、子供達が水やりをしている。	・西側の敷地は、雑草が多くて通りにくい。	・枯れ葉が多くて、汚い印象になっている時がある。
視点場	近景	・石垣が残っており、風情がある。	・並木通りの風景が、穏やかな印象。	・道沿いに妻壁が並列していて、圧迫感がある。	・エントランス入口がわかりにくい。
	中景	・公園と一体的に見えるので、広い印象で良い。	・ショッピングセンターの駐車場から見える。	・建物の角度によって違った印象で統一感がほしい。	・高台から見えた際、屋上がグレイ色で冷たい印象。
	遠景	・緑が多い事に気づいた。	・夜景が綺麗。	・緑が多いためか、建物が突出しているように見えた。	・特に無し。
地域	周辺 建物 雰囲気	・文学者の家があり、とても落ち着いて良い雰囲気。	・静かで落ち着いた雰囲気。	・派手な色の建物が数件建ってしまい、地域の印象が変わってしまった。	・周辺は高級な雰囲気だが、このマンションは、少し寂れて安い印象 ・工場と住宅が混在している。
	自然（緑・河川・田園等）	・キンモクセイの花が多い地域で、季節になると、良い香りがする。	・河原は、ランチやジョギングする人が多い。自転車道があり、遠方からも人が集まってくる。	・竹藪があるが、暗い印象。	・近くの小川は整備されていない為人が訪れる雰囲気でない。綺麗になれば遊びにいきたい。
	歴史・寺社文化・産業	・近くの〇〇神社は、祭りやお正月以外も住民がいつも参拝している。	・染色が有名。藍色の暖簾が多い。 ・古い家屋は、瓦屋根や土壁の家が多い。	・染色や藍色の暖簾が素敵なまちだが、アピールできていない。	・お祭りに行く人が少なくなってしまった。
	その他	・河原へ行く道は子供が遊んでいたり、お年寄りがおしゃべりしている。	・朝早く清掃や散歩する人が多い。 ・市主催の庭のコンテストをしている。	・ランチのできるお店やカフェが無い。	・高齢者が多いが、商店街まで遠いので外に出にくいという声が多い。

長く親しまれる土地の記憶を繋げる景観

建築構造や仕上材には、その土地の気候風土や地質、歴史や暮らしの文化よって育まれた土地の知恵と個性が表れます。地域の歴史や風土・文化を再認識すると、土地の見方も変化し、愛着も高まったという声を大きく聞きます。風や光の色、土地の営みに相応しい建物となれば、長く親しまれるれるのではないでしょうか。

景観法

景観への社会的関心の高まりから平成16年に「景観法」という法律が成立されました。基本理念は、良好な景観は地域固有の国民的資産であるとして、地域の自然や歴史・文化のうえに人々の営みを通じて形成されるよう地域特性に応じた運用が可能な制度です。

農村や歴史的まちなみ、眺望景観の保存や緑道、地域のランドマーク等、良好な景観形成へのルールづくりが成されています。地域固有のまちづくり目的が揚げられ、形態意匠や建物外壁色彩の基準を設定している地域（景観行政団体）もあり、適合しない場合は勧告が行われることもあります。

ここで大切なのは活用できる色彩数値だけに注力するのではなく、其々の土地の魅力や将来像を読み取る事です。色彩設計者は、狭小範囲基準であっても

色彩Point-1　建物の頂部

坂の上や高層物、高架車窓等から、まち並みを見下ろすと壁面よりも屋根や陸屋根（屋上）が大面積として目に入ってきます。屋根は風土に根ざした色材が用いられるので地域特性が表れやすい一方、陸屋根（屋上）はグレーやグリーン系色が多用されています。[※1]
建物の頂部は、まちの景色を左右する大切な要素である為、景観配慮が必要な部位です。

様々な色彩の建物頂部　　福井県越前市五箇地区
　　　　　　　　　　　　美しい銀瓦屋根景観

土地と対象に合わせた特性ある色彩設計ができます。

2.5　目的の再検討

対象 **住人・色彩設計者**

2.2、2.3、2.4のように、これまでと違った視点で建物や地域を見直すことで、思考に変化が生じる事があると思われます。2.1で作成した目的の記録資料を確認して、改めて改装における目的を整え、色彩設計者へ、思いをつなぎます。（図2）

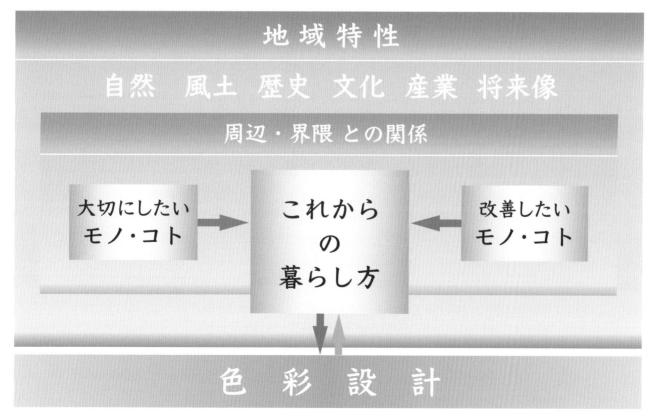

図2　色彩設計と要因の関係

3. 環境色彩設計

3.1 対象分野の違いによる色彩影響

　色彩計画を大別すると、ファッションや商品と、建造物やまちづくりといった環境色彩に分けられ、それぞれ必要な知識や能力が異なります。図3のように建物外装色は、ファッションと違い色彩を直ぐに変更できず、長い年月まちの景色として残ります。商品や居室内装と比較すると対象規模は、はるかに大きく、見る人は不特定多数です。この為、環境分野の色彩設計者は、色彩知識のみならず、まちづくりや歴史・文化・産業の読み取り、気候風土による色彩特性や視覚・対象者心理効果、これらに加えて建築形態と下地から成る仕上材の色彩特性等の知識を有する事が必須で、建築設計士のパートナーとして共同設計を行う計画が増えています。

3.2 色彩提案 ——————————対象 色彩設計者

　環境色彩計画は、感性に頼るのではなく客観的な視点と共に、利用者や地域・来訪者目線をもって取り組みます。図4は色彩設計の基本フローですが、対象によって調査項目やプロセス、提案資料、計画期間も異なります。

　建築仕上げ材によって色彩の見え方や、印象が変わるため、建築構造や形態から成る各色材特性に適した色材と意匠デザイン提案を行います。

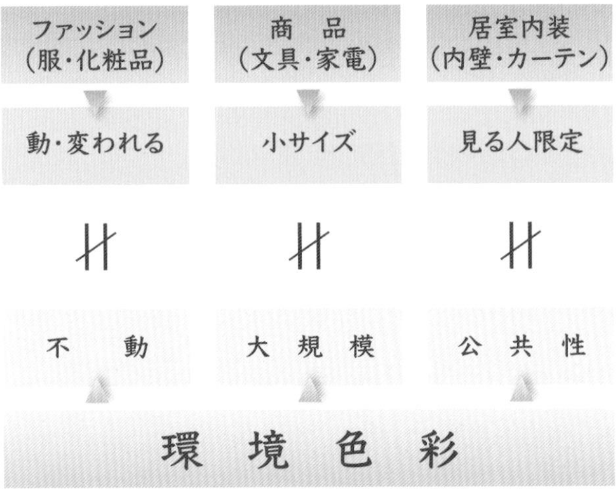

ファッション （服・化粧品）	商　品 （文具・家電）	居室内装 （内壁・カーテン）
動・変われる	小サイズ	見る人限定
‖	‖	‖
不　動	大　規　模	公　共　性

環　境　色　彩

図3　対象の違いによる影響

1	企画	目的確認 / 与件確認 / スケジューリング 対象目的や計画コンセプトを把握し、関係者間の目的の共有や提案の方向性を整理し、スケジューリングを行なう。
2	調査	景観形成調査 / 地域・現場調査 地勢・環境・歴史・文化・産業・生活等から風土を捉える。地域・建築物・自然・意匠等から色・素材・意匠調査を行う。
3	分析	対象特性分析 各調査要因の整理を行い、色彩・素材・形態意匠等から地域特性を導き出す。
4	色彩 コンセプト	色彩空間・イメージコンセプト創出 分析結果を元に、対象目的や地域環境との関係性から色彩・素材のコンセプトの策定。
5	基本 設計	色彩基本設計 対象の全体的な色彩構成を設計。カラーシミュレーションや提案書等の作成。
6	実施 設計	色彩・仕上材設計 対象部位の詳細色彩設計。仕上材の色彩・艶・テクスチャー選定。
7	現場 確認	現地・色見本（仕上材）確認 現場とできるだけ同条件にて、各部材の現物見本を色彩、艶、素材感の配色効果や光環境から確認。
8	施工 管理	施工確認 決定色が適所に反映されているか、仕上材の意匠確認。施工後、目的及び環境との関係性の確認。
9	色彩 管理	決定色管理書作成 配色や実物見本による管理用資料の作成。

図4　色彩設計フロー

色彩Point-2　色見本

建築分野では、日本塗料工業会発行の塗料用標準色が多用されています。マンセル表色系（色相、明度、彩度）に対応した色票番号の為、色番号だけで色をイメージでき、正確な色伝達が可能です。色彩設計や塗料の受発注に欠かせないツールとして定着しています。

2019年K版　塗料用標準色	比色マスクを用いた視感測色手法
 ・つや消し色（36色）新規掲載。 ・1.25Y色相が新規掲載。 ・計654色が掲載。	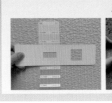 ①色票に近い明度面（白かグレー）を選ぶ。 ②開口（窓）に色票を左右同面積で隣接させる。 ③観察は、色相・明度・彩度で違いが目立つ属性から進める。

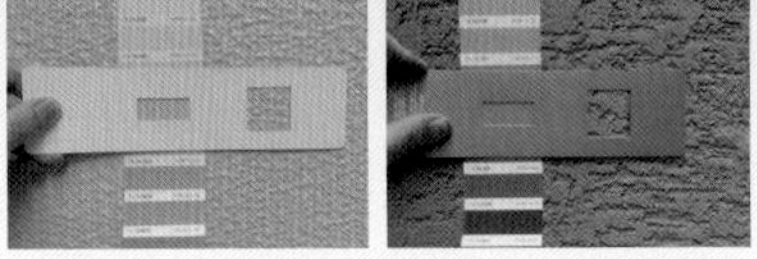

4. 環境色彩設計の決定

3. の色彩設計者から提案された改装イメージ後の色彩設計（図4の5）を確認し、最終判断を行う大切な場面です。（図4の6、7）

4.1 要望書の再確認 ——————— 対象 住人

提案内容の確認前に、初期段階でまとめた「どのような暮らしにしたいか」という目的の記録書を改めて読み直す事で、本来の目的に沿った色彩設計提であるか、適した判断がなされると思われます。

4.2 基本設計・色彩イメージの決定 —— 対象 住人

提案時には、調査分析や色彩コンセプト資料と共に、改修後のイメージとしてカラーシミュレーションが活用される事もあります。現状の写真を元に、周辺環境や既存箇所は残して、改修対象面のみ色彩変化させるため、着色立面図よりもイメージしやすい事から多用されています。但し、カラーシミュレーションはあくまでも全体の雰囲気・イメージとして捉え、実際の色の見え方は次の段階で確認します。尚、素材感のある仕上材活用の場合は、併用確認をお勧めします。例えば「白色」であっても、クールな印象を与える仕上材もあれば、温もりある穏やかな雰囲気となる仕上材もあるからです。

色彩イメージの決定ポイント

提案された色彩イメージは、初見では決めない事です。提案内容を元に改めて建物や地域景観を確認する事で、長く親しまれる提案はどのタイプなのか定まる

と思います。決定後は、その判断要因を具体的に記録しておくと、その後の維持管理等の運用に役立ちます。

大切な事は色の嗜好や感性ではなく、設計コンセプトや建物に与える色彩効果や色彩計画の考え方から判断する事です。

4.3 実施設計・現場確認 ———— 対象 色彩設計者
実際の仕上材による色・素材確認

外壁色の最終決定は、実際に用いる仕上材サンプルと共に、他部材や既存サッシ、舗装材色との関係性を確認できる施工現場に近い状態で判断を行います。時間帯や方角によって色彩やコントラストが異なって見えるため、時間と場所を変えて確認を行う事で日々の暮らしに相応しい色彩を判断します。

現場が始まる前に確認

改装工事では、現状の壁面色と検討色との変化がどの程度生じるのかという指標があるので、新築よりも竣工後のイメージがつきやすくなります。そのためにも足場等がかかる着工前に、色彩の確認作業を行う事が大切です。決定色は、サンプルの裏面等に承認マークと日付記載を行います。

左：既存タイルと比較　　　右：各部材と比較検討
図5　現地での色材確認

色彩Point-3
「調和」は適しているか

色彩設計で「調和」というキーワードがあります。釣り合うという意味での「調和」は、対象によって、適していない場面があります。

［植物］

植栽の葉の色と調和する緑色や、桜の木がシンボルなのでピンク系を活用したいという設計コンセプトは少なくありません。しかし桜の場合、「ソメイヨシノ」であれば花の色は殆ど「白」に近い色彩（マンセル近似値5R8.5/0.5）です。本物の桜が咲いても、人工的なピンク色の方が際立ってしまい、桜そのものが美しく見えないという本末転倒な事態となってしまいます。

植物は、四季や風の揺らめきや光の影響から、様々な彩りの移ろいをみせてくれるため、動かない人工物の色彩は背景色として考える事をお勧めしています。

このため、自然の彩りとの関係は調和ではなく『自然が美しく引き立つ、自然を活かす背景色彩』とした考えを私は、設計に取り入れております。

［周辺環境］

周辺地域が風土に相応しい景観であれば、調和する色彩選定とする事で環境評価が高まると思います。ただ、地域特性から考えると残念ながら、その土地らしくない建物もありますので、その際は、周辺とは調和せずとも、本来のまちの特性として牽引する外装色として考えます。

竹や植栽の彩りを活かした外装色

ソメイヨシノの色彩　　多色の彩り　　「三鷹台」　　「福島団地」
　　　　　　　　　　　　　　　　（東京都三鷹市）　（長野県木曽郡）

5. 色彩管理・運用

5.1　色彩管理・運用 ─── 対象 住人・色彩設計者

　外装色決定時に活用した提案資料や、暮らしへの考え方・目的コンセプトを記載した書類・データを含め、色彩仕上材サンプルを保存します。これらは本章の冒頭に記載したように、運用時に生じる色彩選定の際、外装色（＝暮らしの目的）のコンセプトを損うことなく、色彩を選択できる判断基準として、貴重な資料となります。このような資料を残す事を運用に於ける色彩管理と言います。以下に、保管資料の一例を記します。

[決定案書類]
　　提案資料、（決定色の理由も記録）
　　※外装への考え方や将来イメージを伝える資料として活用。

[色彩管理書]
　　使用部位、製品名（工程）、色番号（サンプルNo.）
　　パターン、艶等を記載。

[実物見本]
　　塗板等のサンプル裏面に決定日時を記載
　　※保管時、埃や汚れの付着、酸化劣化等による色差が極力
　　　発生しない光の入らないケース等に収納。

　長い将来を見据えて計画した色彩計画は、次の改装工事にも同じ色彩を使用とされる場面も多くあります。しかし、次の改修時期は十数年後となり、この間に環境が変化していることもあります。このため、その時の時勢・まちづくり・人々の暮らし環境と照らし合わせて、保管した色彩管理資料を活用下さい。十数年前の当時の色彩情報と共に、その時携わった方々の思いを継承する大切な記録資料となります。

5.2　まちに人を集める1棟の外壁色

　近年、生活領域は室内に留まらず、バルコニーや敷地内ベンチ、地域界隈へと広がりをみせています。美しく心地良い風景であれば、暮らしの空間も更に広がり、多くの人が集まる景観価値の高いまちとなるでしょう。そして、この風景を担う建物の外壁の色彩設計に住民の方々が関わる事ができれば、1棟の自分達の建物だけでなく、魅力的なまちを育む事にも繋がります。

　長く親しんでもらえる共同住宅の色彩判断として、本章が、その手立の一助となれば幸いです。次項では、近年需要の高い塗装仕上材種別をご紹介致します。

実績 2018年グッドペインティングカラー　最優秀賞受賞

改修前　　改修後

改修前　　改修後

写真2　コンフォール清水ヶ丘（神奈川県横浜市）　改修工事によって入居者が増えた事例

6．改装時の外壁塗装種類

6.1　改修対応仕上材種類

　外壁改装時には、既存の外壁仕上材の種類や状態によって、適用できる仕上材や意匠が異なります。表2は、現在の技術品質面から考慮した下地種別に応じた改修仕様例です。実際の現場では専門家による現状確認によって対応可否の判断となりますので、参考としてご紹介致します。

6.2　近年の塗料傾向［水性高耐候性塗料］

　建物の保護として塗料は重要な役割を担っております。機能面では耐久性や耐候性の向上を目的とした高機能性塗料や、耐酸・耐アルカリ性等の耐薬品性、低帯電性による汚染物質の付着抑制や親水性により汚染物質の洗浄効果を付与した塗料があります。

　塗膜の種類によって耐候性の期待対応年数が異なる事から、近年では修繕サイクルを延ばし、ランニングコスト削減を図る水性超低汚染・超耐久性型水性ふっ素樹脂塗料の活用が高まっています（図6）。

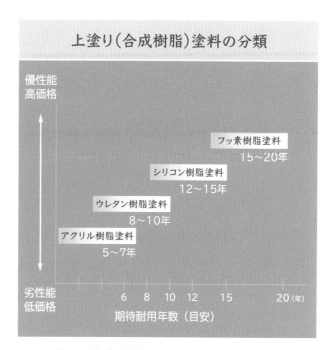

図6　塗膜耐候性を決める上塗り塗料種別

表2　既存仕上材と改装仕様仕上材対応例

既存仕上材 ＼ 改修仕様		洗浄	塗装系			塗り壁			シート建材	
			吹付模様	コンクリート打放し	多色模様	左官調	石調	土壁調	御影石調	木目調
		−								
本石		○	×	×	×	△	△	△	△	△
タイル		○	○	×	×	○	○	○	○	○
コンクリート打放し		×	○	○	○	○	○	○	○	○
塗料	硬質系吹付タイル	×	○	×	△ 凹凸感が残る	○	○	○	○	○
	多色仕様	×	○	△ 凹凸感が残る	○	○	○	○	○	○
塗り壁	左官系	×	○	×	△ 凹凸感が残る	○	○	○	○	○
	石調	×	△	×	○ 凹凸感を活かす	○	○	○	○	○
	土壁調	×	△	×	○ 凹凸感を活かす	○	○	○	○	○
シート建材	御影石調砂岩石調	○	×	×	△	×	△	△	○	○
	木目調	○	×	×	△	×	△	△	○	○

6.3　近年の意匠系仕上材

湿式［塗装・左官塗材］

　近年では土壁のような素材感で、表情豊かな仕上材は、風格や高級感を得られ、資産価値の向上に寄与する事から利用が増加しております。

土壁調左官塗材

砂・貝・雲母が混在した素材感は、自然の風合いを感じる穏やかさや上質さを感じます。
アクリルシリコン樹脂仕様と、ふっ素樹脂仕様があり長期に亘って優れた耐候性、耐久性を発揮します。

打放しファンデーションローラー工法

打放しコンクリートの素材感、質感を独自の塗装で復旧する新しい保護工法です。耐候性に優れた樹脂を活用し、コンクリートの中性化を抑制します。

特殊ファンデーションローラー塗装工法

多色仕上げを特長とし、深みのあるエイジング風や黒革風仕上げを演出します。ミクロン膜厚でありながら重厚さを得られます。

乾式［シート建材］

天然石や天然木の凹凸感そのままを再現したシート建材は、旧塗膜やタイル面等の各種下地へ負担なく貼れる工期短縮建材として需要が高まっています。

超低汚染型天然石調シート建材

トップコートに超低汚染型ふっ素樹脂系クリヤーを使用し主材はアククリルシリコン樹脂の採用により、汚れにくく、高い耐候性を発揮します。下地密着性に優れ剥落等危険性も少なく、特殊製法により曲面貼りが可能です。

石調シート建材

ケンチ石調、たたき石調、御影石調、砂岩調、こぶ出し石調、本石の持つ重厚で高級感ある外観を装います。

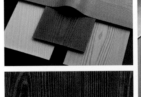

木目調シート建材

天然木の凹凸感や表情をそのまま活用した仕上材です。ぬくもりのある穏やかな印象の建物に生まれ変わります。

□参考・引用
※1　高山美幸, 東京都心における陸屋根・屋上床面の色彩選択状況（特集　景観の色彩）日本色彩学会誌 Vol.43, No.5 2019
※2　高山美幸, 左官仕上の印象評価に影響する土色記憶の基礎的検討（材料施工）日本建築学会関東支部研究報告集（85）,45-48, 2015-03
※3　塗料と塗装基礎知識（一社）日本塗料工業会発行
※4　2019年 K 版塗料用標準色ポケット版（一社）日本塗料工業会

□掲載実績写真
写真1　浦安マリーナイースト21 望海の街（UR 都市機構・千葉県浦安市）平成6年〜平成10年管理開始 総戸数850戸
色彩 Point-3
　　　三鷹台（UR 都市機構・東京都三鷹市）平成15年〜平成21年管理開始 総戸数788戸,
　　　福島団地（長野県公営住宅・長野県木曽郡）
写真2　コンフォール清水ヶ丘（UR 都市機構・神奈川県横浜市）平成11年〜平成13年管理開始 総戸数131戸

マンションの防災対策

（一社）マンションリフォーム推進協議会　技術士（電気電子部門）　村越　章

　1995年に発生した阪神淡路大震災は大都市圏で生じた大規模災害として都市のインフラや建物等に大きな被害を与え、大都市圏のマンションに様々な教訓を残しました。その後の2011年の東日本大震災や2016年の熊本地震など、震災等の災害が生じる中で、都市圏に建設されたマンションについて防災対策が求められています。

　また、マンションの防災対策は地震対策だけでなく、異常気象による豪雨・洪水やそれに伴う土砂災害などについても検討が必要です。特に2019年の台風15号19号の集中豪雨による災害は、超高層マンションに甚大な被害を与えました。このような災害はマンション居住者の生活に大きな影響を与えます。これからはマンション管理組合がしっかりとした防災組織を作り、震災や豪雨等の様々な災害に対してマンションとして、ハード面ソフト面の両面からの防災対策を検討していくことが必要です。

■1. 災害想定と電力供給

1.1　現状把握と防災計画

　マンションの防災計画を立てる際、マンションの周辺地域でどのような災害が生じ、建物にどのような影響が出るかを想定する手法として、区市町村等が公表しているハザードマップが有効です。ハザードマップはその地域の自然災害による被害状況の想定や、防災対策に使用するため被災想定区域や避難場所・避難経路等の防災関係施設を表示し、洪水災害、河川浸水災害、土砂災害、地震災害、津波災害、液状化災害などの災害種別に作られています。

①洪水・河川浸水ハザードマップ

　洪水・河川浸水ハザードマップは、主に河川の氾濫を想定した水防法に基づき、堤防が決壊した場合の浸水想定区域、およびその際の水深を示した浸水想定深さが表示されています。

　近年、地球温暖化等の影響により1時間に50mm以上の豪雨も増え、河川の氾濫が生じています。河川の氾濫によりマンション周辺が洪水になると、マンションへの交通やライフラインが停止し、電力通信の途絶や補給物資の遅れが生じる場合があります。特に2019年の台風19号では大規模な河川の氾濫が生じ、都心でも超高層マンションの冠水事故が生じました。そして、マンションの電気室や給水ポンプ室、エレベータ等が浸水すると長期間に渡りマンションに大きな影響が生じました。このため、事前に洪水・河川浸水ハザードマップを確認し、対策を検討していくことが必要になります。

②土砂災害警戒ハザードマップ

　都道府県知事による土砂災害警戒区域の指定地域を表示したものが土砂災害警戒ハザードマップです。自然環境豊かな丘陵等にあるマンションは、周辺の崖や斜面は土砂災害が想定される場合もありま

す。そして土砂災害の影響がある住戸は、豪雨時等、マンションの共用室等、土砂災害の影響が少ない部屋に避難することも考えられます。

③津波浸水地域ハザードマップ

沿岸地域では、津波ハザードマップにより津波による浸水状況を確認できます。津波はマンション敷地に直接影響がなくとも、マンション周辺の交通機関やライフラインを破壊しマンションへの電力等の途絶や補給物資の遅れ等が生じる可能性があります。

④液状化地域ハザードマップ

地震災害による液状化は、マンションの建物本体には直接は大きな影響は生じないと考えます。しかし、マンション周辺地域道路への流砂や、給排水管や地中電線管の押上げによりインフラ破壊、建物本体と周辺地盤との段差の発生等が懸念されます。

このように、地域のハザードマップから、マンションや周辺の土砂災害、津波・洪水等の水害、液状化等を把握し、それに対する災害の影響を検討して、その上でマンションの災害対策を検討します。尚、大災害により生じる様々な障害に対してマンションの全ての居住者が満足できる対策は不可能です。段階を追って検討する必要があります。

1.2 マンションにそのまま住む

マンションのような鉄筋コンクリートでできた建物は、コンクリートの杭で地下深くの支持層という強固な地層と建物をつなぎ、マンション全体の重さを持たせています。また、建物自体も建築基準法に定められた耐震性のある構造としています。このため大地震が来てもマンション自体は倒壊する可能性が少ないと言われ、震災後もそのままマンションに

居住できると可能性が高いと考えられます。

国の方針も、従来の避難所への避難からできるだけ（構造上安全な）自宅待機すると変わってきています。しかし、震災後にマンションに居住しても、マンションまでのライフラインに被害が生じた場合は、マンションの管理組合及び居住者1人1人が対応できる対策を検討するべきと考えます。

1.3 電力供給対応

震災等の大規模災害により公共インフラ等が破壊されると、マンションへの電力供給が止まり、マンションの住戸の照明コンセントやエレベータ等の共用設備が停止し大きな障害が生じます。

停電の被害としては、給水ポンプが停止すると飲料水の供給だけでなくトイレの使用もできなくなります。また、エレベータが停止すると上下階移動に重大な障害を生じます。更に、共用照明が点灯せず防犯上も問題が生じます。また、情報通信設備についても電話・インターネットはマンションの電話回線が光ファイバで引込まれている場合、マンション内の光交換機等の電源が切れれば通信が途絶します。このように停電はマンション居住者の安全・安心の大きな影響を及ぼします。

1.4 非常電源設備の導入

災害により生じた長期停電はマンション居住者に大きな影響を与えます。これに対処する対策としてはマンションへの非常電源設備の導入が考えられます。災害による停電時に、非常電源設備からマンション内の機器に電力供給を行い居住者の安心・安全に対処した生活を継続できるようにできます。

非常電源設備としては、発電機、蓄電池、太陽光発電等がありますが、導入実績や、発電電力量、保守メンテナス、安定供給の点から、発電機による電源供給が優れていると思います。

1.5 発電機の電源供給先

大規模災害による停電時にも、マンションの共用部分と全住戸に発電機から電力を供給することが最良です。しかし、発電容量が過大となり、それに対応する発電機の導入は費用も莫大で現実的ではありません。そこで、発電機の電力供給負荷としてはマ

ンション共用部分の設備機器への供給が、居住者にとって公平かつ効果的と考えます。

1.6　発電機の種類

　発電機にはディーゼルエンジン（燃料：重油・軽油）で稼働する機器と、ガスエンジン（燃料：プロパンガス等）で稼働する機器があります。ガスエンジンは燃料自体の耐久性が高く音も静かと言われています。しかし、発電機容量が小さく燃料タンクの見栄えも良くありません。一方、ディーゼルエンジンは導入実績も多く、非常時の対応機器であればディーゼルエンジンが最適と考えます。尚、発電機導入に伴い、発電機の振動、騒音、排気ガス等を考慮した場所への設置と、燃料タンクや補給方法、電源切替盤等の設置を検討が必要です。

1.7　発電機からの電源負荷

　発電機からの電力供給対象となるマンション共用部動力設備・電灯設備には以下のようなものが考えられます。

　本来、共用部分の全ての設備について発電機からの電源供給が望ましいと考えますが、導入費用も過大になるため、管理組合内で十分論議して共用設備を選定していくことが必要です。

①共用部動力設備
【エレベータ】

　マンションのような高層建築物の上下階移動にはエレベータは不可欠です。停電時、エレベータに対して発電機から電力を供給することは有効と考えます。但し、大規模震災ではエレベータの地震管制運転システムが働き、専門の作業員の点検を受けるまでエレベータを稼働できないことも予想されます。

【給水ポンプ】

　給水は飲料水の供給だけでなく住宅内トイレの水洗いにも必要です。このため、給水ポンプは発電機からの電力供給が必要と考えます。尚、大規模震災により公共の給排水管が破損、あるいはマンション建物内の給排水管が破損し、給排水ができなくなると、給水ポンプからの水の供給や排水ができなくなる可能性があります。

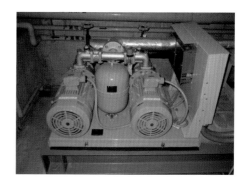

【排水ポンプ】

　停電時、豪雨により床下ピットや機械式駐車場ピットに雨水が流入すると排水ポンプの稼働が必要です。このため排水ポンプに発電機からの電力供給を検討しますが、工事用の仮設排水ポンプを発電機の100V電源に接続して排水することも考えます。

【共用室空調機】

　集会室等を防災拠点や避難場所として利用する場合、高齢者、負傷者用として共用室の照明や空調機に発電機からの電源供給を検討します。

【機械駐車場設備】

　停電により機械式駐車設備が停止し入出庫ができないため、発電機からの電源供給も考えられます。但し、機械式駐車場の台数が多く広く分散している場合、発電機からの電源供給を行うと費用も過大で一部居住者のみへの対応となるため同意取得が難しいことが考えられます。

共用部動力設備への発電機からの電源供給は、ハザードマップを参考にマンションの状況に合わせて発電機で電源供給する機器を検討します。

②共用部電灯設備

【共用廊下照明】

停電により全住戸内が停電しても共用廊下照明が点灯すると、マンション居住者に安心感を与えると考えます。照明器具台数により電気容量も変わりますが、発電機からの電源供給対応したい部位です。

【エントランス・集会室・管理人室照明コンセント】

エントランス・集会室・管理人室等は災害時防災拠点の役割があると考えます。ここからマンション全体に情報を発信し、負傷者・高齢者の避難場所にも使えることもできます。このため、発電機からの電源供給を検討する必要があります。

【テレビ増幅器用コンセント】

停電により住戸ではテレビが見られませんが、マンション共用部の集会室等でテレビから災害情報を取得し、居住者に情報提供ができます。このためテレビ共聴設備の増幅器用電源についても発電機からの供給を検討します。

【清掃用コンセント】

各階の共用部廊下に清掃用コンセントがあります。全住戸は停電しても、発電機から共用コンセントに電源供給すれば、災害時100Vの電源を取ることができます。但し、管理組合で利用方法の規則を決めることが必要です。

【エレベータかご内照明】

発電機からエレベータの動力電源を供給する場合、エレベータ照明電源として100V電源を供給することが必要です。

【共用電灯盤】

マンションの共用部電灯設備は、共用電灯盤（L-1盤）から電灯設備機器に電気が供給されています。この電灯設備機器を発電機から供給する負荷と、供給しない負荷に分けると、共用電灯盤自体の改造が必要になり費用も掛かり、運用上も不都合が生じる場合があります。このため、共用電灯盤全体に対して発電機から電源供給を考えます。

1.8　インフラの復旧

阪神淡路大震災による阪神・淡路地域のインフラの復旧状況としては、電気は1週間で全域が復旧しましたが、ガス・水道は全域復旧に45日を要しました。また、東日本大震災でも電気の全復旧は10日（沿岸部除く）とエネルギーインフラとして早く復旧しています。このように電気は早く復旧しますが、それでも1週間はかかります。一方、公的な本格支援は災害発生後3日目以降と言われていますので、3日程度は停電に対して対策が必要と考えます。

1.9　発電機の運転時間

発電機に搭載された燃料タンクは100%負荷運転で2～3時間運転すると燃料がなくなります。尚、運転時間は設備機器の稼働頻度に大きく影響し、機器をあまり動かさなければ、発電機の運転時間は長くなります。しかし、それでも3日間は持つことは厳しいと思います。そこで、燃料タンクを別に設置して、発電機の運転時間を長くする場合があります。

発電機の燃料である重油や軽油は引火しやすい危険物であり、それを保管する燃料タンクは"危険物の規制に関する政令"で規制されています。このため、燃料タンクの量は少量危険物未満とし、重油では2000L未満、軽油では1000L未満の燃料タンクとします。

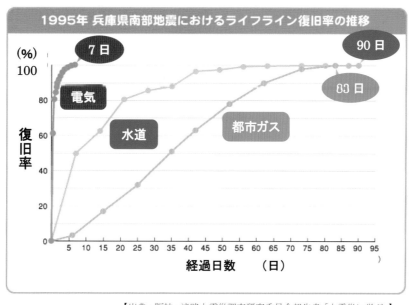

【出典：阪神・淡路大震災調査研究委員会報告書「大震災に学ぶ」】

もちろん、それだけの燃料でも、3日間72時間の連続運転は厳しいと思います。このため状況に応じた運転方法について管理組合で検討することが必要です。

1.10　発電機導入検討事例
①小規模マンション発電機導入検討事例
建物規模：10階建80戸

給水方式を直結増圧給水に変更したため受水槽を撤去しましたが、災害による停電時の給水停止を懸念し、発電機による給水ポンプ電源の供給を図った計画です。

電気室から直結増圧給水ポンプまでの電源ケーブルの途中に発電機を設置します。通常時は発電機を経由し給水設備に商用電源（通常電源）を送ります。しかし、停電が生じると発電機内部の回路が停電を感知し自動的に発電機が作動して、商用電源から発電機電源に切り替わります。これにより停電時でも給水ポンプは作動します。尚、停電が復旧すると、自動的に商用電源に戻り、発電機は停止します。

本案件の周辺地域は、浸水ハザードマップで最大時間降雨時20cm～50cmの浸水が想定されています。このため、発電機基礎はGL＋600以上の高さに設置します。

発電機の燃料は軽油を使用します。発電燃料タンクは30Lであり、定格出力時の燃費が8.3L/hで、約3時間半の連続運転は可能と考えます。

【直結増圧給水ポンプ】

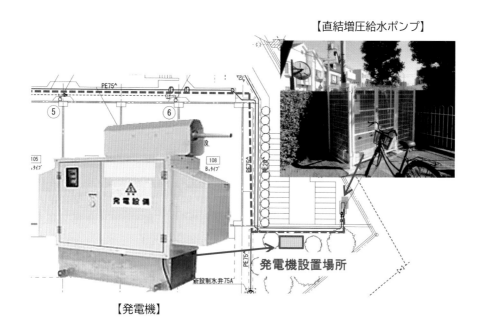

【発電機】

発電機切替盤の例

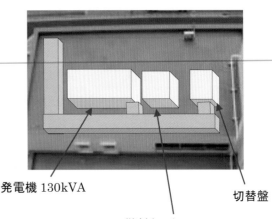

発電機 130kVA

燃料タンク
軽油 950L

切替盤

②大規模マンション発電機導入検討事例
●建物規模：2棟　13階　310戸

　非常用発電機を導入し、マンションのエレベータ、給水ポンプ、集会室等共用電灯設備に電気を供給します。

　これにより、エレベータでの上下階の移動を確保し、給水ポンプを稼動させて飲料水を確保します。

　また、マンションの共用電灯盤を稼動し、エントランス・集会室等を使用可能とし防災拠点対応も可能とします。また、共用廊下の照明を点灯させ、マンション全体の安心感を高めます。

●動力負荷

　2棟に4台あるエレベータの内、2台に発電機からの電気を供給します。また、棟ごとの2つの直結増圧給水ポンプがあり、そこに電気を供給します。

●電灯負荷

　エントランス、集会室、開放廊下照明、共用コンセント等のマンション共用部に電気を供給している複数の電灯分電盤に、発電機から電力を供給します。

●発電機仕様
○屋外型キュービクル式発電機
○定格出力：130kVA、超低騒音型（75dB）
○燃料：軽油（搭載燃料タンクは90L別置燃料タンクは950L）
○発電機寸法：約3.8m×1.1m×2.6m

　発電機切替盤は、停電が発生時に共用電灯動力設備の電源供給を自動的に商用電源から発電機側電源に切替える盤です。発電機と自家用受変電設備の間に設置します。

　燃料タンク仕様は、屋外型燃料タンクとし、燃料は軽油、燃料タンク容量は950Lとします。
○導入費用：約3000万円

③大規模マンション発電機導入検討事例
●建物規模：2棟10階建300戸

　災害時の停電に対応するため、マンションに非常用発電機を導入する計画です。

　マンションのエレベータ、給水ポンプの動力設備、及び、共用開放廊下等の共用電灯コンセント設備に発電機から電力を供給します。

　災害による電力停止後も、エレベータによる上下階の移動を確保し、給水ポンプを稼動させて飲料水の確保をします。また、共用電灯コンセント設備を利用可能として、1階エントランス、2階集会室等の使えるようにして緊急対策本部対応を可能とします。また、共用廊下の照明を点灯させることでマンション全体の安心感を高めます。

●発電機対象動力機器

　2棟あるマンションのため、動力負荷は、エレベータ4台の内、各棟1基のエレベータ2台と、給水ポンプ及び床下排水ポンプに発電機からの電気を供給します。給水ポンプは3台運転で2台並列運転を最大負荷とします。また、ハザードマップから冠水の恐れがあるため、排水ポンプへの電源供給を行います。

　電灯分電盤は複数設けられています。電灯分電盤回路を選別し発電機回路として分けると、新たな盤

168

発電機対象動力機器

No	対象盤名称		設置場所	電源電圧		負荷容量	総容量	実負荷容量	備考
1	P-1	給水ポンプ制御盤	機械室	3φ 3w	200V	7.5kW×2	15.0kW	18.750kVA	3台中2台稼動
2	EV-1	エレベータ制御盤	エレベータピット	3φ 3w	200V	5.5kW	5.5kW	6.875kVA	各棟1台稼動
3	EV-3	エレベータ制御盤	エレベータピット	3φ 3w	200V	5.5kW	5.5kW	6.875kVA	
4	P-2	排水ポンプ制御盤	階段下	3φ 3w	200V	0.25kW×2	0.5kW	0.625kVA	3台中2台稼動
5	P-3	排水ポンプ制御盤	階段下	3φ 3w	200V	0.25kW×2	0.5kW	0.625kVA	
6	L-1	共用電灯盤	C棟	1φ 3w	200V/100V	15.0kW		12.0kVA	総容量の需要率0.8で算出
7	L-2	共用電灯盤	D,E棟	1φ 3w	200V/100V	20.0kW		16.0kVA	
8	L-3	共用電灯盤	A,B棟	1φ 3w	200V/100V	20.0kW		16.0kVA	
9	L-4	共用電灯盤	パーティルーム	1φ 3w	200V/100V	8.0kW		6.4kVA	
10	L-5	共用電灯盤	清掃人控室	1φ 3w	200V/100V	8.0kW		6.4kVA	
								90.55kVA	

や配線の追加改修の費用が必要となります。そこで、全ての共用電灯盤に発電機の電力を供給します。尚、使用率を考慮し80％の電気容量に対応した発電機設備とします。

●発電機仕様
○屋外型キュービクル式発電機
○定格出力：130kVA
○発電機寸法：約3.8m×1.1m×2.4m
○燃料：軽油（搭載燃料タンクは90L、別置燃料タンクは950L）
○発電機切替盤を設置します。
○費用：約2800万円

④大規模マンション発電機導入検討事例
●建物規模：1棟15階建300戸

河川に沿って立地するマンションであり、ハザードマップから川の決壊が懸念されています。

河川が決壊した場合、マンション周辺は2.0m～5.0m程度浸水する可能性があります。尚、1階住戸、電気室、受変電設備の設置地盤は周辺から約3m高くなっています。

震災や洪水等の災害時による停電時、発電機からの電源供給先を以下とします。

●動力負荷

エレベータは4基のうち最上階に行くエレベータ1台に電力を供給します。また、給水ポンプに発電機からの電源を供給します。

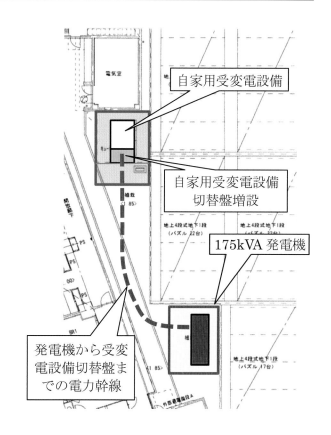

自家用受変電設備

自家用受変電設備切替盤増設

175kVA 発電機

発電機から受変電設備切替盤までの電力幹線

●電灯負荷

災害時の中枢センターになる管理人室、集会室への電源供給を行い震災対策場所の確保をします。

共用部照明を点灯させ居住者に安心感を与えると共に共用コンセントから各階の電源供給を可能とします。

●非常用発電機対応負荷
○動力負荷：エレベータ1基：5.5kW 給水ポンプ1基：7.5kW×2（同時あり）
○電灯負荷：共用電灯盤L-1：30kVA（住棟照明等）、L-2：10kVA（管理棟）、L-3：30kVA（住棟照明等）

● 発電機仕様

○ 屋外型キュービクル式発電機

○ 発電機容量：定格出力175kVA

○ 燃料：A重油　燃料消費量：40.5L/h（定格運転時）

○ 発電機寸法：約4.5m×1.2m×2.5m

○ 導入費用：約3500万円

⑤多棟数大規模マンション発電機導入検討事例

● 建物規模：9棟、各棟3階〜14階　630戸

多棟数大規模マンションでは、多くのマンション居住者に対し公平な安全対策を提示する必要があります。しかし、すべてを満たす設備は過大な費用を要し、合意が難しく実施はできません。

本案件は海岸沿いの高台にあり周囲が土砂災害警戒区域に指定された急傾斜地に囲まれています。このため震災や洪水による土石流の危険性が懸念されます。また津波の直接の影響はありませんが、周辺地域は津波により浸水する恐れがあり、マンションへの交通や電力等ライフラインが寸断される可能性があります。

● 防災拠点への非常時の電源供給

本案件は9棟あり、3階の棟と10階〜14階の棟の全体で631戸の多棟数、大規模マンションです。3階の低層棟にはエレベータがなく、給水も水道本管からの直接給水としています。このため停電時に発電機で対応すべき動力負荷はありません。一方、10階〜14階の高層棟はエレベータが多数あり、給水ポンプで各住戸に給水しています。このため停電の場合、エレベータや給水ポンプの稼働が望まれます。

このように大規模・多棟数マンションでは、各棟により対応すべき条件が異なる場合があります。そして、各棟でそれぞれ発電機を設けて電源供給を行うと多額の費用を要し、現実的に実施できる可能性が低くなります。

そこで、多棟数・大規模マンションでは、各棟単位で対応するのではなく、全体として統一された対応を考えます。具体的にはマンション全体の管理室・集会室が集まる共用部分を防災拠点とし、ここを災害時、マンション全棟の災害状況の把握、情報の収集発信、高齢者・負傷者の救護、防災品の管理等を行うことと想定します。

そして、この防災拠点に発電機で電源を供給することで、大規模災害時に対処した管理組合の震災拠点を確保します。多棟数・大規模マンションではこの防災拠点を中心に居住者全体の支援をします。

発電機により停電時、防災拠点である管理室・集会室の照明を点灯させ、居住者に安心を持たせ、コンセントから移動端末電源や調理電源を利用できるようにします。また、空調設備と給水設備を稼働し、高齢者・負傷者等の救急対応ができるようにします。

● 発電機仕様

○ 屋外型キュービクル式発電機

○ 定格出力：175kVA

○ 燃料：A重油（別置燃料タンクは1950L）

● 発電機供給負荷

管理室、集会室電灯動力負荷

① 給水ポンプ（動力）：7.5kW×2台

② 集会室照明コンセント（電灯）：40kW

③ 集会室空調動力（動力）：27kW

④ 機械室関係電灯負荷（電灯）：12kW

発電機から長時間の電力供給を行うため、燃料はA重油とし1950Lの燃料タンクを設置します。また、発電機からの電源を切替えのため発電機切替盤を設置します。

○ 費用：約3500万円

1.11　災害想定と電力供給

マンションの防災対策はその立地や建物の状況や、ハザードマップ等公的な災害予想から、マンションの災害状況を想定します。

国、県、市などの公助・災害対策活動が発動されても、特に大都市圏は広範囲に災害の影響がおよび、現実な公的復旧活動は3日後になると言われています。このため、それまではマンション管理組合としての対策が必要です。

そのような中で居住者の安心・安全を守る有効な手段の1つとして非常電源設備による電力の供給があると考えます。これによりマンションの共用照明が点灯し情報通信機器が復旧、給水ポンプやエレベータが稼働することで居住者の安心・安全を図ることができると考えます。

管理組合として、この対策案を参考にして防災対策を検討いただければと思います。

■2. マンションの水害対策

地球温暖化に伴い海水面温度が上昇し、大型台風等が発生して大きな風水害を生じています。2019年の台風15号と台風19号の上陸は首都圏、東北を中心に甚大な被害が生じさせました。特に首都圏では超高層マンションの地下電気室が冠水し、電気設備が停止して居住者に大きな障害を生じさせました。

世界各国が協議をしていますが地球温暖化を解決する根本的な対策はまだ難しく、今後も日本において大型台風等による豪雨、冠水被害は生じる可能性が高いと考えられます。

このような状況の中で、マンションへの冠水被害の軽減のための対策が求められています。

2.1 マンションの冠水

建物の冠水対策としては、ハザードマップ等で周辺の浸水時の最大水位を確認し、それに合わせた冠水対策を行う必要があります。特に住宅の集合体であるマンションの電気設備・給水設備等は1階に設置されていることが多く、住棟への冠水を防止するだけでなく、電気室、給水ポンプ室等への冠水を防ぐことが必要になります。

新築マンションにおいては2019年以降、冠水対策を考慮した設計・計画が行われていますが、すでに建築されたマンションの冠水対策は困難です。

首都圏の大きな河川沿いの地域で、河川が氾濫するとハザードマップ上3m〜5mの冠水があると表示される場所があります。3m〜5mの冠水では、マンションの1階〜2階住戸まで冠水することになり、1〜2階の人の居住は困難になります。また1階にある電気室、給水ポンプ室も冠水するため、マンション全体への電気、飲料水の供給は止まります。マン

ション周辺地域は冠水状態であり避難もできない状況になっていると考えられます。この場合、マンション管理組合が主体となり居住者相互で助け合いながらマンション内にとどまることが必要と考えます。

2.2 マンションの冠水対策

現在、雨水の貯留施設等の建設が行われており河川の氾濫の発生は少ないと考えられます。しかし、豪雨によりマンション周辺の雨水が排出されにくくなり生じる内水氾濫は発生する可能性は高くなっています。

内水氾濫は50cm程度であっても、マンションの敷地内に流入し、1階の電気室やポンプ室に流入し、住戸床下に入り、エントランス等に流入する可能性があります。このため、内水氾濫の流入を防ぐ策が求められます。

2.3 防水板の設置

豪雨等によりマンション敷地内、特に建物内に雨水が流入する可能性がある場合、管理組合、居住者は入口等に土嚢を積み、水の侵入を防ぐことが考えられます。しかし、土嚢を作るための袋や土が必要であり、土嚢を常備することは時間と費用と空間が必要になります。また、重たい土嚢を居住者が建物入口まで運び、積み上げて防水することは居住者負担が大きい上、土嚢の積み方により漏水も生じます。そこで、土嚢に比べ、より簡易に建物への水の流入を防ぐ方法として防水板があります。

深夜等、マンション管理人が不在で豪雨等により建物に水の流入の可能性がある場合、マンション居住者により防水板を設置します。防水板は様々な製品がありますが、

防水板はもともと公共施設や鉄道施設、電力会社施設等、社会的に重要な設備に設置され、インフラを停止させないために止水性能が重要視されてきました。このため、防水性能が重視され、堅牢で重い防水板が多くなっています。しかし、マンションで防水板を設置する場合、非常時に防水板を設置するのはマンション管理組合居住者、管理会社管理員が考えられます。この際、堅牢で重い防水板では設置に重労働で危険が伴うこともあると考えます。

このため、マンションに設ける防水板は一定の防

水性能を保ちながら、軽量で設置しやすいものが良いと考えます。

【止水性能】

防水板の止水性能としては以下のような等級があります。防水板は一滴も通さないものではなく、等級により、周辺に影響を与えない多少の漏水も見込んでも、設置しやすく一定の止水性能がある防水板が最適と考えます。

軽量防水板

一般のマンションは豪雨等による冠水発生に対して居住者や管理員が止水対応することになります。彼らは緊急時の対処について十分な経験を持っているわけではないので、止水対策も対応しやすい設備が必要となります。このようなマンションの体制から、軽量で設置しやすくい防水板を準備することが望ましいと考えます。

軽量防水板の例を挙げます。

軽量の止水板を3枚～6枚をガイドレールに差し込むことで、高さ50cm×幅10m、あるいは高さ1m幅2mの止水板を設置できます。止水板は軽量2m幅で約6kgであり、それを3段から6段ガイドレールに落とし込んで積み重ねることで止水板として運用できます。土嚢が1袋20kg程度で積み重ねることを考えると、マンションの居住者でも容易に設置できると考えます。

尚、軽量止水板の止水性能は1～2等級が多く、多少の漏水は生じるが、運用面でのメリットは大きいと考えます。

防水シート

車路等幅の広いところに軽量で設置しやすい防水装置として防水シートがあります。高さ1m最大幅8mの1枚シートで常時は床面に埋め込まれているが、浸水の可能性がある場合、床下から引き出し支柱を立ててシートを展開し容易に高さ1m程度の止水板となります。

止水等級	防水板1㎡当たりの漏水量	
5等級	0.001㎡/h・㎡以下	1L／1時間
4等級	0.001を越え0.004㎡/h・㎡以下	4L／1時間
3等級	0.004を越え0.01㎡/h・㎡以下	10L／1時間
2等級	0.01を越え0.02㎡/h・㎡以下	20L／1時間
1等級	0.02を越え0.05㎡/h・㎡以下	50L／1時間

貫通穴の止水

マンションの敷地内に雨水等が流入し、建物内に浸水すると、配管配線のコンクリート躯体貫通部棟のわずかな開口部から水が流入し、機械室等の冠水を生じる場合があります。このような小さな開口部でも長時間浸水すると、その内部の空間が冠水します。このため、小さな開口穴も止水することが求められます。

特に電気設備の配線は給排水設備の配管に比べて、配線自体が細く撚り合わさり、小さい隙間があるため、水漏れ等が生じやすいと考えらえます。一方、近年、情報通信技術の発達に伴い、マンションでもLAN方式のインターネット設備が普及しており、LAN配線の束が躯体を貫通する部分の止水が求められます。このような部分の止水方法としてジェル状や粘土状のケーブル専用の止水材を使い止水を行います。

■3. 運用面からの防災対策

災害時、マンション居住者の安全・安心を確保のための予防対策や災害後の対処は、マンション管理組合の居住者による運用面が重要となります。

特に運用面では、自助である住戸居住者と家族単位から、共助であるマンション管理組合による対応がポイントです。マンションの防災対応は管理組合を構成する居住者1人1人が重要と考えます。

3.1　災害対応の考え方
①自助・共助・公助

災害時の対応として、自助・共助・公助が重要と言われています。自助は、自力及び家族で助け合い救助をすることです。また、共助は自治会、マンション管理組合、近隣、通行者等により救助されることです。そして公助は、国、都府県、区市町村、消防、警察、自衛隊などの公的機関による救助です。この中で特に重要なのは自助と共助と考えます。

②阪神・淡路大震災の際の救助

阪神・淡路大震災時直後、生き埋めや閉じ込められた人が誰に助けられたかという調査によると、全体の2/3の人が自助（自力・家族）により助けられており、95%の人は自助と共助（隣人・友人・通行人）に助けられています。このことからも、自助と共助、日ごろからの近所との連携、付き合いが重要です。

分類	誰に助けられたか	%	%計
自助	自力で	35%	67%
	家族に	32%	
共助	隣人・友人に	28%	30%
	通行人に	2%	
公助	救助隊に	2%	2%
	その他	1%	1%

共助のための対応
3.2　マンションの防災マニュアルの作成と運用

災害時にマンション居住者の安全安心を保つために、救助避難機材や発電機の導入、水・食糧の備蓄等ハード面の充実と共に、マンション全体の被害状況を把握し住民の救助・避難・誘導を行い、災害後の生活の確保をするためにマンション管理組合としてソフト面の充実と組織作りが求められます。

共助である管理組合対応は、理事長・理事等を中心にした体制による、適切な情報発信・救護避難誘導・水・食糧の配給等が必要と考えます。そしてこの体制を支えるためにマンションの防災マニュアルの策定が重要と考えます。

①マンションの防災マニュアルの作成

防災マニュアルは以下のような手順で作成します。

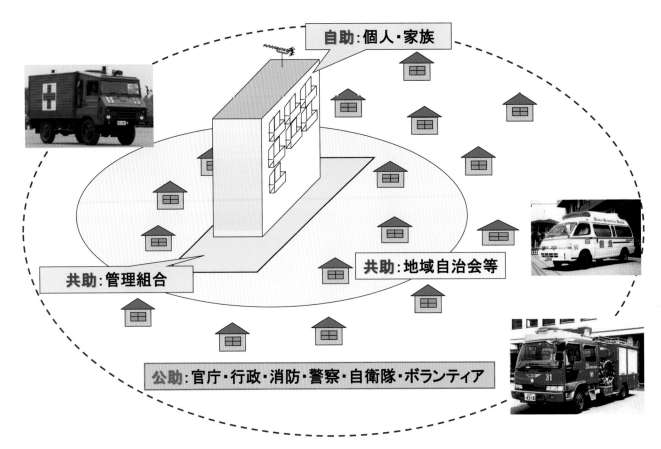

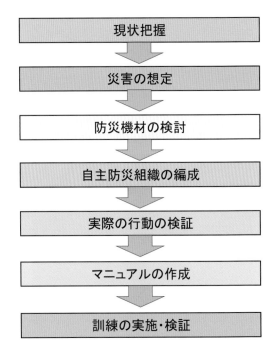

【現状把握】

　マンションの規模、築年数、大規模修繕工事等の履歴、現状の課題等を把握します。具体的には、マンションの調査・診断、アンケート等の実施により以下の5項目に分けて評価をします。

①建物本体：地震耐力、外壁、エキスパンションジョイント、玄関ドア、階数、倉庫、集会室（防災拠点となる共用室）等

②建物設備：エレベータ、給排水設備、電気設備、情報通信設備、ガス設備、消防設備、浄化槽設備、駐車場等

③インフラ：避難所、役所、消防、上下水道、電力会社、ガス会社、情報通信会社等

④地域特性：海岸沿い、川沿い、山沿い、住宅密集地、地盤（液状化）、崖地等

⑤住民対応力：防災意識、年齢、時間帯別（昼間・夜間）在宅数、総会出席者数

【災害の想定】

　所轄区市町村で公表されているハザードマップから、災害の内容や被害の想定をします。必要に応じて専門家の助言も受けます。具体的には、震災等災害時の揺れ、冠水・河川氾濫、火災、土地（崖崩れ、液状化）、津波、高潮等、最大被害を想定します。

①建物本体：エキスパンションジョイントの破壊（開放廊下通行不可）、外壁落下、玄関ドア変形、ピロティ破壊（1階つぶれ、建物居住継続不可の可能性）

②建物設備：エレベータの停止、受水槽・高架水槽倒壊、機械式駐車場停止、電気室内部破損

現状把握
↓
災害の想定
↓
防災機材の検討
↓
自主防災組織の編成
↓
実際の行動の検証
↓
マニュアルの作成
↓
訓練の実施・検証

③インフラ：電気、上下水道、ガス、電話、インターネット等公共インフラの停止

④地域特性：浸水、液状化、地盤崩落、道路寸断

⑤住民対応力：対応する人が限られる

【防災機材の検討】

現状把握と被害想定から、どのような災害への対処が必要か判断し、マンションに必要な防災機材・備品を検討します。

①立ち入り禁止措置のための機材・備品

②破損個所の応急処置のための機材・備品

③負傷者の搬送のための機材・備品

④マンホールトイレ、分解処理式トイレ、汲取り式トイレ等、状況に合わせて選ぶ

【自主防災組織の編成】

マンション管理組合内に自主防災組織を立ち上げます。自主防災組織の例としては、本部を中心に、情報連絡班、防災安全班、救出救護班、避難誘導班、物資供給班の構成とし、それぞれの役割としては以下のように考えます。尚、自主防災組織はわかりやすい名称を付け、居住者に親しまれるようにすることが重要です。

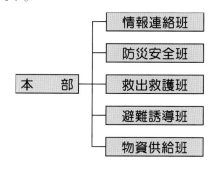

・本部は、全体の統括を行います。

・情報連絡班は、情報連絡調整を行います。テレビやインターネットで情報を収集し、客観的な視点でマンション居住者に情報を提供するとともに、公共機関への連絡や情報収集を図ります。尚、マンション外の情報、給水所や避難所の情報は自治会等から得られることが多く、日頃から自治会等との情報交換をしておきます。

・防災安全班は、直接防火活動や初期消火活動などを行います。また、漏電火災に対処した各戸分電盤のブレーカ遮断確認なども行います。尚、火災等の対処は危険を伴いますので十分注意します。

・救出救護班は、けが人の救出や搬送などを行います。特にマンションの場合は玄関扉変形による閉じ込めや家具の転倒による下敷き等の対処も必要です。

・避難誘導班は、居住者の避難誘導支援などを行います。特に高齢者の1人住まいの住戸は事前に情報を得て優先して対処します。

・物資供給班は、防災倉庫の備品としてある水や食糧の居住者への提供を行います。特に公平な対応やマンション部外者への対処も必要になるので注意が必要です。

・高層建築物であるマンションでは、高層階・中層階・低層階で情報伝達が遅くなることがあります。このため3階単位で1ブロックを形成し、それぞれのブロックごとにフロア担当を設けることも、迅速な対応のためには必要です。

【実際の行動の検証】

災害時の行動の検証として、自主防災組織の各班ごとに各員の行動を災害発生時から3期に分けて検討します。

・緊急対応期（災害発生直後から24時間以内）

この時期は少ない人員の対応であり厳しい環境の中で救助、安否確認、安全確保を図ります。

・初期対応期（災害発生時から2日目〜3日目）

この期までは自助・共助で対応します。停電や断水等で電気や水の供給が止まっている場合もありますが、居住者も徐々に意識を取り戻す時期であり、マンション独自の防災対応が求められます。

・復旧期（災害発生時から4日目以降）

ようやく公的な支援が働き始めて、徐々に良い方向に向かってきます。医療等の本格的な対応も得ることができ、やっと一息つくことができます。マンション防災体制としては、この時期まで安全・安心を維持してくることが重要です。

【マニュアルの作成】

災害発生時から、緊急対応期、初期対応期、復旧期の3期に分けて、自主防災組織の各班ごとに具体的な行動を定め、行動検証を行いその結果をマニュアル化します。この行動詳細は各マンションに合わせて、協議し決めていきます。例としては以下に様なものがあります。

実際の行動の検証

	期	時期	行動原理
①	緊急対応期	災害発生直後〜1日目	・安全確保　・安否確認　・救助、救援
		自助・共助	・少ない人員での行動
②	初期対応期	2日目〜3日目	・エレベータ、電気、水道、ガス等インフフラ停止期間
		自助・共助	・十分ではない人員での行動
③	復旧期	4日目以降〜	・インフラが復旧していく中での行動
		公助	

各班の各期の対応案

期	緊急対応期	初期対応期	復旧期
時間	発生時〜1日目	2日目〜3日目	4日目以降〜
対応	自助・共助	自助・共助	自助・共助・公助
本部 （災害対策本部）	・居住者名簿の提供 ・関係機関への連絡 ・情報集約、活動指示	・被害状況の集約 ・活動指示	・設備復旧見込み説明
情報連絡班	・情報収集手段の確認 ・情報収集、伝達	・被害の把握、報告 ・支援要請	・情報量の拡大、提供
防火安全班	・初期消火 ・出火確認、伝達	・被害状況確認 ・建物内安全確保	・建物内安全確保 ・防火・防犯見回り
救出救護班	・安否確認 ・救出援護活動	・けが人の搬送、見守り ・物資輸送支援	・けが人の搬送 ・物資輸送支援
避難誘導班	・避難誘導 ・避難所設置	・避難所の維持管理	・避難所維持管理、閉鎖
物資供給班	・給水所の確認 ・仮設トイレ設置	・食料、飲料水の配分 ・ごみ置場の確保	・食料、飲料水の管理 ・ごみ置場の管理

【訓練の実施・検証】

　マンションの防災体制作りとその準備を行った後に、作成した防災マニュアルに合わせて、マンション全体で最大被害を想定した防災訓練を行います。そして、実際に行動しうまく行かなかったことや問題点を確認し防災マニュアルを修正します。この際、できるだけ多くの居住者が参加するよう防災イベント等も企画します。これにより、実際の災害時の組織の動き方や、災害時の対応について認識し、更に、居住者間のコミュニケーションを図ることで、より災害時に強い体制を作ることができます。

3.3　居住者名簿の作成

　マンションでは管理組合という共助の防災体制の充実が必要と考えます。そのためには、その基本となるマンションの居住者名簿の作成が必要です。居住者名簿により、マンション居住者の人員だけでな

く、高齢者、1人住まい、子供等の確認ができ、災害時の居住者の安否確認、閉じ込め者の救助、要介護者の支援、関係者への連絡等をスムーズかつ、取りこぼし無く行うことが可能となります。

マンション標準管理規約（平成16年）の第64条（帳票類の作成、保管）には、"理事長は、会計帳簿、什器・備品台帳、組合員名簿及びその他の帳票類を作成して保管し、組合員又は利害関係人の理由を付した書面による請求があったときは、これらを閲覧させなければならない。"と書かれてあります。また、この帳票類を管理組合のみで管理する場合、管理組合は個人情報取扱い事業者には当たらず、個人情報保護法は適用されないと認識されています。このように、マンションの居住者名簿は、名簿管理を慎重かつ適正に行い、災害等の緊急時にはすぐに活用できることで、災害時、居住者の避難救助を助け、被害の拡大を防ぐことが可能になると考えます。

3.4 防災倉庫

阪神・淡路大震災経験後のアンケートでは、マンションの救助・避難、被災者生活の際、特別の機材が必要と言われています。しかし、これらの機材は個人では用意できないものが多いため、マンションの共用物として準備することが必要です。そして、これらの救助・避難機材や水・食糧食料等の生活用品等の保管のため、マンションに防災倉庫を設置する動きが広がっています。

【防災倉庫の保管品】

防災倉庫には、住民分の食料や水や簡易トイレの他、以下のような救護・救助機材を収納します。

マンションでは、震災時の壁面破損による玄関扉歪みによる閉じ込め、家具の転倒、窓ガラスの飛散、高層階からのけが人の搬出等が課題になります。

壁面破壊による歪んだ玄関扉をこじ開ける救助機材としては大型バール、ハンマー、バール・斧・ハ

ンマーの機能が一つになったレスキューアッキスがあります。

また、こじ開けた玄関扉は戸締りができなくなるため、チェーンやトラロープで玄関の戸締りをすることが必要です。

地震でエレベータが停止し、高層階の負傷者を搬送するためには、普通の担架では階段で人を降ろすことができません。そこで、階段用の折り畳み担架が必要です。

災害後の対応としては、マンションの外壁やガラスが破損・散乱し、廊下の手すりの破損等が生じた部位は、トラロープで塞ぎ、安全通路の確保や進入防止を図ります。

建物のエキスパンションジョイントが地震の揺れで破損した場合、ベニヤ板やガムテープで床を保護し、トラロープ等で壊れた手摺の安全を確保する必要があります。

このように、救助・救護機材としては、ハンマー、ペンチ、バール、スコップ、ノコギリ、ジャッキ、トラロープ、ベニヤ板、ヘルメット、救急・衛生用品、毛布、運搬用具、台車、折りたたみ担架、脚立、折りたたみ式リヤカー、マンホールトイレ等が考えられます。

【防災倉庫の管理】

防災倉庫はその管理・点検を定期的に行うことが重要です。これを欠かすと災害時にその備品が不足し、機材が使用できなくなることもあります。単に防災倉庫を設置するだけでなく、その管理運用方法を管理組合で検討します。

【防災倉庫の運用開始】

防災倉庫の設置時には説明と訓練が必要と考えます。居住者向け説明会を行い防災倉庫があることを巨樹医者に認知させると共に、簡易トイレの組立など災害時対応訓練を行ない緊急時対応に備えます。

【備品の明示】

防災倉庫には様々な備蓄品があります。備蓄品の種類や数、有効期限などをリスト化して倉庫に貼り、備蓄品箱に何か入っているか明示します。

【防災倉庫の点検】

防災倉庫の備蓄品は年1回点検し、発電機や工具等機材は防災訓練の際に実際に使用します。特に発電機は定期的に稼働させないと災害時稼働しない場合があり注意が必要です。

【備品の入替】

防災倉庫内の水・食糧は保存期間に注意し、定期的な入替えを行います。その際、住民意識向上のため消費期限の水・食糧の入替えを兼ねた住民試食会などを実施し認知度を高めます。

【居住者への啓蒙活動】

水・食糧は各戸で備蓄することが原則と考えます。防災倉庫を設置しても住民は頼りすぎないよう自宅での水・食糧の備蓄を勧めると共に、防災訓練に参加を呼び掛け、災害時にもマンション全体で対処ができる意識をもたせることが必要です。

【防災倉庫事例】

築38年の分譲マンション(9階62戸)で防災倉庫を導入しました。防災倉庫の大きさは幅3.5m×高さ2m×奥行2.5mのスチール製で駐輪場を移動して設置しました。

防災倉庫には水と食糧3日分を備蓄し、テント付簡易トイレ、脚立、台車などを収納しています。

防災倉庫導入費用は、設置工事費が約50万円、収納備蓄品購入費は約100万円の約150万円でした。

防災倉庫設置時には、住民向け説明会を開き簡易トイレ組立て訓練も行いました。管理組合は居住者の2割が高齢者であり、個人備蓄をしていない人もいるため、災害時に住民を助けられる体制にしたいと考えています。また、消費期限の水・食糧の入替えを兼ねた住民試食会を開き住民の意識向上を図っています。

【防災拠点】

災害時、マンションの共用室等を防災拠点として管理組合で使用することが考えられます。防災拠点はマンション全体の防災対応の要に位置付けられ、以下の機材を用意します。

ホワイトボード:

○災害後、マンション管理組合は理事長を中心にした防災組織を始動し、居住者の安全確保や生活の維持等を行ないます。そこで、マンションの集会室を防災拠点として組織活動を行います。この際、居住者間の連絡用にホワイトボードを掲示板として使うことができます。ホワイトボードに様々な情報を書き理事会役員や居住者に見せることでマ

ンション居住者の行動の統一化を図り、効率的で自主的な救護活動等を進めます。

ポータブル発電機：

○災害による停電時、居住者の安心・安全のため最低限の明かりを確保することが必要です。ポータブル発電機を準備し、停電時の共用仮設照明の点灯や携帯端末の充電、テレビ・パソコン等の電源に利用します。

これ以外にも、防災拠点の運営機材として、ハンドマイク、フェルトペン、模造紙、ブルーシート、ヘッドライト等が必要と考えます。

都市部で大災害が生じた場合、地域住民の避難で避難所は満杯になり、コロナ等のウイルスの影響で避難所の環境も心配されます。一方、マンションのような耐震性の高い建物は、そのまま居住することができる可能性があります。このため、避難所に避難するのではなく、マンションの自宅で避難生活を送ることが必要になると思いますが、その際は、マンションとして防災組織を作り、備蓄を行い、マンションの管理組合として住民の救助や生活支援の体制を整えておくことが重要と考えています。

■４．自助のための対応

４.１ マンション住戸内の震災対策
①家具の転倒対策

　マンションの住戸内の防災のために必要なのは建物の耐震化と家具の固定です。マンションが新耐震基準（1981 年以降の基準）に合致しても地震による被害は生じます。特に建物自体に大きな被害がなくても、住戸内の家具・電化製品等の転倒等により居住者に大きな被害を及ぼすことがあります。

　阪神・淡路大震災での住戸内の家具や家電転倒等の被害は、マンションの住宅の方が、戸建住宅に比べ大きく、結果として震災による住宅内の負傷者比率は、戸建住宅よりマンションの方が大きくなっています。

　高層であるマンションは大きな揺れに対して、建物自体の破壊・倒壊は無いものの、建物内部の揺れ自体が大きくなり、結果として家具や家電の転倒等の被害が大きく、けが人も増えたと考えています。

　このためマンション住戸内の家具や家電製品を固定することは重要な課題です。

【家具の固定】

　高層マンションの建物自体は耐震性が高いため、住戸の家具や電化製品の転倒等による被害は大きくなります。そこで、家具や電化製品による被害を抑えるため家具の固定が重要になります。その家具の固定方法としては以下のようなものがあります。

①固定金物：L型金属金物で家具と壁を固定します。

②チェーン（半固定）：チェーンで家具と壁を固定します。

③ベルト（半固定）：ベルトで家具と壁を固定します。ベルトは30度以下の角度とし定期的にゆるみを確認します。

④ポール・突張り棒：壁下地を使わずに、壁を面で受けて家具を固定します。特に２本の固定具が相互に連結され震災時でも十分固定できるものが奨められます。尚、ダンボール箱等を天井まで積み重ねても効果があります。

⑤ストッパータイプ（床プレートタイプ）：床のカーペットは壁付近に固定グリッパーがあり、家具を壁際に置くと、家具が前のめりになることがあり

	データ数	平均築年数	部屋の散乱4室平均	寝室の家具の転倒	内装被害7室平均	家具被害					家電被害				その他	けが人率
						本棚	和ダンス	食器棚	整理ダンス	洋ダンス	テレビ	電子レンジ	冷蔵庫	洗濯機	ピアノ	
戸建住宅	149件	22年	27.0%	28.2%	55.1%	43.8%	26.8%	20.6%	26.5%	22.3%	32.0%	14.0%	12.0%	1.0%	1.5%	8.5%
マンション	188件	15年	52.3%	39.0%	41.4%	59.2%	48.9%	46.2%	41.9%	38.4%	57.0%	42.0%	26.0%	6.0%	18.1%	15.6%
マンションの戸建てに対する被害発生比率			1.9倍	1.4倍	0.8倍	1.4倍	1.8倍	2.2倍	1.6倍	1.7倍	1.8倍	3.0倍	2.2倍	6.0倍	12.1倍	1.8倍

出典：北浦かほる氏、北原昭男氏「インテリアの地震対策」

住宅内の被災状況（阪神・淡路大震災の場合）
マンションの階数（高層階、中間階、低層階）による住戸内の被害状況

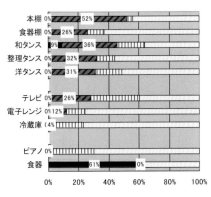
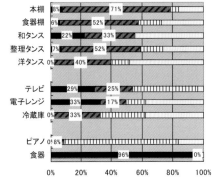
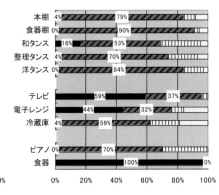

ます。そこで、家具の床面前部にプレートを置いて家具を後ろに倒し気味として倒れにくくします。
⑥マット（粘着）タイプ：床面と家具家電製品の間に樹脂製マットを敷き、地震の揺れを軽減します。床面との吸着が重要で製品寿命は6～7年程度です。単独使用の効果は薄く他の器具と併用します。
⑦家電製品の固定は、その取扱説明書の記載に基づき固定します。

【家具の固定器具の評価】
　東京消防庁が行った家具の固定器具試験評価は以下となっています。結果としては、いくつかの家具の固定方法を組合せると効果が高まります。

②火災対策
震災による火災・災害時状況（阪神・淡路大震災の場合）
　阪神・淡路大震災における建物用途別、構造別の出火件数では、マンション（共同住宅）からの出火・耐火建築物からの出火が一番多くなっています。これは、マンションのような鉄筋コンクリート製の高層建築物は、建物自体は倒壊しませんが、住宅内の家具・電化製品が転倒して出火原因になったためと考えます。

家具の固定器具の評価

No	地震波パターン		阪神・淡路大震災			評価	備考
	震度階		5強 (276gal)	6弱 (491gal)	5強 (818gal)		
①	支持固定器具なし		揺れる	移動する	転倒する	×	
②	壁に固定	L型金具 上向き取付	―	揺れる	大きく揺れる	○	
③		L型金具 下向き取付	―	揺れる	揺れる	◎	
④	壁に半固定	チェーン式	揺れる	大きく揺れる	移動する	△	
⑤		ベルト式	揺れる	大きく揺れる	移動する	△	
⑥	天井から 押さえる	ポール式 （突っ張り式）	揺れる	揺れる	移動する	△	ポールが倒れる
⑦	重心を変える	ストッパー式	揺れる	移動する	転倒する	×	ストッパーがずれる
⑧	床に半固定	マット式	揺れる	移動する	転倒する	×	寿命がある
⑨	複合	⑥＋⑦方式	―	―	揺れる	◎	

No	建物用途	出火件数	構成比
1	共同住宅	70件	26.8%
2	戸建て住宅	63件	24.1%
3	工場・作業場	15件	5.7%
4	学校	10件	3.8%
5	飲食店	4件	1.5%
6	併用住宅	3件	1.1%
7	物品販売店	3件	1.1%
8	旅館ホテル	1件	0.4%
9	その他	92件	35.2%
	合計	261件	100.0%

No	建物構造別	出火件数	構成比
1	耐火建築物	83件	31.8%
2	木造建築物	51件	19.5%
3	防火構造	42件	16.1%
4	準耐火非木造	30件	11.5%
5	準耐火木造	6件	2.3%
6	その他	49件	18.8%
	合計	261件	100.0%

震災による火災・災害時状況(阪神・淡路大震災の場合)

【発火原因】

阪神・淡路大震災の火災発火原因の1番は不明ですが、2番目は電気が原因でした。

震災後の停電から電気が復旧した後、通電した住宅内で転倒した電熱器等家電製品が作動、また漏電等により火災が生じたという事例が報告されています。

No	発火源	出火件数	構成比	構成比
1	不明	146件	51.2%	
2	電気	85件	29.8%	電熱器、電灯配線
3	ガス・油	24件	8.4%	ガス・石油ストーブ
4	火種	12件	4.2%	タバコ・マッチ等
5	まき・炭	5件	1.8%	
6	その他	13件	4.6%	
		285件	100.0%	

【時間帯別出火件数】

阪神淡路大震災は午前5時46分に発生し、午前6時までの約15分間で87件の同時多発火災が生じました。残念ながら、これだけの同時多発火災を消防活動では消火はできません。このような火災を防止するためには、避難する際は各戸分電盤の主ブレーカを切る、転倒時電源切り機能のない電気ストーブは使わない、各戸分電盤に漏電遮断器を取付ける等の措置が必要です。

③水・食糧の備蓄

災害後の生活を維持するためには水や食糧が必要です。それでは、1住宅家族4人に3日間必要とされる水と食糧は、どの程度の量になるのでしょうか。

【水】

飲料水は1人1日3リットルが目安とされています。これを4人家族で3日分用意すると36Lです。この36Lの飲料水はペットボトル2L×6本入（1箱33cm×19cm×32cm程度）が3箱になります。

【食糧】

食糧は1人1日3食として、家族4人3日分で36食必要です。これはカンパン12缶入りを1箱（32cm×24cm×12cm程度）＋缶詰パン24缶入りを1箱（47cm×32cm×12cm程度）の箱の大きさです。尚、1缶を1食としています。これにご飯（アルファ米等）、ビスケット、板チョコ等の副食も、3日分用意できればより良いでしょう。

【4人家族3日分の飲料水＋食糧】

家族4人で3日間の水と食糧の大きさとしては、水はペットボトル2L×6本入り（1箱33cm×19cm×32cm程度）を3箱36L、食糧はカンパン12缶（12食入32cm×24cm×12cm程度の箱）1箱と缶詰めパン24缶（24食入47cm×32cm×12cm程度の箱）を1箱で36食分となり、以下の大きさになります。

このように、家族4人で3日間の水と食糧の備蓄量は大きなものです。これをマンションの各住戸で保管するにはかなりのスペースが必要になります。管理組合で協議し保管場所を住戸内と共用部倉庫等に分けて保管することも検討すべきと考えます。

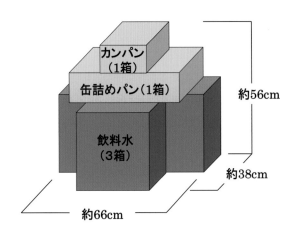

また、この水と食糧の購入費用は、共用部保管品は管理組合が負担し、住戸保管品は各住戸で費用負担の上、適宜各家庭で使用しながら買い足していく等、様々な検討が必要です。

年数が経過して期限切れの水・食糧が防災倉庫に保管されたままの事例もあります。保管した水・食糧は管理組合で適切に確認し、その情報を居住者にも公表し確認すると良いと思います。

4.2　被災生活

被災生活は様々な困難な状況で生活をすることになります。この中で以下のような準備・対応が必要と考えます。

【家族の安否確認】

災害時には家族の安否確認は重要です。災害伝言ダイヤル等の使い方を家族で話し合い利用します。また、管理組合でホームページや掲示板を立ち上げ、情報交換できるようにすることも有効です。

【住居】

鉄筋コンクリートのマンションでは、建物自体が倒壊し住めなくなることは少ないと思います。室内の家具等の倒壊、電化製品による内部災害等に注意し、雨露をしのぐ空間を確保します。尚、余震による家具等の2次災害、玄関扉サッシ等の施錠にも注意が必要です。

【食糧】

災害時の食糧や水は各家庭で確保することが基本ですが、大災害時には公助が働くまで3日間程度必要であり、それまでは自助・共助で生活していくことが必要です。そこで、3日分程度の水や食糧の確保が求められます。

また、災害時の調理対応として、平常時はベンチとして利用し、災害発生時は内部に収納されたかまどを取り出して利用するかまどベンチで調理することも考えられます。

【水】

受水槽があるマンションは、所轄水道局と協議の上、給水栓を受水槽に取り付けて災害時使用できる対応を検討します。この際、管理組合として給水配分方法を決めておくことも必要です。

一方、受水槽がない直結増圧給水方式のマンションでは、水道の給水圧により停電時でも2～3階の住戸までは水が出るかもしれませんが、多くの住戸は断水します。これも低層階住戸の水をどのように配分するかを管理組合として検討します。

更には、大規模震災等により断水が生じ、道路の損傷、交通の渋滞で給水車が来ない場合の対応策として、非常用飲料水生成システムがあります。これは震災時に井戸・河川・水槽の水から、安全な飲料水を生成し居住者に供給することができます。

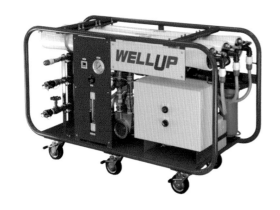

【トイレ】

高層マンションでは、震災により排水設備が破損しエレベータが止まると、トイレ対策として水を使わない非常用トイレ・携帯型トイレなどが必要と考えます。また、マンホールの上に設置して使用できる"マンホールトイレ"は有効です。

マンホールトイレは衛生上、管理上、経済性などの観点から合理的ですが、使用後の排水管内の汚物処理が問題になる場合もあります。

【その他備品】

上記以外にも、災害後の生活で必要であり準備したいものとして以下が考えられます。

○火気：暖房・調理用の携帯ボンベ、マッチ、ライター等

○防寒具：冬季災害の防寒用、外部避難所等で座る・寝る時に利用できる毛布、座布団等

○移動手段：大災害、車の利用ができない場合も多く、移動・荷物運搬用として利用できる自転車

○リュック：災用品を入れておき、災害時にも玄関の近くの持ち出しやすいところに保管する

○その他、紙・筆記具、ティッシュ、石鹸、ビニール袋、ブルーシート、テープ等など

5．おわりに

マンションは、階数、戸数等の規模、立地、ハザードマップの災害想定等により、その防災対策は様々に変わると考えます。また、防災対策を実施するためには相当の費用が必要になり、膨大な費用をかければどのような対策も可能ですが居住者が使えなければ効果はありません。

この防災対策の1つが非常用発電機の導入です。しかし、その導入方法も様々であり、小規模マンションでの設備単体の電源バックアップから、大規模・多棟数のマンションの設備機器を選んで大型発電機を導入することが考えられます。このようにマンションの具体的な防災対策は、それぞれのマンションにより変わり、その計画は大変難しいと考えます。

また、多くの居住者が住むマンションでは、大災害が生じた場合、居住者の安全・安心確保のために事前に防災計画を立て備えることが重要です。

　マンションの管理組合で防災倉庫を設置し水・食糧の保管、救助運搬機材の整備を行い、担当者を決めた防災組織を作り、いざという場合迅速適切に対処できるための訓練を行います。更に住戸内で家具の耐震固定を行う等の対策がなされたマンションは災害時、より安全になると思います。

　このようにマンションの防災対策は、発電機や防災機材、防災倉庫の導入というハード面だけでなく、マンション管理組合の防災組織の確立というソフト面の対応も重要です。また、共用部防災対策の充実だけでなく、住戸内での水・食糧の備蓄、家具の固定も考えなくてはいけません。

　マンションの防災対策は、共用・住戸とも様々な対処が求められ、管理組合が対応・構築することは難しい点もあります。しかし、管理組合、理事会等で十分協議の上、進めることが望まれます。

　今回、マンションにおける防災対策として、ハザードマップ等を参考に発電機導入や防水板等設置のハード面の対策と、管理組合の防災組織マニュアル作成や訓練等のソフト面、及び住戸内の対応について述べました。

　これを参考に災害への準備や対応について管理組合・居住者の方に理解していただき、居住者のコミュニケーションを図りながら、防災対策を検討し、災害時に強い体制作りを行っていただきたいと思います。

災害対応力強化で既存マンションストックの付加価値向上

―安全・安心のマンションライフと資産価値向上を両立―

（一社）マンションリフォーム推進協議会　共用部分委員会委員長／一級建築士　　原　　章博

1. はじめに

古来より我が国は多くの災害に見舞われてきた。特に地震や台風といった自然災害は多くの記録として残っている。その規模は時代によって大きく変わるものではないが社会に及ぼす影響は時とともに甚大性を増している。これは時代とともに都市部に人口が集中することによる都市整備とそれに伴う治水等の社会的基盤整備が追い付かず、整備不十分な地域まで居住地域になってしまったことによると考えられている。また、近年は地球温暖化の影響も加わり台風等の発生やその他の気象状況が従来とは比較にならないほど激甚化してきた。

1995年1月に近畿地方を襲った兵庫県南部地震や2011年3月に発生した東北地方太平洋沖地震など広範にわたる地震災害においては多くの人命が犠牲になったが、それと同時に地震によるさまざまなインフラへの影響も甚大を極めるとともに、現状の課題も浮き彫りになった。特に人口が集中する都市部においては地震直後からの生活の維持が大きな課題として浮き上がってきた。

この様な地震発生による生命への危害を防止する目的で国としてもさまざまな対応の取り組みが進められ、「防災・減災等に資する国土強靱化基本法」（平成25年12月11日法律第95号）が施行されるに至った。

1981年6月の建築基準法改正による「新耐震基準」により耐震性に優れた建築物が徐々に普及し、近年では一部の木造建築物や新耐震基準以前の古い建物、歴史的建造物を除いては倒壊、崩壊など直接人命に危害を及ぼす事例も減少している。

一方、2018年6月に発生した大阪府北部地震では兵庫県南部地震ほどではなかったものの相当数の都市ガスの供給障害が発生した。また、2018年9月に発生した北海道胆振東部地震では地震による直接的な被害が軽微であっても広範な電力供給障害（通称ブラックアウト）を引き起こす可能性があるといった新たな課題も顕在化させ、インフラ維持の重要性が強く意識されることなった。

さらに、ここ数年は地球環境の変化に関連したともいわれている大型台風の発生・襲来や前線の長期停滞による豪雨災害の発生が相次いでいる。

基本方針

- 人命の保護が最大限に図られること。
- 国家及び社会の重要な機能が致命的な障害を受けず、維持され、我が国の政治、経済及び社会の活動が持続可能なものとなるようにすること。
- 国民の財産及び公共施設に係る被害の最小化に資すること。
- 迅速な復旧復興に資すること。
- 施設等の整備に関しない施策と施設等の整備に関する施策を組み合わせた国土強靱化を推進するための体制を早急に整備すること。
- 取組は、自助、共助及び公助が適切に組み合わされることにより行われることを基本としつつ、特に重大性又は緊急性が高い場合には、国が中核的な役割を果たすこと。
- 財政資金の効率的な使用による施策の持続的な実施に配慮して、その重点化を図ること。

施策の策定・実施の方針

- 既存社会資本の有効活用等により、費用の縮減を図ること。
- 施設又は設備の効率的かつ効果的な維持管理に資すること。
- 地域の特性に応じて、自然との共生及び環境との調和に配慮すること。
- 民間の資金の積極的な活用を図ること。
- 大規模自然災害等に対する脆弱性の評価を行うこと。
- 人命を保護する観点から、土地の合理的な利用を促進すること。
- 科学的知見に基づく研究開発の推進及びその成果の普及を図ること。

内閣官房公表資料より

○ 防災性を向上するための改修工事

【例】
・浸水想定区域内において、マンションの地下に設置された電気設備を浸水のおそれのない上階に移設したり、浸水防止のための対策や非常用電源を確保する工事等により、総合的にマンションの防災性を向上するための改修工事　等

国土交通省公表資料より

特に 2019 年 9 月に上陸した令和元年房総半島台風（台風 15 号）では静岡、山梨、神奈川、埼玉で 24 時間雨量が 700mm 超を記録し、神奈川県の箱根では 1000mm に達したとの報告もある。この台風では東京、神奈川、千葉で瞬間最大風力が 40m を超え、雨、風ともに記録史上最大となった地域が続出した。

この様な記録的暴風雨の影響により広範囲かつ長期間にわたる停電が発生し、在宅による生活継続が成立しないという現実が突き付けられた。

更に同年 10 月の令和元年東日本台風（台風 19 号）による大雨に伴う内水氾濫により、首都圏の超高層マンションで地下部分に設置されていた高電圧受変電設備に冠水の被害が発生し、これによりエレベーター、給水等が停止し生活継続に大きく関わる事態が発生した。

以上のような状況を受け国土交通省と経済産業省は令和元年 11 月に「建築物における電気設備の浸水対策のあり方に関する検討会」を発足させ、電気関連諸室に取り付ける建具について浸水防止性能の JIS 化等の検討等を進めるとともにガイドラインを策定した。

国土交通省ではここでの協議等を踏まえ「マンションストック長寿命化等モデル事業」の構想を発表した。この中の代表的 5 テーマの内、従来の耐震、省エネ以外に「防災、災害への備え」といった項目についても "長寿命化" に含まれるとの考え方が表明された。

その結果、2020 年 4 月から「マンションストック長寿命化等モデル事業」の新たな補助事業をスタートさせるに至った。

近年、世界的に取り組みが強く求められている持続可能な開発目標（SDGs）の項目 11 でも「住み続けられるまちづくりを」が掲げられており、災害に強いインフラ造りとともにコミュニティーの絆と個人・市民の安全強化を狙いとして挙げ取り組みを促している。

この様な外的状況の変化に対応するための機運と環境整備が整い出す中、その取り組み内容の吟味が求められており、具体的な「災害対応力」とは何かを考えたとき、根底的に求められる内容は災害時における居住者の人命と生活継続であろう。地震では建物の倒壊等により生命が危険にさらされかねないことは容易に想像がつくが、前述したとおり地震、水害等によるインフラ途絶下での生活継続も至難を極めると考えられる。

であるから災害対応の内容を整理し視える化することで合理的な対応が非常に重要となる。そこで、そのツールとして提案したいのが（一般社団法人）新都市ハウジング協会が開発した診断ツール『マンション LCP50 ＋ 50』である。

2. 『マンション LCP50 ＋ 50』による現状認識

ここで『マンション LCP50 ＋ 50』とはいかなるツールなのか簡単に説明する。

近年の自然災害はその影響と被害が極めて甚大となっているが、発生時の状況を考えると地震とその他の災害とは明確に区分される。

時間とともに状況の予測がなされ、避難等の事前行動をとることができる台風等と違い地震災害は事前の予測が極めて困難であり、専門的な知識を持たない一般人には何をどの程度用意するべきなのかも十分に理解されていないのが現状である。

そこで『マンション LCP50 ＋ 50』では地震発生時のリスクとして家具類の転倒、火災による二次災害、玄関扉変形による避難障害、建物自体の耐震性確保等予め対応が可能な 50 の項目（図 1）を用意し、

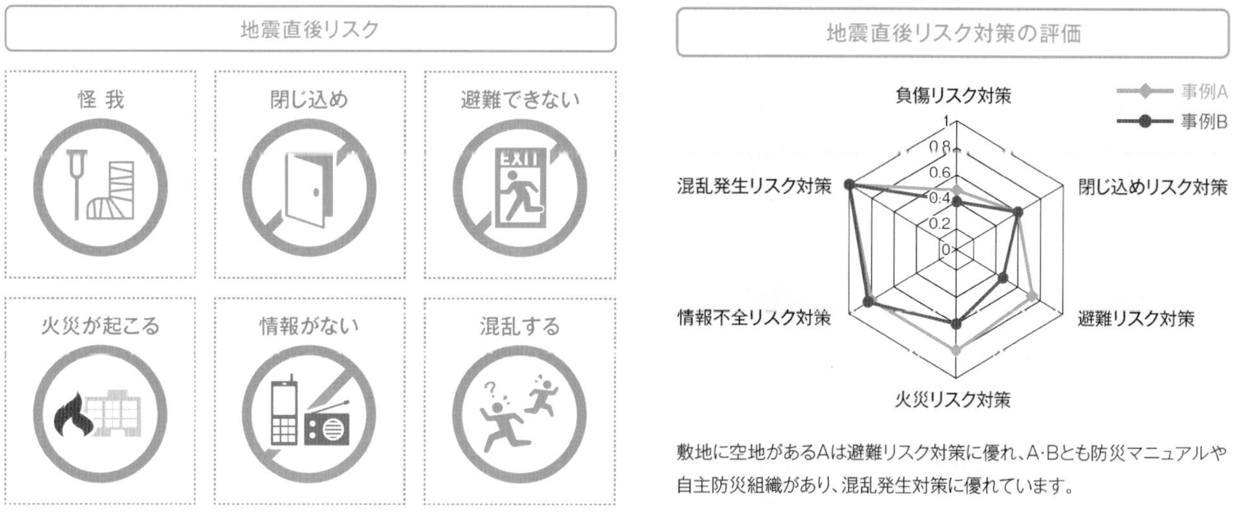

図1 震災直後リスク

左側：
地震直後リスク
怪 我　閉じ込め　避難できない
火災が起こる　情報がない　混乱する
検討、検証する項目

右側：
地震直後リスク対策の評価
事例A　事例B
負傷リスク対策
閉じ込めリスク対策
避難リスク対策
火災リスク対策
情報不全リスク対策
混乱発生リスク対策

敷地に空地があるAは避難リスク対策に優れ、A・Bとも防災マニュアルや自主防災組織があり、混乱発生対策に優れています。

入力値に基づくレーダーチャートの例

図2 生活継続リスク

左側：
生活継続リスク
停 電　断 水　排水不全
ガス停止　移動できない　寝食不自由
検討、検証する項目

右側：
生活継続リスク対策の評価
事例A　事例B
停電リスク対策
断水リスク対策
排水不全リスク対策
ガス供給停止リスク対策
移動困難リスク対策
寝食困窮リスク対策

Aは非常用自家発電設備と備蓄燃料、受水槽の採水口があり、Bに比べ、断水や上下移動、停電対策について優れています。

入力値に基づくレーダーチャートの例

同システムに沿って対象マンションの現状を指定欄に5段階の数値で入力することで現状が要素ごとのレーダーチャートとして出力されるように作られている。これにより発生予測が困難な地震災害で自らの生命にどの程度の危険があるかを理解し、何を、どう準備するかの目安にできるとともに、地震の被害や危害の影響を低減できる。

また、地震による怪我等の応急処置や情報の途絶による情報孤立、火災発生時の初期消火など地震発生直後のリスクについても項目を設け、対応を促している。

次に、地震発生による直接的生命の危険を乗り切った後からは、混乱の中で生活を継続してゆかなければならない。この状況は地震災害ばかりでなく

台風、豪雨等の気象災害でも同様であり、同システムでは電気、水、ガス等の公共サービス途絶に対する対応やマンション内あるいは周辺地域社会との連携についても50の項目（**図2**）を用意してレーダーチャートによる現状を把握できる仕組みとなっている。

このように『マンションLCP50＋50』は様々な災害に対する備えと心構えという点で非常に有益なシステムといえる。

因みに『マンションLCP50＋50』を開発した（一般社団法人）新都市ハウジング協会では、マンション関連の専門団体として最も古い歴史を持つ（一般社団法人）マンションリフォーム推進協議会（REPCO）とも連携し、このシステムの普及を図っている。

3. マンションライフと災害

周知のとおり我が国の総人口における年齢構成は高齢化の一途をたどっており2015年には65歳以上の人口が総人口の30%を超え35%に迫っている。今後さらに高齢化と長寿命化が進み2040年には75歳以上の後期高齢者が総人口の20%を超え25%に迫ると予想されている。（図3）

この状況をマンションの世帯主年齢でみた結果が図4である。この図からわかるとおりマンションに居住する世帯主の約半数が60歳以上となっており、70歳以上も22.2%にのぼる。

また、築年別の居住状況では高経年マンションほど高齢居住者が多く、築40年を超えるものでは居住者の約半数が70歳以上となっている。（図5）

二つの結果は①高齢のマンション居住者が年々増加している、②高経年マンションほど高齢の居住者が多いという事実を物語っている。この事実に基づき高齢者がマンションに居住する際の問題点や課題

について触れてみる。

一般にマンション（共同住宅）は、ほとんどの建物が中層以上であり3階程度以下の下層階に居住している住人以外はエレベーターを使用して各居室と地上階を移動しているが、地震等でエレベーターの使用ができなくなると高齢者にとって地上との往来が非常に困難な状況が発生し、生存に欠かせない水や食料等を自宅に運び入れることに大きな障害が発生する。さらに高経年マンションでは、設計の段階で今日とは異なる防災認識であったためその対応も現在ほど整っていなかったと推測できる。

災害弱者といわれている高齢者が中層を超える上層階に居住するということは常にこのようなリスクを伴っていると言わざるを得ない。また、高齢者に限らず女性、子供にもいえることだが玄関扉の変形による閉じ込めが発生した場面などでは体力的要因で扉を解放できない、避難経路上の障害物を排除できず建物外へ脱出できないなどさまざまな可能性も考えられる。

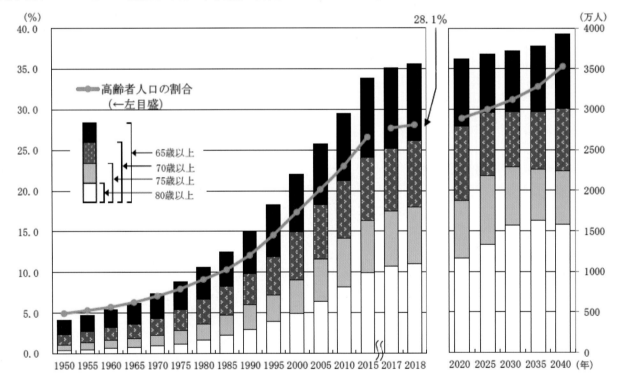

資料：1950年〜2015年は「国勢調査」、2017年及び2018年は「人口推計」
　　　2020年以降は「日本の将来推計人口（平成29年推計）」出生（中位）死亡（中位）推計
　　　（国立社会保障・人口問題研究所）から作成

注1）2017年及び2018年は9月15日現在、その他の年は10月1日現在
　2）国勢調査による人口及び割合は、年齢不詳をあん分した結果
　3）1970年までは沖縄県を含まない。

図3　高齢者人口及び割合の推移（1950年〜2040年）

総務省統計局資料より

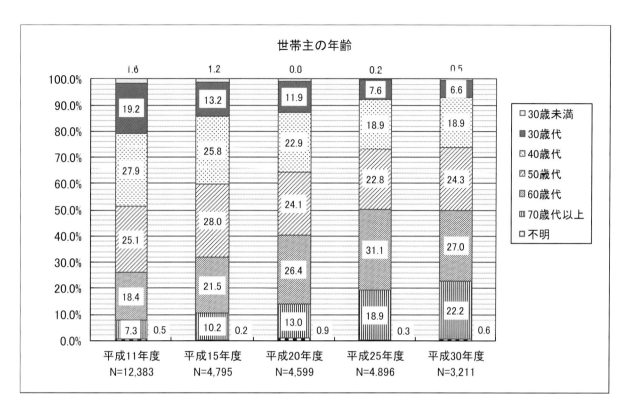

図4　マンション世帯主の年代の推移
（国土交通省「平成30年マンション総合調査」による）

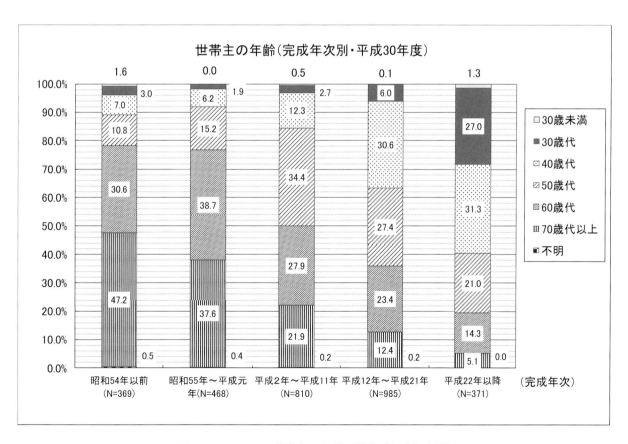

図5　マンション世帯主の年代の推移（完成年次別）
（国土交通省「平成30年マンション総合調査」による）

この様なケースも含め、災害に備えて地震時の変形を抑制した玄関扉への更新など設備面での備えのほか、災害弱者を救助、援助する体制整備も重要な準備の一つである。一般にもいわれているとおり大規模災害時には公的救助、支援を待てない場合も多い。自力で何とか解決する"自助"に加えて大切なのが"互助""共助"である。災害直後の安否確認や救助に加え、その後の生活継続においても高齢者等災害弱者の一時避難場所設営、上下階移動の介助など組織的に対応することが求められる。『マンションLCP50＋50』では日頃から同一棟内ばかりでなく近隣の自治会、町内会等地域コミュニティーとの連携についての入力項目も設け、ハード面での災害対策ばかりでなくソフト面、ハート面での事前準備を促している。

4. 既存マンションを取り巻く状況

近年海外からの投資も活発化し、特に首都圏においては新築マンションの価格が高騰している。東京23区においては販売価格の平均が6000千万円を超えており、一般の給与所得者にとって極めて手の届きにくい価格帯となっている。

この様は状況もあって首都圏ではここ数年中古マンションの購入意欲が高まっており、新築マンション契約数を上回る状況が続いている。近年新築マン

ションの価格が高騰している状況に反し、中古マンションではほぼ横ばいが続いている。（図7）

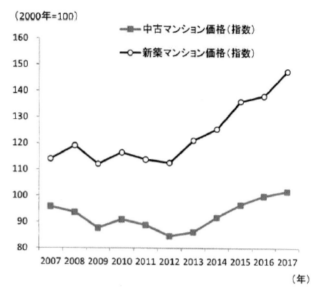

図7　中古マンション価格と新築価格
（一般財団法人）日本不動産研究所資料より

諸般の事情から一般購買層が中古マンションの購入にシフトする中、その購入動機の大きな要因が立地と築年数といわれているが、図7のとおりマンションへの永住意識は年々高まっている。壮年期で購入してもその後40年程度は居住することになり、購入者本人も年齢を重ね体力的な衰えにも備える必要がある。長いライフサイクルの中で子育て期、安定期, 老年期と年齢とともに変化してゆく生活形態に応じたニーズがマンションには求められる。特に

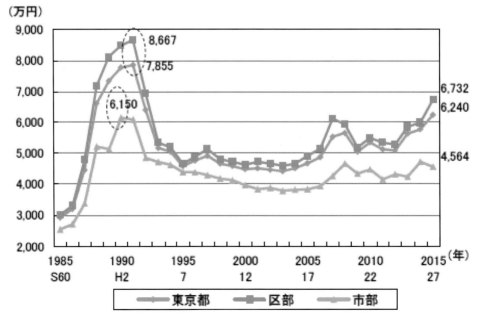

図6　「全国マンション市場動向」
株式会社不動産経済研究所資料より

老年期に差し掛かるとバリヤフリーなどの機能も一層重要になってくる。その様な状況も踏まえてマンションを選び購入する際の評価軸が必要になる。

5．LCPによる資産価値向上への期待

かつてマンションの購入者には「いつかは戸建て」との思いがあったといわれているが前項で指摘した通り永住意識が大きく変わったことでマンション購入のインセンティブも変化してきた。高齢化に対応したバリヤフリーやネット取引に伴う宅配ボックス、セキュリティ意識の変化による高機能インターホンなど様々な改修やエントランスをはじめとしたリノベーションが進んできた。この様な環境変化に加え冒頭でも述べた通り災害リスクもクローズアップされ、災害への備えに対する意識も大きく変化してきた。

さらにここに至って「マンションストック長寿命化等モデル事業」など公的補助もスタートしたことで「災害に強いマンション」が一つのトレンドとして注目され始めた。

現在、築40年を超える高経年マンションが全体の約10％を占める81万戸あるといわれているが、これが20年後には約4.5倍の366万戸にまで増加すると想定されている。これらの高経年マンションをスラム化させることなく健全に流通させ売買、相続に結び付けなければならない。その際重要な要素が先に述べた災害対応力であり、これを達成したマンションこそが「ヴィンテージマンション」と呼ばれる新しい価値を含んだカテゴリーとして認知され始めている。

6．LCP対策の取り組み資産価値向上に成功した高経年マンションの事例

6.1　案件概要
・所　在　地：東京都港区
・構造・規模：鉄骨鉄筋コンクリート造　13階
・築　年　数：43年
・戸　　　数：324戸

6.2　LCP対策工事
当該案件ではマンション内の管理組合の防災意識が高く、2011年の東北地方太平洋沖地震以前の2009年に耐震補強工事を実施していたが、その後に発生した各地の地震災害を教訓に2016年に『マンションLCP50＋50』の評価を実施した。

特に災害発生後の生活継続に欠かせない電気と水の確保を目的として、①非常用発電設備の能力向上と②非常用井戸の設置に取り組んだ。

更に力の弱い高齢者が地震による玄関扉の変形で

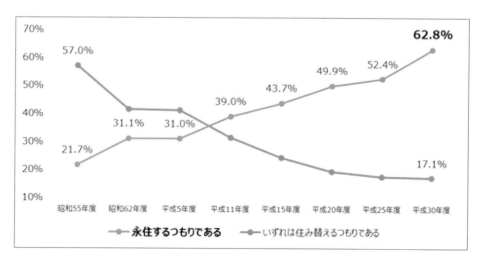

図8　平成30年度マンション総合調査結果
国土交通省資料より

閉じ込められないよう、③変形に対応する専用の性能を持った玄関扉への改修を実施した。

６.２.１　具体的取り組み事例
①停電リスクの対策として非常用発電設備の能力向上
　　非常用発電設備のスペックについては、非常照明、非常用エレベーター、各種ポンプ類等の運転を72時間程度維持できる能力とした。

②断水リスクの対策として非常用の井戸を設置

従来設置されていた受水槽を撤去し、そのスペースを使って非常用発電設備を大型化した。

各界廊下のＳＫ流し

③閉じ込めリスクの対策として地震対応の玄関扉に交換
　　各メーカーでは地震時の変形に対応するとの意味合いを込めて「対震玄関戸」と名付けて製品化しているが、これら製品には地震時の変形に対して扉枠のクリアランスを確保して対応するものと特殊な丁番を用いて対応するものとがあるが、本案件では前者を採用し更新工事を実施した。

井水汲み上げポンプ

井戸汲上げ部

非常時の注意事項表示

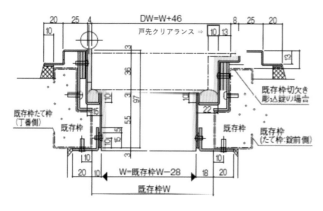

6.2.2　対策実施による評価の推移

ここで取り上げた①停電リスク対策、②断水リスク対策、③閉じ込めリスク対策の実施前、実施後について『マンション LCP50＋50』に基づく評価の推移を次に示す。

このレーダーチャート（図9）が示す通り LCP 対策工事を実施することにより建物の災害対応力が改善されている。特に停電リスクは非常用発電設備の能力向上により大幅な改善がみられる。

7．おわりに

時代とともに一般の日常生活は IT 化に象徴される通り極めて高度化してきた。しかし、この高度化した市民生活は公共インフラに強く依存している。ところが、この公共インフラは前述したとおり極めて大きな自然災害に対して対応できない事例がここ数年発生している。

この様な状況を踏まえ『マンション LCP50＋50』に基づく現状の確認は非常に明確な方向性を具体的に提示できる仕組みといえる。

今後高経年マンションとそこに居住する高齢者をはじめとする災害弱者の更なる増加が見込まれ「安心、安全なマンションストック」のニーズは増すばかりである。マンションの管理適正化と防災等の性能向上の取り組みによる既存マンション再生で更なる差別化を図り、市場価値向上を目指すことが資産価値の向上にも結び付き、これがインセンティブとなって継続したマンションストックの長寿命化を促進させる重要なポイントとなる。

昨今しきりに話題となっている「人生 100 年時代」に向け、住ストックの質向上は非常に重要な社会的課題でもあり、社会資本の一部であるマンションストックのレジリエンスにおいてもハード面に加え、ソフト面での充実は SDGs 項目 11.b「あらゆるレベルでの総合的な災害リスク管理の策定と実行」にも合致した取り組みといえる。

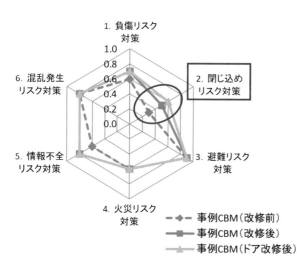

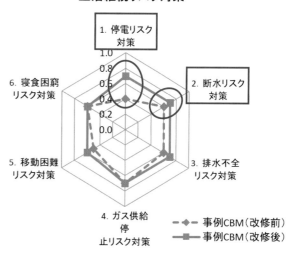

図9　レーダーチャート

マンション長期修繕計画のチェックポイント

(一社)マンションリフォーム推進協議会／一級建築施工管理技士　**野倉　克之**

国交省が平成20年（2008年）6月に『長期修繕計画標準書式・作成ガイドライン』を策定したことにより、修繕委員会等を設置し、専門的に検討を進めている管理組合も増えてきました。どのように長期修繕計画を作成するのか、どうすれば適切な修繕計画となるのかなど疑問に感じている方も多いと思います。修繕積立金との関係も理解して運用しないと適切な長期修繕計画にはなりません。作成に係わる項目ごとのチェックポイントの基本的な説明となりますが、管理組合の長期修繕計画の運用に少しでも参考にしていただければ幸いです。

1．長期修繕計画の作成状況

平成30年度に国交省で実施された『マンション総合調査』では下記の調査結果が公表されています。

1．長期修繕計画を作成している管理組合の割合
　　　　　　　　　　　　90.9%（前回89%H25）
2．長期修繕計画の期間　「30年以上」　60.0%
　　　　　　　　　　　　「25~29年」　21.8%
　　　　　　　　　　　　平均　　26.0年
3．長期修繕計画を修繕積立金の算出根拠としている
　　　　　　　　　　　　　　　　72.5%
　　そのうち「計画期間25年以上の長期修繕計画に基づいて修繕積立金の額を設定している割合」は53.6%で前回の調査（H25年）より7.6ポイント上昇しています。

2．長期修繕計画のチェックポイント

2.1　建物の構造のチェックポイント（部材・構成）
●マンションとは、数百の部材の集合体です。
　⇒　人の体と同じ骨・筋肉・臓器などの集合体
　　※自分の体をイメージしてみましょう。

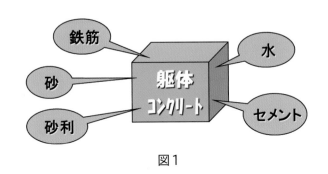

図1

2.2 劣化のチェックポイント（ひびわれ・露筋・設備）
●壁面のひびわれ
　内部に雨水等が侵入しエフロ（白いもの）が確認できます（写真1）。
●鉄筋の露出
　コンクリートが剥落し錆びた鉄筋が露出しています（写真2）。
●設備配管の劣化
　排水管内部に錆瘤や堆積物がたまった状態になっています（写真3）。

2.3　建物の劣化現象のチェックポイント
●建物を劣化は図のような要因が考えられます。

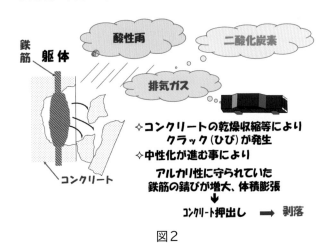

図2

2.4 維持・保全のチェックポイント（用語・一般的概念）
●維持保全は大きく「予防保全」と「事後保全」に分けられます。

写真1　壁面のひびわれ

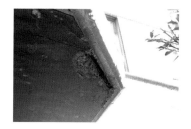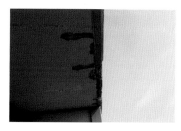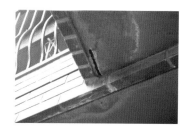

写真2　鉄筋の露出

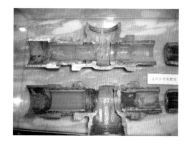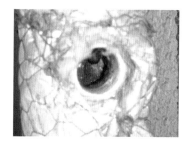

写真3　設備配管の劣化

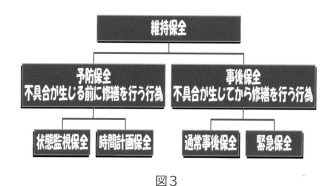

図3

●修繕（保全行為）を行うことによって建物を長持ちさせることが出します。（耐用年数の延長）

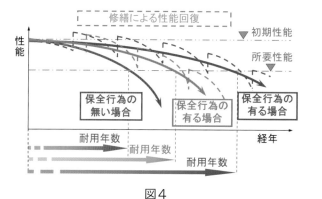

図4

2.5　修繕タイプのチェックポイント

●すぐに実施しなければならない緊急な修繕から、数年から10年以上先を見据えた修繕タイプがあります。『長期修繕計画』は25年～30年の期間のおける予防保全の計画といえます。

○日常修繕

　照明器具等の不具合（緊急）

⇒単発的な修繕

○小修繕

　5～7年ごとの鉄部塗装、設備機器のオーバーホール

⇒中期修繕計画

○大規模な修繕

　12年ごとの防水外装（大規模修繕工事）

　設備機器更新（インターホン、エレベーター等）

⇒長期修繕計画

2.6　長期修繕計画の必要性のチェックポイント

●『長期修繕計画』の必要性は建築基準法等では以下のように定められています。

また、標準委託規約では管理組合の業務として「長

期修繕計画の作成又は変更に関する業務」が
あげられています。

■建築基準法　第8条（維持保全）

「建築物の所有者、管理者又は古有者は、その建築
物の敷地、構造及び建築設備を常時適法な
状態に維持するように努める為、必要に応じその
建築物の維持保全に関する準則又は計画を
作成その他適切な措置を講じなければならない」
としている。

■標準管理規約　第32条（業務）

管理組合は次の各号に掲げる業務を行う。（抜粋）
- 一　管理組合が管理する敷地及び共用部分等の保
　　安、保全、保守、清掃、消毒およびごみ処理
- 二　管理組合部分の修繕
- 三　長期修繕計画の作成又は変更に関する業務
- 六　修繕等の履歴情報の整理及び管理等
- 九　敷地及び共用部分等の変更及び運営
- 十　修繕積立金の運用

2.7　長期修繕計画全体のチェックポイント（概念）

●計画の基礎となる「修繕計画」
　修繕項目　　何をどのように直すのか
　修繕時期　　いつ直すのか
　修繕費用　　どの範囲をおよそいくらで直すのか
●定期的な見直しが必要　（およそ5年ごと）
　建物現状の把握　⇒　改良の検討　⇒　軌道修正
●成功の決め手「資金計画」
　修繕費用の累計額と修繕積立金の累計額を比較し
　てみる。

＝＝　　全員の理解が第一歩　　＝＝

●**建物の維持管理**は、
『点検』→『提案・検討』→『実施』→『履歴の蓄積』
を、1サイクルとして繰り返すことにより維持していくものです。
このサイクルを着実に実行していくことが
維持管理にとってのポイントとなります。

●**長期修繕計画**は、
建物維持サイクルの、
駆動部・中心軸 の役割をします。

●**修繕工事履歴**は、
建物のカルテ
　修繕工事履歴がすべてにおい
ての基本です。
　きっちり把握することが重要
　まずは、書類整理から！
　ここに時間を掛ける事が重要

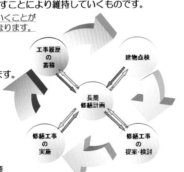

図5

2.8　計画作成時のチェックポイント

●長期修繕計画の見直しの際の以下のような項目に
留意して作成します。

- ・過去の『修繕工事履歴』を把握したうえで将来の
　計画に反映しましょう。
- ・『建物点検報告』や『建物診断報告』の内容を反映
　しましょう。
- ・実施した工事内容を反映しましょう。
　「修繕仕様」・「単価」・「数量」等を分析反映
　　→よりいっそう物件特有の内容に沿って精度を
　　　高められます。
- ・現地確認を実施して現況を把握して作成しま
　しょう。（建物点検報告と合わせて）
　　→改良工事・増設工事・撤去部分等の竣工図面
　　　との違いをチェック。
- ・『管理規約等の内容』を確認し計画を作成しま
　しょう。

3. 国交省ガイドラインのチェックポイント

○平成20年6月　国交省「長期修繕計画標準様式・
作成ガイドライン」
　長期修繕計画の作成又は見直し及び修繕積立金の
　額の設定に関して、基本的な考え方等と
　長期修繕計画標準様式を使用しての作成方法を示
　すことにより、適切な内容の長期修繕計画の
　作成及びこれに基づいた修繕積立金の額の設定を
　促し、マンションの適時適切かつ円滑な実施を
　図ることを目的としています。

○平成23年6月　国交省「マンションの修繕積立
金に関するガイドライン」
　①主として区分所有者自ら居住する住居専用の単
　　棟型マンションを対象に、
　②長期修繕ガイドラインに沿って作成された計画
　　の事例を収集・分析し、
　③新築時から30年間に必要な修繕工事費の総額
　　を、当該金積み立てる方式（均等積立方式）によ
　　る月額を示しています。
　※ガイドラインは国土交通省のHPより入手する
　　ことができます。
　　国交省HP＞政策・仕事＞住宅・建築＞住宅
　　　＞マンション政策＞マンション管理について

『長期修繕計画標準書式・作成ガイドライン活用の手引き』

3.1　国交省ガイドラインのチェックポイント 「長期修繕計画標準様式・作成ガイドライン」

●『長期修繕計画標準書式・作成ガイドライン』の標準様式は1号から5号まであり修繕計画の中心となる様式は4号となります。

□長期修繕計画標準様式
・様式1号　　　マンションの建物・設備の概要等
・様式2号　　　調査・診断の概要
・様式3－1号　長期修繕計画の作成・修繕積立金の額の設定の考え方
・様式3－2号　推定修繕工事項目・修繕周期等の設定内容
・**様式4－1号　長期修繕計画総括表**
・**様式4－2号　収支計画グラフ**
・**様式4－3号　長期修繕計画表（推定修繕工事項目別・年度別）**
・**様式4－4号　推定修繕工事費内訳書**
・**様式5号　　　修繕積立金の額の設定**

　推定修繕工事項目として19項目設定されており、大規模マンションで特殊設備（温泉設備や共用ホール等）がある場合は、これらに該当しない修繕項目もあると思われますので修繕計画作成時に項目漏れのないよう注意が必要です。また、該当する修繕項目がないマンションもあります。

□推定修繕工事項目（19項目）
Ⅰ仮設　1　仮設工事（共通仮設、直接仮設）
Ⅱ建物　2　屋根防水（屋上防水、傾斜屋根、庇・笠木等の防水）
　　　　3　床防水（バルコニーの床、廊下・階段の床）
　　　　4　外壁塗装等（外壁塗装、軒天塗装、タ

イル補修、シーリング）
　　　　5　鉄部塗装等（鉄部塗装（雨掛かり・非雨掛かり）、非鉄部塗装）
　　　　6　建具・金物等（建具関係、手摺、鉄骨階段、その他金物）
　　　　7　共用内部（管理室、集会室、エントランスホール棟の床・壁・天井）
Ⅲ設備　8　給水設備（給水管、集水ポンプ、貯水槽）
　　　　9　排水設備（排水管、排水ポンプ）
　　　　10　ガス設備（ガス管）
　　　　11　空調・換気設備（空調機（エアコン）、換気扇類）
　　　　12　電灯設備等（照明設備、配電盤類）
　　　　13　情報・通信設備（ＴＶ共聴設備、インターホン設備）
　　　　14　消防用設備（屋内消火栓設備、自動火災報知設備、連結送水管設備）
　　　　15　昇降機設備（エレベーター）
　　　　16　立体駐車場設備（自走式駐車場、機械式駐車場）
Ⅳ外構　17　外構・附属施設（舗装、側溝、塀・フェンス、駐輪場、植栽）
　　　　18　調査・診断、設計、工事監理等費用
　　　　19　長期修繕計画作成費用

3.2　国交省ガイドラインのチェックポイント 「修繕積立金」

●マンションを維持・保全していくために必要な修繕を実施するため、管理費とは別会計で積立てられる積立金です。一度に多額の費用を徴収されることのないよう毎月一定額を積み立てます。その積立金額は、長期修繕計画に基づいて算出したものとなります。

前述の『マンションの修繕積立金に関するガイドライン』は新築マンション購入者向けの内容ですが、築年が経過したマンションでも参考にすることができます。

●「マンションの修繕積立金に関するガイドライン」の一例
積立金の目安額の計算方法例（延べ床面積5000㎡未満、住戸面積70㎡）

表1　標準様式4－1号

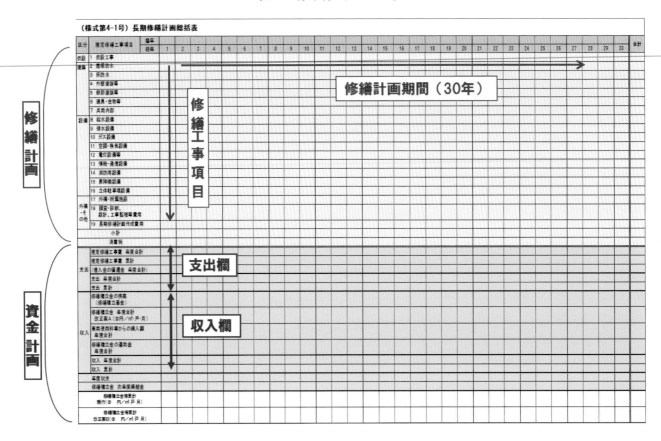

表2　標準様式4－2号

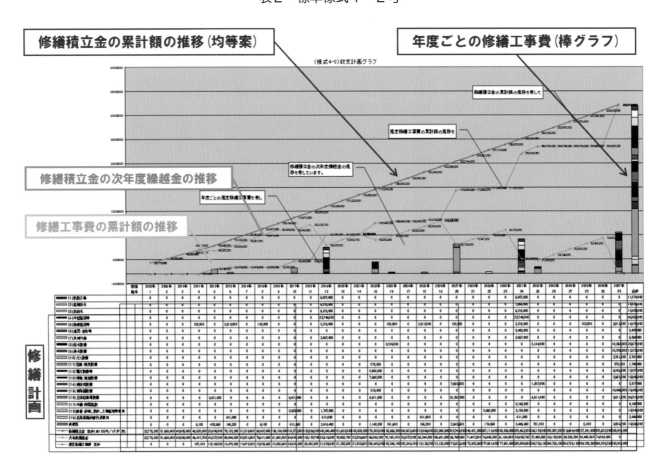

目安の平均値　218 円／㎡× 70㎡＝ 15,260 円

目安の巾　165 円／㎡× 70㎡＝ 11,550 円

250 円／㎡× 70㎡＝ 17,500 円

（1 住戸 1 か月の修繕積立金額の金額）

※機械式駐車場がある場合は各戸の負担割合に応じた計算を行いこの金額に加算します。

3.4 新築時の長期修繕計画の見方のチェックポイント

新築分譲時売主より提示された資金計画（赤色）は最初に積立金基金（33,000 円 / 戸）を集め段階的に値上げを実施する計画（段階値上方式：1 年 80 円 /㎡、6 年 130 円 /㎡、11 年 180 円 /㎡、16 年 230 円/㎡、21 年 290 円/㎡）となっています（グラフ1）。

ガイドラインでの均等積立方式（1 ～ 30 年 211 円 /㎡）のグラフ（青色）を合わせて表示しています。段階値上方式では適宜、積立金の値上げを行わなければいけません。

（値上げを行わないと 1 回目の大規模修繕工事のとき資金不足となってしまいます。黒色のグラフが 80 円 /㎡を継続してゆく場合を示しています。）

3.5　修繕計画のチェックポイント「工事時期」

● 『長期修繕計画標準書式・作成ガイドライン』の記入例には主な工事の修繕周期が記載されています。この記入例の周期はあくまでも参考とされて

おり、長期修繕者の作成者によって周期設定は異なっていますが、多くの長期修繕計画では以下の時期が一般的です。

（1）竣工～ 10 年

6 年　鉄部塗装，防水保護塗装（ガイドライン記入例に記載はないが一般的な周期）

写真5　　　　　　　写真6　屋上保護塗装

建具（メーターボックス）

8 年　ポンプ等設備機器修繕

写真7　給水ポンプ

表3

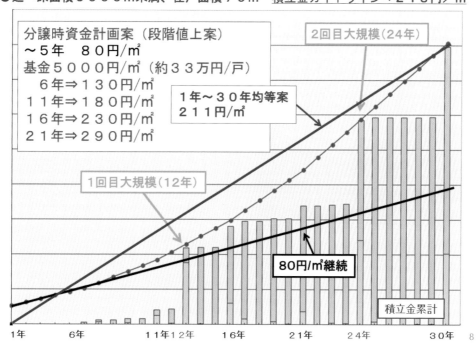

●延べ床面積５０００㎡未満、住戸面積７０㎡　積立金ガイドライン⇒２１８円／㎡

分譲時資金計画案（段階値上案）
～５年　８０円/㎡
基金５０００円/㎡（約３３万円/戸）
　6年⇒１３０円/㎡
　11年⇒１８０円/㎡
　16年⇒２３０円/㎡
　21年⇒２９０円/㎡

２回目大規模（24年）

１年～３０年均等案
２１１円/㎡

１回目大規模（12年）

80円/㎡継続

積立金累計

1年　　6年　　11年12年　　16年　　21年　　24年　　30年

8

（2）10年～20年

12年　大規模修繕工事1回目

写真8　大規模修繕工事

15年　インターホン設備、照明器具更新

写真9　インターホン

16年　給水ポンプ更新、空調換気設備更新

写真10　給水ポンプ

（3）20年～30年

20年　機械式駐車場更新（20年～30年）

写真11　機械式駐車場

24年　大規模修繕工事（2回目）、
　　　ポンプ等設備機器修繕

25年　エレベーターリニューアル（25年～30
　　　年）、給水管更新（25年～）

写真12　各種配管類　　　写真13
　　　　　　　　　　　　　エレベーター

（4）30年以降

30年　インターホン設備、照明器具更新（2回
　　　目）、雑排水管更新（30年～）

32年　給水ポンプ更新、空調換気設備更新（2回
　　　目）

36年　大規模修繕工事（3回目）、玄関ドア・手摺
　　　交換

写真14　　　　　　　　写真15　手摺
玄関ドア

3.6　資金計画のチェックポイント
資金不足にならないために

●大規模修繕工事などの大きい工事の後には、その
後の修繕計画をふまえ、積立金額を検討し、必要
に応じて修繕積立金を増額してゆく必要がありま
す。多くの物件で築後30年以降の設備改修費用
が不足する要因となっています。マンションの経
年に応じ以下のような検討をすすめてゆくことが
大切です。

（1）竣工～10年

修繕の状況に係らず、少なくとも分譲時の計画と
おりの積立金の値上げを実施しておくことが重要で

す。特に機械式駐車場がある場合、駐車場の使用料を修繕積立金に充当しておかないと不足が大きくなる傾向があります。この時期には住民（区分所有者）の皆様に修繕積立金の必要性を理解していただく時期であると考えられます。

（2）10年〜20年

大規模修繕工事1回目（12年）の実施後、インターホン、照明器具、給水ポンプ更新（15・16年）の設備関係の修繕費がまかなえるかの検討が必要です。（実際にそれらの工事を実施するかは別として）この時期に余裕をもった積立金額としておくと2回目の大規模修繕で不足することを回避できます。工事実績を踏まえ、各種設備関連の修繕を視野に入れ2回目、3回目の大規模修繕工事の検討すすめてゆく時期といえます。

（3）20年〜30年

大規模修繕工事2回目（24年）の前後の時期に機械式駐車場更新時期（20年〜30年）となるため駐車場の使用状況により撤去も含め検討が必要です。また、エレベーターリニューアル（25年〜30年）、配管種類によっては給水管更新（25年〜）などの設備関連の更新時期をむかえるため積立金が不足する可能性が高い時期です。多くの修繕項目が計画されていますが、劣化状況を点検することにより修繕時期を先延ばしできる修繕項目も多いですから、本当に必要な工事、その内容・時期を見極めてゆくことが必要な時期です。

（4）30年以降

インターホン設備、照明器具更新（30年）の2回目、雑排水管更新（30年〜）、大規模修繕工事3回目（36年）が計画されます。これまでの修繕項目に追加して玄関ドア・窓サッシ・手摺交換等の金物類の更新が計画されます。劣化状況を確認し修繕（更新）の仕様、範囲、実施時期を検討することが必要となります。

長期修繕計画に含まれていない工事項目にも注意が必要です。長期修繕計画では新築時と同等水準に維持・回復を前提条件としているため以下のような工事項目は含まれていないことが一般的です。

- ・バリアフリー化（新たな手摺・スロープ設置）
- ・防犯機能の強化（オートロック化、防犯カメラ設置）
- ・共用部機能、外観デザインの陳腐化への対応　等

写真16　防犯カメラ　　写真17　階段手摺設置

耐震補強など構造体に係る工事も含まれないことが多いと思われます。

- ・躯体（コンクリート）の補強計画（調査診断〜）。

実際に修繕計画を有効に活用してゆくには生活環境・社会環境による変化を考慮する必要性があります。また、住まわれる方の要望なども適宜取り入れてゆくことが望まれます。

4．おわりに

最近マンション管理状況に関する届出制度を設けている公共団体も増加しており、届出には長期修繕計画を活用しているか、修繕積立金が適切に積み立てられているかなどの設問が含まれています。

また、マンション管理の適正化の一つとして『管理計画認定制度』が創設され、マンション管理適正化法の改正案に盛り込まれ2022年までに施行されるようです。今後、より長期修繕計画の必要性・重要性は高まってゆくと思われます。

これまで多くのマンションの修繕計画・資金計画を見てきましたが、修繕積立金が充分確保されているといえるマンションは多くはありません。マンション管理組合の理事の方をはじめ、全ての住民（区分所有者）の方が安心して暮らしてゆけるよう、ご自身のマンションの長期修繕計画を今一度確認されてみてはいかがでしょうか。

住宅金融支援機構におけるマンションの
維持・再生に関する制度について

独立行政法人 住宅金融支援機構

1. はじめに

　住宅金融支援機構は、1950年に設立された住宅金融公庫の業務を引き継ぐ独立行政法人として2007年4月に設立されました。

　当機構においては、個人の住宅を取得する方を対象として長期固定金利住宅ローンの「フラット35」を民間金融機関と提携し提供することを主な業務としています。この他政策上特に重要で民間金融機関では対応が困難な分野については、住宅金融公庫時代から引き続き直接に融資も行っています。

　ここでは、政策上特に重要な分野のひとつであるマンションの維持・再生に関する当機構の制度についてご紹介します。

2. 分譲マンションの維持・再生に関する
制度について

　分譲マンションストック戸数は日本全国で約655万戸（2018年末時点）に達したと言われており、マンションの適切な維持管理の重要性は、ますます高まってきているところです。当機構では新築時以降も建替え等に至るまでのそれぞれのステージに対応した制度を用意し、マンションの適切な維持管理・再生を資金面から支援しています（図1）。

3. 修繕積立金の計画的な積立をサポート
～マンションすまい・る債～

3.1　マンションすまい・る債のご利用状況

　マンションの計画的な修繕のために積み立てられる「修繕積立金」をどのように運用していくかはマンション管理組合にとって重要な問題です。

　国土交通省による2018年度マンション総合調査図2によれば、修繕積立金の運用先として、銀行の預金に続いて4番目に「マンションすまい・る債」が利用されていることがわかります。特に、戸数の多いマンションでの利用割合が高くなっています（図3）。

　また、マンションすまい・る債の募集結果（図4）について、2015年度の制度改正（マンション共用部分リフォーム融資の金利引下げ、申込要件の緩和等）以降は、それ以前と比較して応募口数・組合数ともに高い水準で推移し、2019年度募集の応募口数は過去最多となりました。近年の傾向を見ると、築年数31年以上の高経年マンションからの応募が増えており、平均築年数も古くなる傾向にあります（表1）。

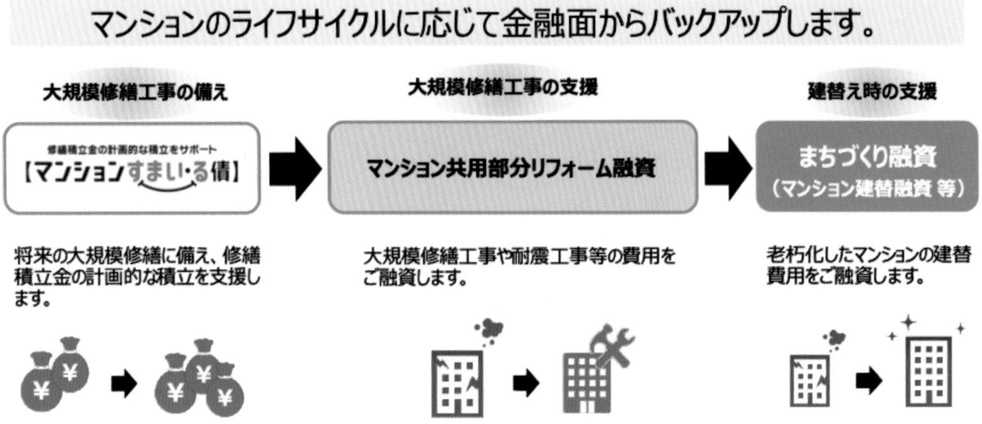

図1　住宅金融支援機構のマンション支援制度

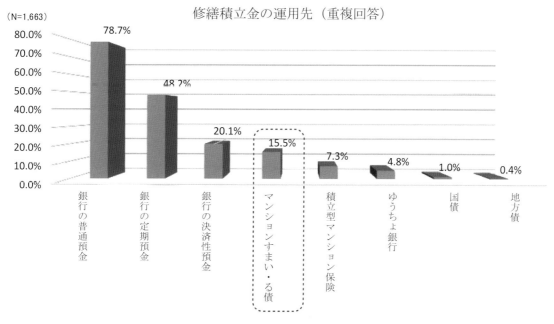

図2　修繕積立金の運用先

※国土交通省：「平成30年度マンション総合調査」より　住宅金融支援機構にてグラフを作成

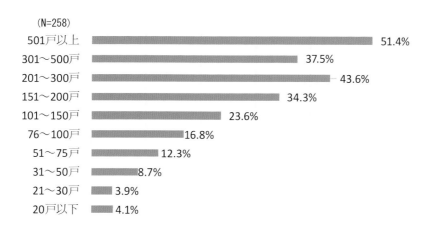

図3　修繕積立金の運用先（総戸数規模別のマンションすまい・る債利用割合）

※国土交通省：「平成30年度マンション総合調査」より　住宅金融支援機構にてグラフを作成

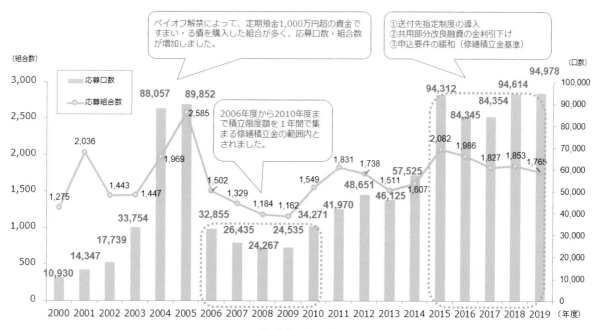

図4　マンションすまい・る債募集結果の推移（2000年－2019年度）

表1 マンションすまい・る債募集結果の推移（築年数別）

（単位：組合）

応募年度 組合数	2015年度	シェア	2016年度	シェア	2017年度	シェア	2018年度	シェア	2019年度	シェア
組合数計	2,082	100.0%	1,986	100.0%	1,827	100.0%	1,853	100.0%	1,765	100.0%
築年数12年以内	782	37.6%	685	34.5%	629	34.4%	609	32.9%	595	33.7%
築年数13～24年	862	41.4%	907	45.7%	783	42.9%	769	41.5%	695	39.4%
築年数25年以上	438	21.0%	394	19.8%	415	22.7%	475	25.6%	475	26.9%
築年数31年以上	235	11.3%	232	11.7%	272	14.9%	264	14.2%	310	17.6%
築年数の平均	16.0年		16.4年		17.2年		17.8年		18.3年	

表2 マンションすまい・る債の積立ての理由（築年数別）

積立ての理由 築年数	2018年度					2019年度				
	機構発行の債券で安全・安心だから	利回りが良いから	マンション管理に役立つ特典があるから	共用部分リフォーム融資の金利引下げがあるから	組合数	機構発行の債券で安全・安心だから	利回りが良いから	マンション管理に役立つ特典があるから	共用部分リフォーム融資の金利引下げがあるから	組合数
～12年	65.8%	31.6%	1.0%	1.5%	608	72.8%	24.7%	1.0%	1.3%	595
13～24年	65.6%	31.1%	0.8%	2.3%	771	64.5%	31.2%	0.9%	3.2%	695
25年～	57.0%	31.4%	0.8%	10.8%	474	55.6%	27.2%	1.3%	16.0%	475
31年～	52.7%	30.7%	1.5%	14.4%	264	53.9%	24.8%	1.3%	20.0%	310
全体	63.5%	31.4%	0.9%	4.2%	1,853	64.9%	27.9%	1.0%	6.0%	1,765

また、積立理由のアンケート結果（表2）によると、「機構発行の債券で安全・安心だから」と回答した割合が最も多く（64.9%）、築年数31年以上の高経年マンションでは、昨年度と比較すると「マンション共用部分リフォーム融資の金利引下げがあるから」と回答した割合が増加しています（2018年度：14.4%→2019年度：20.0%）。（全体では、2018年度：4.2%→2019年度：6.0%）

3.2 マンションすまい・る債の制度概要

「マンションすまい・る債」の特長は表3のとおりで、当機構が国の認可を受けて発行するマンション管理組合向けの債券になります。

また、利息は、債券発行時に決定された利率で毎年支払われ、2020年度募集の場合、10年満期まで預けた場合の年平均利率（税引前）は0.080%となっています。

表3 マンションすまい・る債の特長

特長1	利付10年債で、毎年1回（2月予定）定期的に利息をお支払
特長2	1口50万円から購入可能で、最大10回継続して積立可能
特長3	初回債券発行日から1年以上経過すれば修繕工事目的などでの換金可能（手数料無料）
特長4	当機構が国の認可を受けて発行している債券

さらに、マンションすまい・る債を積み立てたマンション管理組合は表4の特典をご利用いただけます。

表4 マンションすまい・る債積立ての特典

特典1	マンション共用部分リフォーム融資の金利を年0.2%引き下げます。
特典2	マンション共用部分リフォーム融資の保証料が2割程度割引かれます※。

※2020年7月現在、（公財）マンション管理センターへ保証委託する場合に同センターが実施している特典であり、今後、取扱いの変更等が生じることがあります。

特典の内容は、マンション共用部分リフォーム融資を受ける際の金利引下げなど、将来、大規模修繕等を行う場合にメリットがあるものとなっており、こうした特典を、初回積立て開始から積立金の残高がなくまるまでご利用いただくことができます。

マンションすまい・る債の積立てができるマンション管理組合については、長期修繕計画の計画期間が20年以上であることなどの要件がありますので、詳しくは表5をご確認ください。

表5　積立てができるマンション管理組合の要件

要件1	機構融資を利用し、共用部分の修繕工事を行うことを予定しているマンション管理組合であること。 ※　結果的に機構融資を受けずに共用部分の修繕工事を行うことになっても、違約金等は発生しません。
要件2	管理規約が定められていること。
要件3	長期修繕計画の計画期間が20年以上であること。 ※　「20年以上」という期間は、長期修繕計画を作成した時点からの期間で、応募を行う時点からの期間ではありません。
要件4	反社会的勢力と関係がないこと（反社会的勢力と関係があるマンション管理組合はこの制度を利用できません。）。

マンションすまい・る債の募集は、例年春から秋にかけて行われ、今年度は、4月24日から9月18日までが募集期間となっています（2020年度のスケジュールは図5のとおり。）。

4．マンションの共用部分の工事への融資 ～マンション共用部分リフォーム融資～

マンションの大規模修繕は、計画的に積み立てた修繕積立金で行っていくことが理想ですが、長期修繕計画作成時から大幅に工事費が上昇した場合、大規模修繕をきっかけとしたバリューアップ工事を行う場合、耐震改修工事を行う場合などの際に「マンション共用部分リフォーム融資」をご活用いただいています。

融資の受理金額は、マンションストックの増加や工事費の高騰などに伴い、2015年度以降、100億円を超える状況となっています（図6）。

ここでは、マンション共用部分リフォーム融資（管理組合申込み）についてご紹介します（表6）。

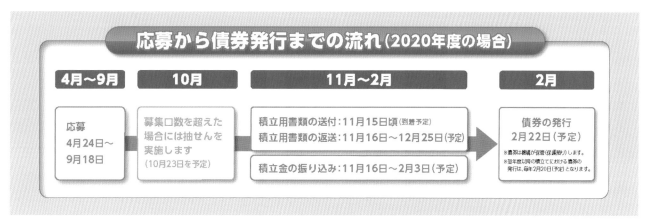

図5　マンションすまい・る債募応募の流れ（2020年度の場合）

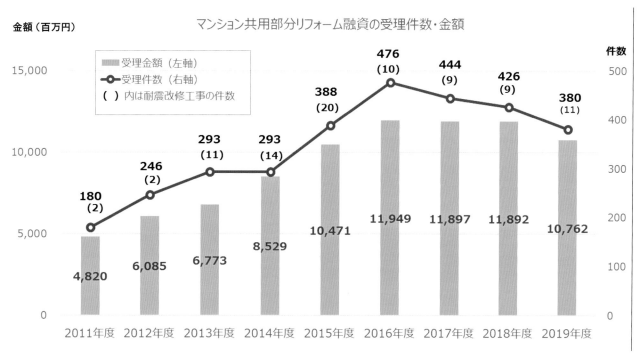

図6　マンション共用部分リフォーム融資の受理件数・金額の推移

借入金利は全期間固定金利で、借入申込時点に返済終了までの借入金利と返済額が確定しますので、返済計画が立てやすく、マンション管理組合の合意形成がしやすくなっています。

マンション管理組合の法人格の有無を問わずお申込みが可能で、抵当権等の担保は不要です。

また、機構の定める耐震改修工事を行う場合やマンションすまい・る債の積立てを行っている場合には金利を引下げます。

表6　マンション共用部分リフォーム融資5つの特長

特長1	全期間固定金利
特長2	法人格の有無を問いません。
特長3	担保は不要です。
特長4	耐震改修工事を行うことにより、金利を一定程度引下げます。
特長5	マンションすまい・る債の積立てにより、年0.2％の金利引下げます。

借入申込みをされたマンション管理組合に適用される金利は、2020年7月現在、**表7-1及び表7-2**のとおりとなっています。

表7-1　融資金利（返済期間が1～10年の場合）

リフォーム融資の種類	融資金利	マンションすまい・る債積立管理組合向け融資金利
マンション共用部分リフォーム	年0.68％	年0.48％
耐震改修工事を伴う場合	年0.42％	年0.22％

表7-2　融資金利（返済期間が11～20年の場合）

リフォーム融資の種類	融資金利	マンションすまい・る債積立管理組合向け融資金利
マンション共用部分リフォーム	年1.02％	年0.82％
耐震改修工事を伴う場合	年0.68％	年0.48％

※上記の融資金利は、全期間固定金利で2020年7月現在のものです。
※融資金利はお申込み時の金利が適用されます（融資金利は毎月見直します。）。

ご利用いただけるマンション管理組合の要件については、「管理費又は組合費により充当すべき経費に修繕積立金を充当できることが 管理規約又は総会の決議で決められていないこと」、「修繕積立金が一年以上定期的に積み立てられており、滞納割合が原則として10％以内であること」、「管理費や組合費と区分して経理されていること」など修繕積立金の適切な管理運営が行われていることなどとなっています。

2019年10月に制度改正を行い、返済期間については、これまで一律、最長10年であったものを、耐震改修工事、機械式駐車場の解体工事等の一定の工事を行う場合は、最長20年とすることができるようになりました。耐震改修工事や機械式駐車場の解体工事等は、一定の周期で計画的に行われる大規模修繕工事とは異なり、社会環境の変化に適合させるための改良工事であり、長期修繕計画上で周期的な工事として計画されていない例が多く見られます。その上、工事費も多額となり、修繕積立金の不足が懸念されることから、これらの工事を実施する場合には、最長返済期間を延長することとしました。また、融資限度額についても、これまで融資対象工事費の8割以内としていたものを、融資対象工事費の10割までとすることができるように制度改正を行いました。

さらに、これまで耐震診断費用や長期修繕計画の作成費用については大規模修繕工事を伴う場合のみ融資対象としていましたが、2020年4月に制度改正を行い、将来の工事に向けて耐震診断や長期修繕計画の作成のみを実施する場合も融資対象としました。

表8　商品概要（（公財）マンション管理センター保証の場合）　2020年7月現在

資金使途	マンション管理組合がマンションの共用部分の改良工事を行うための資金[※1]（ローンのお借換えには利用できません。）
ご利用いただける管理組合	1　次の事項等が管理規約又は総会の決議[※2]で決められていること。 　①マンション共用部分の工事をすること。 　②機構から資金を借り入れること（借入金額・借入期間・借入予定利率等）。 　③本返済には修繕積立金を充当すること。 　④（公財）マンション管理センターに保証委託すること。 　⑤組合員、業務、役員、総会、理事会及び会計に関する事項 2　管理規約において管理費又は組合費により充当すべき経費に修繕積立金を充当できる旨の定めがないこと。 3　毎月の返済額[※3]が毎月徴収する修繕積立金額[※4]の80％以内[※5]となること。 4　修繕積立金が一年以上定期的に積み立てられており、滞納割合が原則として10％以内であること。また管理費や組合費と区分して経理されていること。 5　マンションの管理者又は管理組合法人の代表理事が当該マンションの区分所有者（自然人）の中から選任されていること。 6　反社会的勢力と関係がないこと[※6]。
融資限度額	融資対象工事費[※7]又は150万円[※8]×住宅戸数のいずれか低い額[※9] （融資額は10万円単位で、最低額は100万円です（10万円未満切捨て）。）
返済期間	1年以上10年以内（1年単位）[※10]
担　保	不要
保証人・保証料	（公財）マンション管理センターの保証をご利用いただきます。なお、保証料はお客さまの負担となります。
火災保険	必要ありません。
返済方法	元利均等返済又は元金均等返済
手数料	○融資手数料：必要ありません　○繰上返済手数料：必要ありません

※1　耐震診断、長期修繕計画の作成等に要する費用のみのお借入れも対象となります。詳細は住宅金融支援機構にお問い合わせください。
※2　決議を行う総会において、「商品概要説明書」等、機構所定の書式を配布した上で理事長等が内容を説明し、その旨を当該総会の議事録に記載していただく必要があります。
※3　既に他の借入れがある場合は、今回の融資額に係る借入金の毎月の返済額に当該借入れに係る毎月の返済額を加えた額とします。
※4　返済額に充当するために返済期間中一定額を徴収する場合には、その額を含みます。
※5　修繕積立金の滞納割合が10％超20％以内であるマンション管理組合がお借入れいただくためには、一定の条件を満たした上で、60％以内とする必要があります。詳細は住宅金融支援機構にお問い合わせください。
※6　マンション管理組合の組合員が反社会的勢力に該当する場合、住戸が反社会的勢力の事務所等として使用されている場合等もご融資できません。
※7　補助金等の交付がある場合は、融資対象工事費から補助金等を差し引いた額となります。
※8　耐震改修工事の場合は、500万円となります。
※9　毎月の返済額が毎月徴収する修繕積立金額の80％を超える場合は、80％以内[(*)]となるよう融資額を減額させていただきます。また、既に他のお借入れがある場合は、今回の融資額に係る借入金の毎月の返済額に当該借入れに係る毎月の返済額を加えた合計額が、毎月徴収する修繕積立金の額の80％以内[(*)]であることが必要です。
　（*）修繕積立金の滞納割合が10％超20％以内であるマンション管理組合がお借入いただく場合はそれぞれ60％以内とする必要があります。
※10　一定の工事を行う場合、返済期間を最長20年間とすることができます。また、返済期間が11年以上20年以内の場合は、融資金利等が異なります。詳細は住宅金融支援機構にお問い合わせください。
（注）審査の結果、お客さまのご要望にそえない場合がありますので、あらかじめご了承ください。
（注）上記は（公財）マンション管理センターへ保証を委託する場合の融資条件です。保証を委託しない場合は、融資条件が異なります。
（注）非住宅（店舗等）部分の専有面積が全体面積の4分の1を超える場合は、当該部分に係る工事費は融資の対象外となります。

【参考】　事務手続の流れ

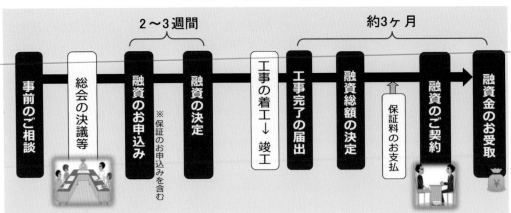

※総会の決議を行う前に機構支店へのご相談をお願いしています。
※融資のご契約以降は、機構業務取扱金融機関での手続となります。

5．おわりに

　以上、マンションの「修繕積立金」の運用先としてご利用いただける「マンションすまい・る債」、大規模修繕や耐震改修の際にご利用いただける「マンション共用部分リフォーム融資」についてご紹介しました。

　なお、今回ご紹介した制度以外に、マンション管理組合が大規模修繕工事等を行う場合に区分所有者個人の方が負担する一時金を融資する制度「マンション共用部分リフォーム融資（区分所有者申込み）」や、地震等の自然災害等により被災したマンションの共用部分を補修する際にご利用いただける制度「災害復興住宅融資（マンション共用部分補修）」もあります。詳しくは当機構までお問い合わせください。

　当機構の制度をより多くの皆さまに知っていただき、今後のマンションの維持管理・再生にお役立ていただければと思います。

○お問い合わせ先

マンションすまい・る債		お客さまコールセンター　住宅債券専用ダイヤル ☎0120-0860-23
マンション共用部分 リフォーム融資 災害復興住宅融資 （マンション共用部分補修）	北海道	北海道支店 まちづくり業務グループ ☎011-261-8305
	青森県・岩手県・宮城県 秋田県・山形県・福島県	東北支店 まちづくり業務グループ ☎022-227-5036
	栃木県・群馬県・新潟県・長野県 東京都・神奈川県・茨城県・埼玉県 千葉県・山梨県・静岡県	本店まちづくり業務部 マンション再生・再開発支援グループ ☎03-5800-9366
	岐阜県・愛知県・三重県	東海支店 まちづくり業務グループ ☎052-971-6903
	滋賀県・京都府・大阪府・兵庫県・奈良県・ 和歌山県・富山県・石川県・福井県・ 徳島県・香川県・愛媛県・高知県	近畿支店 まちづくり業務グループ ☎06-6281-9266
	鳥取県・島根県・岡山県・広島県・ 山口県	中国支店 まちづくり業務グループ ☎082-221-8653
	福岡県・佐賀県・長崎県 熊本県・大分県・宮崎県・鹿児島県	九州支店 まちづくり業務グループ ☎092-233-1509
まちづくり融資		本店まちづくり業務部 マンション再生・再開発支援グループ ☎03-5800-8104

協賛広告

生活継続計画（LCP）の観点で
建物の改修を提案

近年関心が高まっている災害対応力について「LCP（生活継続計画）」という新しい手法を用いて評価し、管理組合に向けて防災提案の取り組みを強化している。

この提案には（一社）新都市ハウジング協会が開発した「マンションLCP50＋50」による評価システムを使用して災害発生時のリスク50項目、その後の生活継続リスク50項目について評価点を入力することで現在の状況をレーダーチャート化している。

また、令和2年度から国土交通省も「マンションストック長寿命化等モデル事業」として防災性能の向上に補助金を支給する制度をスタートさせた。

東京都港区にある築40年超のマンションでLCP対応工事を実施

LCP対応で高経年マンションをヴィンテージ化

近年新築マンションの価格高騰もあり中古マンションの需要が高まっている。LCPをはじめ、バリヤフリー、セキュリティ強化などの付加価値向上が資産価値向上に直結することへの理解が深まってきている。

Aは非常用自家発電設備と備蓄燃料、受水槽の採水口があり、Bに比べ、断水や上下移動、停電対策について優れています。

敷地に空地があるAは避難リスク対策に優れ、A・Bとも防災マニュアルや自主防災組織があり、混乱発生対策に優れています。

非常用発電設備を72時間対応に増強

ゼネコン系の知見と計画力で
業界をリード

災害対応力強化で資産価値向上を提案

全国各地で発生している地震に加え近年では
大型の台風や前線の長期停滞により各地で風水害が頻発している。
これに伴う電気をはじめとしたインフラの途絶が大きな関心を集める中、
清水建設グループであるシミズ・ビルライフケアでは親会社と連携して
災害対応力強化に取り組んでいる。

株式会社 シミズ・ビルライフケア

〒104-0031　東京都中央区京橋二丁目10番2号　ぬ利彦ビル南館
TEL 03-6228-6130　　toiawase-e@sblc.co.jp
http://www.sblc.co.jp/

超高層マンション大規模修繕実績日本一
全国50棟 が物語る計画力

2000年以後、首都圏を中心に建設が急激に伸びた超高層マンションが今まさに大規模修繕の時期を迎えようとしている。

近年では大阪を中心に近畿圏でもその動きが活発化している。

シミズ・ビルライフケアでは清水建設と一体となって建物に合った最適な計画を行い低コストで効率の良い仮設設備を提案している。

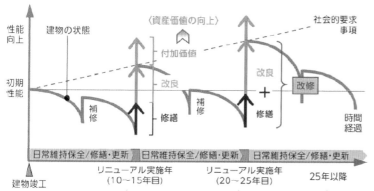

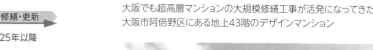

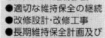

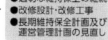

大阪でも超高層マンションの大規模修繕工事が活発になってきた
大阪市阿倍野区にある地上43階のデザインマンション

最適な仮説計画が大きなコストメリットを生む

超高層マンションの大規模修繕工事では工事費に占める仮設費用の割合が新築工事と比べて大きくなる特徴がある。

シミズ・ビルライフケアでは全国で50棟以上の超高層マンションの施工にあたり、エルザタワー55に代表される様々な仮設資機材を組み合わせたハイブリッドな仮設の計画により大規模修繕工事において非常に高いコストパフォーマンスを実現した。

いつまでも愛される
建物のために

移動昇降式足場による施工状況

1〜7階では構成枠組み足場、8〜49階では移動昇降式足場、
50〜55階ではゴンドラ足場を設置して大規模修繕工事を
行った埼玉県川口市のエルザタワー55

建物の長寿命化には適切な調査・診断が欠かせない

近年マンションにおける永住意識の高まりを背景に居住するマンションの長寿命化に関心が高まっている。建物の現状を正確に把握し、適切な措置を講じるためには適切な調査・診断が不可欠である。

設備配管のＸ線調査結果

外壁タイルの健全性調査状況

ドローンによる外壁調査状況

マンションの診断、できるんだ♪
「住優師」だから、わかるんだ♫

マンションの診断は、長谷工グループの専門チーム「住優師」に、おまかせください。

外観調査
コンクリートのひび割れや浮き、金属部の腐食状況などを確かめながら、調査を行う。

給水管調査
メーターボックス内の給水管にファイバースコープを挿入。管内のサビなどを調査する。

コンクリート中性化深さ調査
建物からコンクリートを細い円柱状に採取し、試薬を用いて劣化状態を調査。

住まいと暮らしの
創造企業グループ

マンションのことならわかるんだ。
つくってきたからわかるんだ。
マンション管理や修繕も
長谷工だからわかるんだ。

あなたの暮らしと、ずっと一緒に歩んでいく。

住まいと暮らしの
創造企業グループ

アドグラで建物イメージを一新、資産価値の向上へ

赤坂レジデンシャルホテル

　本工事にあたって、管理組合様からは【建物イメージを一新し、資産価値の向上を促す】ことが強く求められました。都会の中央にありながら、緑との共生や公園・広場など人々が交流する空間に立地し、"中世の城"をイメージさせる屋上のマンサードのデザインにもマッチした外壁仕上材として、弊社の「コテ塗り御影石アドグラ」が採用されました。

外壁　アドグラみかげ-03

■ 工事概要・高品質の工事を目指し心掛けた点

　この度の改修工事では、本建物の外装の大幅な変更と、省エネ効果の高いサッシへの交換工事が実施されました。既存塗膜は全面剥離し、竣工から40数年経過して傷んだ下地と、当時の施工精度から生じる不陸を補修しての施工となり、既存に合わせながら最善の方法を考えていく検討作業も長時間にわたり繰り返しました。

　又、本工事は居ながら工事であったため、工程の段取り、粉じん・騒音対策、作業足場の安全確認等には最大限留意いたしました。工期上、30人以上の左官技能者が同時に作業する必要があったため、全員で作業方法、施工のポイントについて十分な打合せを事前に繰り返し行い、外壁全面が均一に仕上がるように努めました。又、弊社監督員を2名常駐させ、工程ごとに厳しくチェックを行ない、予定通りの品質確保に努めました。

1階店舗　アドグラみかげ-10

■概要　工法：アドグラ仕上げ
　　　　設計：㈱三衛建築設計事務所
　　　　元請：建装工業㈱

タイル張り外壁の落下防止に最適な工法です

安全・長寿命・高級感のある仕上げ・安心の10年保証（落下防止期待耐用年数50年）

地震に強い アドグラ ピンネット工法

モルタル・タイルの全面的な剥落防止と高級な石貼りの景観を同時に実現

メリット

❶ 剥落防止は万全で長寿命、下地・仕上共に安心の10年保証付（最長20年）

❷ 美しく高級な石張状の仕上げでテナントの集客や資産価値向上に役立つ

❸ ひび割れの発生を防ぎ、耐候性・防水性が向上する

❹ 騒音・臭気や廃棄物が発生せず、サッシや配管の移動も不要

❺ 曲面や円柱が滑らかに仕上がる

★ 環境・リサイクル・省資源、全てに配慮したエコ工法です。

ピンネット工法 で、モルタル・タイルの全面的な剥落防止と下地の整形、保護層の作成を行い、その上を**アドグラ** で美しく高級な石貼り状に仕上げます

既調合の材料を吹付・コテ塗りするだけで
◆ 本石同様の仕上がり
◆ 長寿命で改修も容易

天然石調仕上材 アドグラ（標準42色）

みかげ-03

みかげ-25

みかげ-04

旧タイル面
フィラー下塗り
ネット埋込み
ピン打込み
フィラー仕上げ塗り
アドグラ下塗り
アドグラ仕上げ塗り

モルタル
20mm以上
コンクリート

施工断面図・平面図
（タイル下地の改修例）

発売元・責任施工 **AIWATEC** アイワテック株式会社

〒116-0003 東京都荒川区南千住6-58-4
TEL：03-3802-8155
http://www.aiwa-co.jp

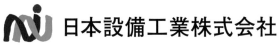 日本設備工業株式会社

https://www.nihonsetsubi.co.jp | http://www.reno-life.com

〒100-0004 東京都千代田区大手町1-7-2 東京サンケイビル　TEL：03-3279-1731（代表）

リノライフ事業部 〒104-0033 東京都中央区新川1-17-25 東茅場町有楽ビル TEL：03-6222-3133

【大阪営業所】TEL：06-6947-6177【名古屋営業所】TEL：052-218-7324

◎ マンションの設備改修・修繕・リノベーションはお気軽に。

うちのマンションは、パパより年上なの？

案外、いいマンションほど年をとっています。

でも給排水管などの水回りや衛生設備などの修繕計画がしっかりしていれば問題ありません。

築年数ではなく、たいせつなのはメンテナンス。

必要な改修工事を適切なタイミングで行うことです。

どうぞ、私たちにご相談ください。

数多くの経験と実績で、あなたのマンションをあらためて若々しく、住みやすくいたします。

setsubism

いい環境がいい未来をつくります。

1966年創立。空調、給排水衛生設備の設計・施工／ビル災害設備／建築物の内装設備／厨房機器や消火設備／オフィス・店舗の設備設計・施工／マンションや集合住宅のリニューアル／給排水管の更生・更新など

「長く居心地の良い住まいのために」

長く居心地の良い住まい・居住空間を提供するため、建物の保護と美観に用いられる建築仕上塗料・塗材。
マンションの改修用の建築仕上塗料・塗材の中から、塗膜としての性能や高意匠性の面から、
お勧めの3製品を紹介する。

エスケー化研株式会社

「住まいを長く守る」

超低汚染・超耐候無機複合ふっ素樹脂塗料
スーパーセラタイト F
超低汚染・超耐候無機複合弾性ふっ素樹脂塗料
弾性スーパーセラタイト F

　近年、進む建物の高層化。これら
の高層建築物は頻繁に頻繁に塗り替
えることもできないため、建物を保
護する塗料には、高耐久でメンテナ
ンスサイクルの長期化や汚れにくさ
が求められます。

　スーパーセラタイトFシリーズは、
無機複合ふっ素樹脂を採用し卓越し
た耐候性、邸汚染性を発揮する次世
代型の塗料で、紫外線・水・熱等か
ら外壁を守り、メンテナンスサイク
ルの長期化に貢献します。

■塗り替えサイクルの目安

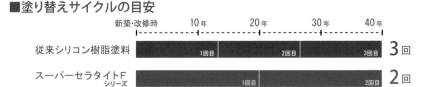

	新築・改修時	10年	20年	30年	40年	
従来シリコン樹脂塗料		1回目	2回目	3回目		**3回**
スーパーセラタイトF シリーズ			1回目		2回目	**2回**

※塗り替え年数は目安です。建物の立地条件、環境等によって異なります。また、塗り替えに関するコスト等は下地の劣化状況によっても異なります。

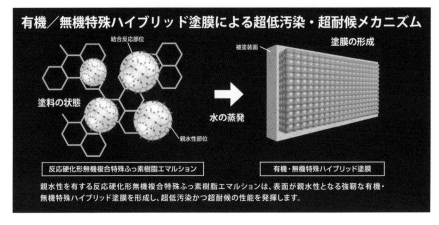

有機／無機特殊ハイブリッド塗膜による超低汚染・超耐候メカニズム

結合反応部位　被塗装面　塗膜の形成

塗料の状態　水の蒸発

親水性部位

反応硬化形無機複合特殊ふっ素樹脂エマルション　有機・無機特殊ハイブリッド塗膜

親水性を有する反応硬化形無機複合特殊ふっ素樹脂エマルションは、表面が親水性となる強靭な有機・無機特殊ハイブリッド塗膜を形成し、超低汚染かつ超耐候の性能を発揮します。

「高級感のある美的空間を演出」

サンドエレガンテ
サンドセラミック調装飾仕上塗材

サンドエレガンテシリーズは、天然の貝、砂、石の持つ素材感を融合することにより、自然の風合いを生かした意匠を持つ高級装飾仕上塗材です。

サンドエレガンテシリーズには、内装用の「サンドエレガンテIN」と内外装用の「サンドエレガンテS」、「サンドエレガンテ」、「サンドエレガンテF」があります。

内装と外装を同様の意匠で統一することができ、他にはない和テイストの空間を演出します。

使用している自然素材

セラミック系着色骨材

マイカ

ホタテの貝殻

◆ホタテの貝殻
貝殻は、99%が炭酸カルシウムで出来ている丈夫な材質であり、リサイクル利用で、環境に配慮した素材です。

◆マイカ
雲母石を細かくしたもので、光の当たり方でキラキラとした輝きを生み出します。

◆セラミック系着色骨材
陶器やタイルと同様、一粒一粒の砂(骨材)に焼き付けて着色していますので、耐久性が高く、安定した品質を維持します。

「和」の要素を取り入れて日本らしい落ち着きのある空間を演出。自然素材を活用した土壁調仕上塗材。

グラニピエーレ
超低汚染型天然石超・木目調シート建材

グラニピエーレは、特殊製法で作られた薄型・軽量・柔軟性を持つ超低汚染・超耐候性の特殊成形シート建材です。御影石調、たたき石調、ケンチ石調、砂岩調、木目調の形状バリエーションがあり、高級感のある豪華な空間を提供します。

御影石調仕上げ　たたき石調仕上げ　ケンチ石調仕上げ　砂岩調仕上げ　木目調仕上げ

建物の長寿命化に適した**新工法**

COMPOSITE SYSTEM VT
コンポジットシステム

立上り部に補強布不要型高靭性ウレタン塗膜防水を採用することで、
入隅部のプレート位置を改修工事のたびにずらして施工ができ、
最大4回の塩ビシート防水機械的固定工法によるかぶせ改修を可能にしました。

立上り
高靭性ウレタン塗膜防水 × **平場**
塩ビシート防水 機械的固定方法

POINT 01
GO-JINの採用で
複雑形状や納まりへの施工性が向上

GO-JINは、補強布がなくても十分な強度と伸びを有する高靭性ウレタン塗膜防水です。

塗膜が健全な状態で維持されるハイバランス設計

POINT 02
最大4回のかぶせ改修を可能にする
コンポジットシステムVT独自の鋼板取付け方法

【従来工法】
鋼板を重ねることで不安定に

【コンポジットシステムVT】
安定した強度を確保できる

Go-Jin
ゴウジン

ViewTop
ビュートップ

複雑形状への施工効率アップによる時短化！ × ⏰

撤去費用削減でライフサイクルコストを低減 × ¥

全国防水改修工事業団体連合会
http://www.bousuikaisyu.com

田島ルーフィング株式会社
https://tajima.jp

高強度と高伸長（高靱性）を併せ持つ**メッシュフリー**

Go-JIN

高靱性環境対応型ウレタン塗膜防水（特化則非該当）

×機械化システム

組合せることで、圧倒的な **省力化・高品質** を実現

OSS
オルタックサプライシステム

平面部用の低粘度ウレタン防水材を、
専用ポンプ車で一気に強力圧送、
自動混合

材料計量 手動撹拌 不要

OVS
オルタックビブラシステム

立上り・笠木・側溝部用の中高粘度
ウレタン防水材を、
ボタンひとつで自動混合

主剤を硬化剤缶に投入し
缶ごとVibraシステムに
セット

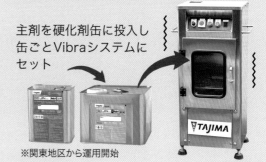

※関東地区から運用開始

自動混合はエアの
巻き込みがなく
高品質な防水層を
形成します

技術審査証明取得
（平面部・立上り部）

X-2（標準仕様書）、
L-UFS（JASS 8）同等

全国防水改修工事業団体連合会
http://www.bousuikaisyu.com

田島ルーフィング株式会社
https://tajima.jp

マンション管理から大規模修繕、耐震化まで
ワンストップで提供

新日本管財グループは、1971年の創業以来、マンション・ビルの総合管理に多くの実績を残してきた。
2001年に建物診断部を発足させ、その後の耐震のニーズの高まりを受け、業務範囲を耐震補強にも拡大した。

工学博士や構造設計一級建築士など大手ゼネコンで長年働いてきたベテランの技術者を揃え、
建物の安全性を求めるニーズに応えてきた。

そして、耐震補強設計までを同社が担当し、その後、大規模修繕などのリニューアル工事を専門に行う
グループ会社の新日本リフォームが、施工とアフターフォローを行う体制で、数多くの実績を重ねてきた。

設計と施工が情報を共有し、スタート時から一体で動く

　一般に、マンションの耐震補強工事に際して、なれ合いを防ぎ、コストを削減するためには、設計と施工を別々の会社に個別に発注する方がいいという見方もある。しかし、設計が終わっても工事には至らないケースは数多くある。なぜなら、生活の場ということを考慮せず、構造の機能面だけをみて、多くのマンションは区分所有と言う特殊な所有形態にも関わらず、専有部である室内にブレース（筋交い）を入れるような設計をしてしまう場合があるからだ。

　設計と施工が一体で動く当社グループの場合、住民の皆様が居ながらで行う工事内容の工夫提案は勿論のこと、早い段階で概算の工事見積を提示し、総合的な提案を行っている。グループ内で情報を共有するため、設計の早い段階で、可能な工法やそれに必要な資材、職人の人数などが大まかに把握できる。そのため、職人や資材不足が顕著な状況でも、前もって手配し、スムーズに工事に移行することができるのだ。

各マンションの状況に合わせられる技術力

　首都圏直下型地震や南海トラフ地震等の地震の脅威に加え、近年相次いでいる台風被害により、マンションの居住者の防災意識が高まってきている。最近の耐震補強工事の相談では、災害発生後の居住者の生活を守るLCP（生活継続計画）を意識した計画を望む声が増加した。

　しかしながら多くの管理組合は潤沢な資金を蓄えておらず、将来の建替えや地域の再開発計画が動き出しているといった個別の事情もある。そのような場合には、耐震指標Is値0.6以上の提案をしても、受けいれられることは難しいのが現状だ。そこでそれぞれの状況に合わせて、工事費用が軽減されるプランを用意している。

　例えば、Is値0.6未満でも倒壊リスクを低減する工事の提案である。東京都の場合、新しい「東京都耐震改修促進計画」で、マンションを含む特定緊急輸送道路沿道建築物については、一部の耐震改修を行う場合でも、改修後のIs値が0.3以上であれば助成を行うこととした。Is値0.3未満の建物の場合、大規模地震で倒壊するリスクが高いが、0.4や0.5まで引き上げれば、阪神淡路大震災クラスでも倒壊しない可能性が高くなる。

段階的耐震工事で強い建物に

　耐震化で公的助成を受けられないマンションに対しても複数の選択肢を提示している。たとえば、耐震補強工事を分割して行い、段階的にIs値0.6を目指す方法。また、費用が比較的安価な0.2の建物を0.4くらいに引き上げる方法、一階部分のみを補強し足腰を強靭にして倒壊を防ぐ方法などがある。

　しかも、工事費が高額にならないよう必要最小限の工事で、なおかつ美観を損ねない設計を行うには、構造設計者に経験とノウハウとセンスがなければできません。数値のみを追求して一律に構造設計を行うのではなく、一定の妥当性の幅の中で、お客様の要望や状況を踏まえた最良の設計を行うことを心掛けている。

Uマンションの耐震補強
1階にブレースを設地した他、1〜6階のバルコニーを取り外して建物本体の
柱と梁を強化し、新たにバルコニーを設置しなおした。

Sマンションの耐震補強
アウトフレーム工法による補強工事。

KSマンションの耐震補強
廊下や天井に補強を行い、ブレースを支える支柱は建物本体と同等の
地中深くまで掘り下げて設置。

KGマンションの大規模修繕工事・設備改修工事
管理組合の結成から手伝った。

新日本管管財・新日本リフォーム　サポート実績 [2020年3月末現在]

耐震診断 **324**件　　　耐震補強設計 **140**件　　　耐震補強工事 **62**件

リフォームに関する
お問い合わせはこちら

https://www.sn-reform.co.jp/

新日本リフォーム株式会社

☎ **03-3241-8814**

9:00 – 17:00（日祝休）

〒103-0022　東京都中央区日本橋室町 4丁目3番13号 三建室町ビル4階

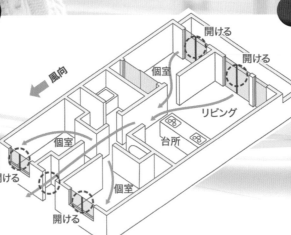

窓のリフォーム

改修前

↓

改修後

障子の開口を制限し、防犯面にも配慮しながら換気することができます。

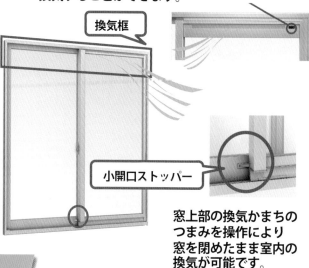

換気框

小開口ストッパー

窓上部の換気かまちのつまみを操作により窓を閉めたまま室内の換気が可能です。

ＬＩＸＩＬ商品 ラインナップ

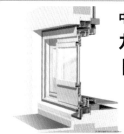

中高層マンション対応
カバー改修専用サッシ
PRO-SE RF

詳しくはこちら➡

低層マンション対応
アルミ樹脂複合改修サッシ
SAMOS RF

詳しくはこちら➡

玄関のリフォーム

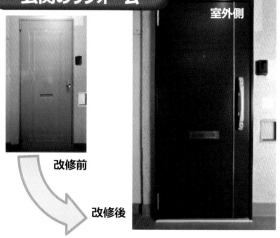
改修前

↓

改修後

室外側

今までの玄関枠の上に、新しい玄関枠をカバー施工
W方法の狭まり寸法は、約３センチ程度です※

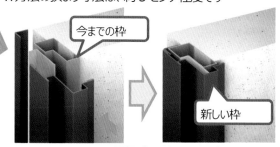
今までの枠

➡

新しい枠

※現場ごとに狭まり寸法が変わります

ＬＩＸＩＬ商品 ラインナップ

室内側

通気ユニット

カバー改修専用玄関ドア
ＲＳⅡ

詳しくはこちら➡

通気ユニットを設置することで扉を閉めたまま通気することが可能です

レジスター閉   レジスター開

通風機能付き玄関ドア
エアート

詳しくはこちら➡

扉デザインにより扉表面から空気を取り込む構造を実現しました

室外側   室内側

LIXIL リニューアル

株式会社LIXILリニューアル
〒110-0015
東京都台東区東上野6-9-3住友不動産上野ビル8号館
TEL:03-3842-7124(代) FAX:03-3842-7250

●メールお問い合わせはこちらから➡

集合住宅向け
玄関ドア改修

住まいの顔、玄関ドアを
グレードアップしませんか。
YKK APの玄関ドアリフォームは、
快適な生活の実現を約束します。

Before　　　　After

快適・防犯　スマートドア電池式

ハンズフリーでらくらく施解錠。
電気工事なしで設置も簡単。

ポケットKeyならポケットやカバンに入れたままで。カードキーやシールキーなら当てるだけでの手軽さで。もうカギを差し込んでまわす必要はありません。

離れたところからリモコン操作も可能です（操作範囲は3m）。ポケットKeyリモコンを持っていれば、ハンドルのボタンを押すだけで施解錠できます。

ICチップが内蔵されたカードキー・シールキーでも施解錠可能。

●室内側の電池ボックス
電池式なので時間がかかる電気工事不要。電池の取り換えも簡単です。

換気・結露抑制　換気機能付き玄関ドア

玄関ドアに換気をプラス。
結露抑制の効果も。

開閉可能な換気口パネル付きのドアです。玄関ドアを閉じたまま換気ができ、結露の抑制に効果があります。扉の下部から空気を通すので、外観デザインへの影響もありません。

（室外側）

（室内側）

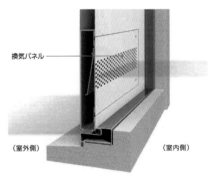
換気パネル
（室外側）　　　　（室内側）

対震・防犯　対震防犯仕様

地震と犯罪に備えて、
安心・安全のくらしを。

日常の確かな防犯と地震時のスムーズな脱出を配慮した安全設計です。地震時にドア枠が変形しても、扉の開閉が可能で、緊急避難に配慮した構造です。さらにロック部を目隠しして防犯性を高めています。

●対震防犯枠
枠とドアのクリアランスを通常より広く取っています。

●戸先部の目隠し構造
戸先が突出しており、テッドボトルなどは外から見えず、防犯性が高まります。

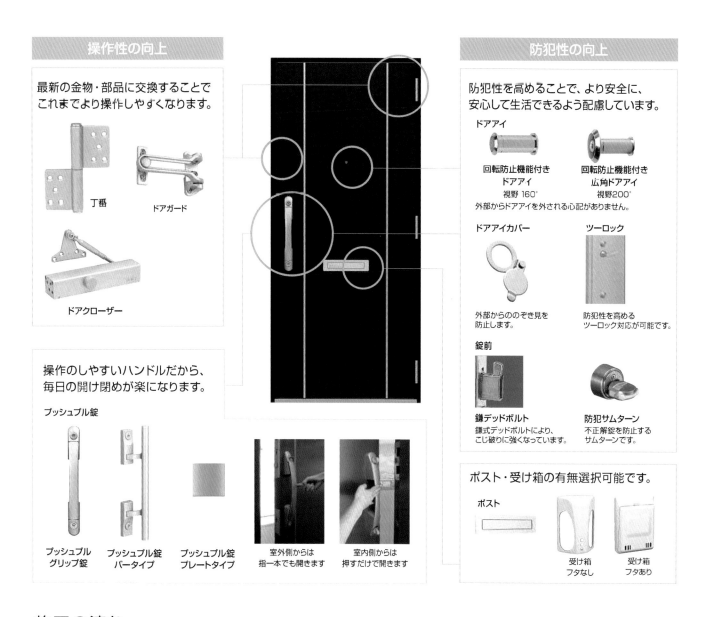

操作性の向上

最新の金物・部品に交換することで
これまでより操作しやすくなります。

丁番

ドアガード

ドアクローザー

操作のしやすいハンドルだから、
毎日の開け閉めが楽になります。

プッシュブル錠

プッシュブル
グリップ錠

プッシュブル錠
バータイプ

プッシュブル錠
プレートタイプ

室外側からは
指一本でも開きます

室内側からは
押すだけで開きます

防犯性の向上

防犯性を高めることで、より安全に、
安心して生活できるよう配慮しています。

ドアアイ

回転防止機能付き
ドアアイ
視野 160°

回転防止機能付き
広角ドアアイ
視野 200°

外部からドアアイを外される心配がありません。

ドアアイカバー

外部からののぞき見を
防止します。

ツーロック

防犯性を高める
ツーロック対応が可能です。

錠前

鎌デッドボルト
鎌式デッドボルトにより、
こじ破りに強くなっています。

防犯サムターン
不正解錠を防止する
サムターンです。

ポスト・受け箱の有無選択可能です。

ポスト

受け箱
フタなし

受け箱
フタあり

施工の流れ

2時間程度でドアが一新！（施工状況により変わる場合もあります）

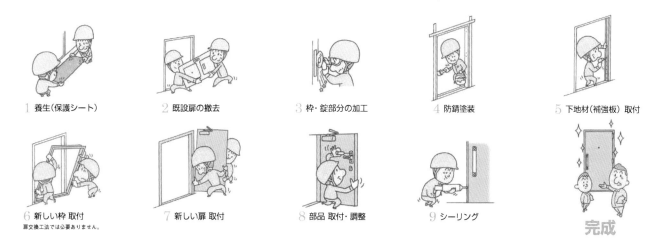

1 養生（保護シート）

2 既設扉の撤去

3 枠・錠部分の加工

4 防錆塗装

5 下地材（補強板）取付

6 新しい枠 取付
扉交換工法では必要ありません。

7 新しい扉 取付

8 部品 取付・調整

9 シーリング

完成

お問合せ先

YKK AP株式会社

商品に関するご相談・お問い合せは、
お客様相談室 まで

受付時間／月〜土 9:00〜17:00（日・祝日・年末年始・夏期休暇等を除く）
■建築・設計関係者様　■一般のお客様
0120-72-4134　0120-20-4134

外壁タイルの剥落防止工法

コニシ株式会社

1. 外壁タイル剥落のリスク

現在、建築の内外装材としてのタイルは不可欠なものです。四季があり気候条件の変化が激しい我が国では、長い年月を耐え抜くビルやマンションの外壁に積極的にタイルが採用されてきました。外装タイルは建築物の耐久性を向上させるとともに、その美しさによって建物に美的な美しさを付加しています。しかし、建物は、気温や湿度によって膨張、伸縮を繰り返すので経年により必ず劣化が進行します。なお、外壁タイルの剥離の要因として、ディファレンシャルムーブメント（相対歪み）による剥離メカニズムが考えられます。昨今、外壁タイルの浮き・剥離が社会問題となっております。外壁タイルの剥落は大きな人災を引き起こす可能性があり、最悪の場合死亡事故にも発展しかねません。実際に危害を加えてしまった場合、多額の賠償責任を問われるケースもあります。

2. タイル張りに関する世間情勢

平成20年4月に建築基準法第12条に基づく定期報告制度改正され、建物の竣工、外壁改修等から2〜3年毎の目視及び部分打診調査、**10年毎の外壁全面打診検査**が義務化されました。

定期的な維持保全の実施・剥落を防止する工法の採用が求められています。

> **持ち主・管理者に検査義務がある！**

3. タイル張り仕上げ外壁の浮きに対する改修工法

剥離・剥落につながる浮きは、下記の一般的な補修工法で施工されるケースが多く、補修部分が少なければ比較的低コストで修繕できます。なお、浮きが発生している層や、改修時の要求性能に応じて適切な工法選定が必要となります。

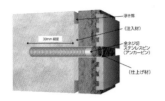

アンカーピンニング
エポキシ樹脂注入工法

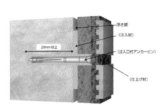

注入口付きアンカーピンニング
エポキシ樹脂注入工法

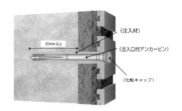

注入口付きアンカーピンニング
エポキシ樹脂注入タイル固定工法

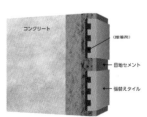

タイル張替え工法

▶ **一般的な補修工法（従来工法）の問題点**

> **どの層で浮いているのか、
> 両方浮いているか
> 判断が難しい。**

① 浮き層の特定が困難であること。
② 現在健全と思われる箇所が将来劣化する恐れが十分考えられること。
③ 新たな不具合に対する予防にはならず、点検・補修を繰り返す必要があり、ランニングコストがかかる場合がある。

健全部も含めて全面で剥落を防止する外壁複合改修構工法（予防保全）が開発されました。

4. 外壁複合改修構工法（ピンネット工法）

ビニロン繊維ネットとカーボンファイバー含有ポリマーセメントモルタルで一体化し、アンカーピンで躯体に固定することで剥落を防止するシステムです。将来にわたって

外壁タイル・モルタルの剥落を防止するとともに、新規仕上げに好適な下地を提供する外壁リニューアルシステムとなります。

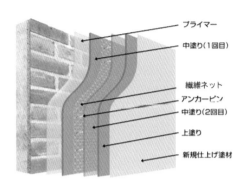

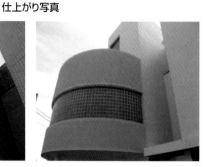

仕上がり写真

ピンネット工法施工前　　　　　ピンネット工法施工後

ピンネット工法は１９９０年頃より急速に広まり、現在の実績は５０万㎡／年以上です。

予防保全効果、実績、保証において非常に有効な工法

で、さらにピンネット工法により剥落防止性能を確保した上で新規の仕上げを施すことで時代の変化に伴って外壁の意匠を一新することもできます。

5. 透明剥落防止工法

安心を提供する外壁複合改修構工法です。透明な樹脂を塗り重ねることで既存の意匠性を保ったまま将来的な劣化にも対応できる予防保全となります。UR都市再生機構の定める品質判定基準を満たし、メイン材料の中塗り

剤は１液水性ウレタン樹脂のため臭気が少ないのが特徴です。また、膜厚検査を義務付けることで品質管理の徹底を図っています。

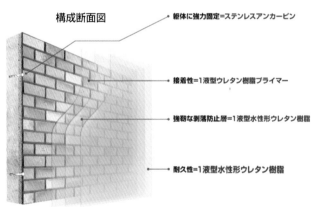

構成断面図

仕上がり写真

透明剥落防止工法施工前　　　　　透明剥落防止工法施工後

6. 外壁複合改修構工法（ピンネット工法・透明剥落防止工法）の特徴

○最長１０年の剥落保証・・・元請、施工会社、メーカーの３社連名にて施工部分を保証致します
○第三者賠償責任保険・・・施工箇所が万が一剥落して第三者被害を起こしても第三者賠償責任保険が付帯します
○施工技術者認定制度・・・技術を習得し、認定を受けた施工会社のみが施工できる工法である為、安心して工事を依頼できます

最後になりますが、経年劣化による外壁の浮き・剥落はなくならない問題であり**予防保全**が重要となります。「剥

落して第三者被害を起こしてからでは遅い！」ということを第一に考えることが非常に重要になります。

【マンションすまい・る債】

「マンションすまい・る債」の積立てイメージ

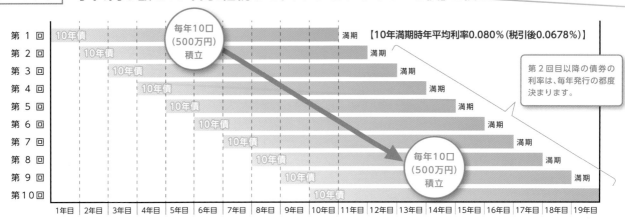

ケース1 毎年、同じ額を10年間、継続して「マンションすまい・る債」を積み立てるケース

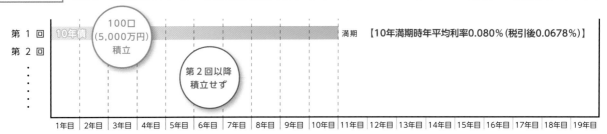

ケース2 既に一定額貯まっている修繕積立金をまとめて「マンションすまい・る債」を1回積み立てるケース

積立てができるマンション管理組合の要件

次の要件を満たすことが必要です。

1. 管理規約が定められていること。
2. 長期修繕計画の計画期間が20年以上であること。
3. 機構融資を受け、共用部分の修繕工事を行うことを予定していること。
   ※結果的に機構融資を受けない場合でも違約金等は発生しません。
4. 反社会的勢力と関係がないこと。

応募から債券発行までの流れ（2020年度の場合）

4月〜9月	10月	11月〜2月	2月
応募 4月24日〜 9月18日	募集口数を超えた場合には抽せんを実施します (10月23日を予定)	積立用書類の送付：11月15日頃 (到着予定) 積立用書類の返送：11月16日〜12月25日 (予定) 積立金の振り込み：11月16日〜2月3日 (予定)	債券の発行 2月22日 (予定) ※債券は機構が保管 (保護預り) します。 ※翌年度以降の積立てにおける債券の発行は、毎年2月20日 (予定) となります。

住宅金融支援機構
Japan Housing Finance Agency

マンション管理組合のみなさまへ

修繕積立金の計画的な積立をサポート
【マンションすまい・る債】

● 「マンションすまい・る債」は、マンション管理組合が行う修繕積立金の計画的な積立てや、保管・運用をサポートするための債券です。

● 住宅金融支援機構では、2000年から「マンションすまい・る債」の募集を開始し、これまでに約20,000のマンション管理組合にご応募いただいています。

2020年度応募受付期間
4/24（金）～9/18（金）
募集口数 150,000口（応募数が募集口数を超えた場合は抽選）

2020年度募集利率 **0.080%**

本金利は10年満期まで預けた場合の年平均利率（税引前）です。（税引後0.0678% 小数点第5位以下切捨て）

将来、大規模修繕が必要だけど、そのための備えって大丈夫かなぁ？

修繕積立金の計画的な積立てが大事だね！マンションすまい・る債がおすすめだよ。

「マンションすまい・る債」の特長

特長1 利付10年債で、毎年1回（2月予定）定期的に利息をお支払します。

特長2 1口50万円から購入可能で、最大10回継続して積立可能です。

特長3 初回債券発行日から1年以上経過すれば換金可能です（手数料なし）。

特長4 機構が国の認可を受けて発行している債券です。

積立てをされた管理組合への特典
■ 機構の「マンション共用部分リフォーム融資」の金利を0.2%引下げ
■ 機構の「マンション共用部分リフォーム融資」の保証料が2割程度割引※

※2020年4月現在、（公財）マンション管理センターへ保証委託する場合に同センターが実施している特典であり、今後、取扱いの変更等が生じることがあります。

 住宅金融支援機構
Japan Housing Finance Agency

住宅金融支援機構お客さまコールセンター 住宅債券専用ダイヤル
TEL：0120-0860-23

● 営業時間 9:00～17:00（土日・祝日・年末年始は休業）
● ご利用いただけない場合（国際電話などの場合）は、次の番号におかけください。
電話：048-615-2323（通話料がかかります。）

「マンションすまい・る債」の詳細はこちら
ttps://www.jhf.go.jp/loan/kanri/smile/index.html

すまいる債 検索

執筆者一覧

（掲載順）

原　章博　　株式会社シミズ・ビルライフケア　技術部　部長

坊垣 和明　東京都市大学名誉教授

宮内 博之　国立研究開発法人建築研究所　主任研究員

浦岡 健志　株式会社東京建物リサーチ・センター　企画開発部　専務取締役

丸山 和人　株式会社シミズ・ビルライフケア　診断部　部長

河野 智哉　日本設備工業株式会社　リノライフ事業部　営業課長

増田　弘　　株式会社LIXILリニューアル　第一事業本部

高田 豊司　YKK AP株式会社　東京改装支店　営業部長

岩佐 健志　新日本リフォーム株式会社／新日本管財株式会社　建物診断部　課長代理

奥西　弘　　コニシ株式会社　土木建設営業本部　東京土木建設営業部

小村 直樹　株式会社長谷エリフォーム　技術部　部長

紙屋 光昭　田島ルーフィング株式会社　マンションリニューアル関東支店営業1課　課長代理

村越　章　　株式会社長谷エリフォーム　技術部　技術部長

阿部　操　　三井デザインテック株式会社　リフォーム事業本部技術推進部　上席理事

高山 美幸　エスケー化研株式会社　SKクリエイティブデザインチーム　環境色彩設計　プリンシパルデザイナー

野倉 克之　株式会社長谷エコミュニティ　技術支援部門長期修繕計画部　部長

独立行政法人住宅金融支援機構　まちづくり業務部街づくり再生支援室

マンション改修読本
あなたのマンションを100年先へ

定　　価　　3,000円（＋消費税）

発 行 日　　令和2年10月28日　第1版第1刷

監　　修　　（一社）マンションリフォーム推進協議会　共用部分委員会
　　　　　　〒102-0083　東京都千代田区麹町4-3-4 宮ビル8階
　　　　　　TEL. 03-3265-4899　FAX. 03-3265-4861

発　　行　　㈱テツアドー出版
　　　　　　〒165-0026　東京都中野区新井1-34-14
　　　　　　TEL. 03-3228-3401　FAX. 03-3228-3410

ISBN978-4-903476-70-4